Blaise Cendrars

Emmène-moi au bout du monde!...

Denoël

Au grand Paul,
conduit par l'insolite à la Radio,
comme moi à l'Ame par les jupons

Blaise.

Château de La Marche, le 14 juillet 1950.

(N. B. — *Le présent ouvrage est un roman à clef. J'espère bien que personne n'aura l'inélégance d'y appliquer les clefs, les clefs du Mensonge, ni n'aura la pauvreté de s'y reconnaître en regardant le voisin par le trou de la serrure. Par ailleurs, ce livre est écrit selon l'esthétique de quelqu'un qui croit à ce qu'il raconte, comme* Coleman Hawkins, *saxoténor, et ses musiciens du ciel,* Billy Taylor, *piano,* Emmett Berry, *trompette,* Eddie Bert, *trombone,* Jo Jones, *batterie, et* Milt Hinton, *contrebasse, le* « Timeless Jazz », *des as, racontent une belle histoire,* Lullaby of Birdland, *qui se déroule dans l'espace, hors du temps et de l'époque.*

B. C.)

des rencontres...

Nom de Dieu! disait la
[princesse,
Qui avait de l'éducation,
Tout en se grattant les
[fesses
De la taille jusqu'au
[menton...

(Ronde des pensionnaires de Sion.)

Ils ne sont séparés que par le mur de la caserne

Elles ne sont séparées que par le mur du couvent

Un soldat pissait du
[vinaigre
Et mettait du poivre
[moulu,
La salade serait bientôt
[faite
Si l'cresson lui poussait
[au cul...

(Sonnerie de quartier.)

dans la rue...

I

LA GRENADE A SEPT FLAMMES

— Vérole!... disait l'homme en ahanant, et il travaillait la femme, vérole!...

— Tu me fais mal!... disait la femme en se tortillant, en se coulant, en se lovant, écartant les jambes puis les nouant dans le dos de l'homme, s'appuyant sur les coudes pour effectuer une subtile reptation, un mouvement de torsion pour arriver à chevaucher sans désemparer l'homme, maintenant à moitié chaviré sous elle.

— Ah! tu veux le faire à la turque?... Vérole!... Tiens, je vais te l'apprendre... Tiens, tiens et tiens!... Constantinople!... et se retournant avec une brusquerie inouïe, l'homme se dégagea d'un tour des reins de l'enlacement de la femme mais sans lâcher prise et, rendu furieux, embrochait à fond la vieille essoufflée, maintenant étendue en travers de la couche, la tête sur le plancher comme une autruche la tête dans le sable, ne comprenant rien à ce que l'homme pouvait lui faire et entreprendre avec ce qui lui restait de son corps au lit, s'attendant à Dieu sait quoi d'autre..., des coups, des caresses, des morsures, des crachats,... le viol!... et elle râlait, gloussait, gémissait, roucoulait, proférant des injures et des gros mots, guettant, provoquant la volupté qui allait foudroyer son partenaire, y prenant une part active, quoique rebelle, pour mieux l'accaparer et en jouir sans en perdre

une goutte en un point secret de son être porté à l'in-
candescence..., cependant que, là-haut, l'homme n'arrêtait pas de lui flanquer des gnons, de la tourner et de
la retourner, toujours emmanchée, de la faire virer plusieurs fois sur elle-même comme empalée sur un pivot,
de lui foutre le vertige, si bien que la femme ne savait
plus au juste où elle en était quand sa tête revint comme
une vesse pour la deuxième fois au tapis, le talon nu
de l'homme lui portant une rouste sur le museau, ce
qui lui fit sauter son dentier hors de la bouche, lequel
dentier faillit l'éborgner avant d'aller rouler sous un
fauteuil, alors que le beau dard du mâle la brûlait à
une profondeur insoupçonnée, s'implantant parmi ses
plis et ses replis, se frayant un chemin inédit dans le
ventre, la faisait hoqueter, la compénétrait.

Elle était ravie, la gisante, miaulant, rugissant comme
une chatte, une tigresse électrisée, et l'homme, qui ne
tenait pas compte de ses singeries, la barattait de belle
façon, lui claquant les fesses, s'écriant :

— Vérole!... Femme qui pète n'est pas morte!...

Elle gisait les yeux au plafond, attendant quoi?... le
déclic, les grandes orgues, les eaux du Niagara, la chute?...

O Mort, vieux capitaine, il est temps! levons l'ancre...
Ce pays nous ennuie, ô Mort, appareillons!
Si le ciel et la mer sont noirs... (sont noirs?... sont noirs?...)
Nos cœurs (ta-ta-ta-ta...) *sont remplis de rayons.*
Verse-nous ton poison pour qu'il nous réconforte.
Nous voulons (ta-ta-ta ta-ta-ta...) *nous voulons*
Plonger au fond du gouffre... (plonger au fond du gouffre?...)
Au fond de l'Inconnu pour trouver du...

Elle gisait, tragiquement laide, moite, les paupières
flétries, les accroche-cœurs collés aux tempes, le front
barré, se grattant la tignasse, se pouillant le cerveau

comme un vautour se pouille le dessous des ailes en faisant fonctionner son bec crissant comme une tondeuse, et son regard est insoutenable quand le charognard vous regarde de ses yeux jaunes, fixes... Pour la première fois de sa carrière, la comédienne avait une absence de mémoire et ne trouvait pas les mots, les rimes... Un trou... Elle n'était qu'un trou...

...du nouveau!...

Elle gisait à la renverse...

Du carreau des Halles montait une odeur de rance, de fermenté, bananes pourries et fleurs exaltées, un relent d'égout qui envahissait la chambre délabrée, remugle mêlé aux bruits des moteurs qui s'emballaient et faisaient vibrer les vitres, les camions dix-roues qui ébranlaient la maison jusque dans ses fondations, les klaxons qui s'échafaudaient comme des gratte-ciel et foiraient dans un tonnerre, les cris des débardeurs qui s'engueulaient en manœuvrant leur diable et aux ombres et aux lumières tournantes qui se baladaient au plafond.

Entre les lamelles disjointes des volets clos, le petit jour pointait, tissant des toiles d'araignée dans les rideaux sales du garni. La porte grinçait sur le palier. Un méchant courant d'air répandait les cendres de la cheminée. Le feu était éteint d'un misérable margotin allumé lors de leur arrivée par Eugène, le garçon d'étage, la vieille étant frileuse et Eugène la connaissant bien.

Il faisait froid. Des couples qui rigolaient montaient et descendaient les escaliers de l'hôtel de passe. La femme attendait. Écoutait. Elle grelottait. Le déclic ne se produisait pas. L'homme était coriace...

Quelle poisse! l'horreur même de sa situation la freinait, ainsi que la notion qui se faisait jour peu à peu dans sa conscience du risque qu'elle courait, la glaçait.

Et pourtant elle l'avait voulu. Le hasard de cette rencontre l'avait surexcitée... Un légionnaire!... Chic...
Quelle veine!... Toutefois, l'envolée ne se produisait
pas. Ce n'était d'ailleurs pas la première fois que la
vieille louve levait un mec aux alentours des Halles en
faisant de la retape sur le trottoir. Elle était possédée.
Une idée fixe la poussait. Se perdre. Crever d'extase, de
peur... Connaître enfin autre chose que la savante et
torturante volupté plastique dont une femme comme
elle, toute honte bue, sort toujours vainqueur. Des expé-
riences et des avatars les plus ignominieux ou les plus
incongrus comme on peut en lire dans les poèmes hin-
dous, elle en avait marre. Elle était aussi coriace et
vorace que le type qui, cette nuit, la tympanisait...

Ne plus vaincre, mais tomber, se donner, n'importe
où, dans un trou... Un trou, elle n'était qu'un trou, et
elle gisait au fond, victime de son propre piège... Ah!
se perdre... disparaître...

> *Plonger au fond du gouffre...*
> *Au fond de l'Inconnu pour trouver du nouveau...*

Elle était sous presse. La femme haletait. Et, tout à
coup, elle fut révoltée et se sentit prise, les entrailles
mordues... C'était intolérable...

— Emmène-moi au bout du monde!... s'écria-t-elle
épouvantée, et elle protestait : Aïe!... Aïe!... Tu me fais
mal, salaud!... Aïe!...

C'était une intellectuelle, la plus grande comédienne
de Paris.

Ce cri, cette plainte, elle les avait poussés soixante ans
auparavant dans les bras de son premier amant, Maurice,
un homme de lettres célèbre vers 1887, un poète hydro-
pathe et décadent, une âme débauchée qui l'avait per-
vertie; mais si cette plainte lui était revenue et lui avait

échappé ce cri à l'instant même, elle ne se sentait pas
frustrée et compromise comme naguère quand, jeune
fille, elle sortait du Conservatoire et s'était laissée violer
par le grand ponte officiel pour entrer au Théâtre-
Français. Cette fois-ci elle se sentait bien prise, clouée,
et elle se demandait dans son délire si elle n'allait pas
aimer, aimer enfin et pour la première fois... tellement
ses sens l'entraînaient, éveillés qu'ils étaient par les
manigances farfouilleuses de l'inconnu qu'elle subissait,
auxquelles elle devait se soumettre, auxquelles elle s'offrait, se portant à leur rencontre avec jubilation, quoique
grinçant des dents. Les écluses allaient céder. Elle était
toute tendresse :
— Je t'aime, petit, je t'aime... Vas-y!... Ah!...
L'orgasme venait...
— Vipère lubrique! grondait le soldat anonyme au
comble de la frénésie. Non, mais des fois, à moi on ne
la fait pas, tu sais. On ne me passe pas les menottes,
espèce d'ordure!... J'ai horreur d'être embarqué et je
ne me laisse pas faire, une fois suffit!... J'ai déjà porté
les fers aux pieds, j'ai été condamné à mort, et vive la
liberté! je ne me laisse pas mettre le grappin dessus...
Tiens, prends ça sur le pif, vérole; ça t'apprendra, tu
vas voir... Du Rhin au Danube, quand j'étais au front,
je fonçais avec mon tank dans toutes les boulangeries,
les pâtisseries, les confiseries, les *Delikatessen* que je trou-
vais sur mon chemin, et il ne manque pas de *Wirtschaften*
bien assorties et de maisons de thé toutes neuves et
camouflées en Forêt-Noire, et il y en avait à chaque
tournant de route où les Allemandes, qui n'étaient
jamais à court de boniments, venaient s'empiffrer, que
j'en avais honte! Je fonçais, bouleversant la sacrée boutique, défonçant la devanture et les vitrines, faisant
irruption, écrasant tout avec mon 30 tonnes, les clientes,
les assiettes de fraises et de myrtilles, les tonneaux de

bière, les bouteilles de vin du Rhin ou de la Moselle, la patronne qui n'avait pas le temps de se carapater derrière son comptoir, les commises, pauvres gretchens en uniforme empêtrées dans les tartes à la crème ou les chaînes de cervelas et que je n'entendais pas crier de terreur, déchargeant mon canon dans le four à pain, mais dont je voyais par la fente de visée les bouches s'ouvrir démesurément, et les mirettes, vérole! Et quand je sortais, après avoir fait pivoter mon engin comme un fou dans les réserves de farine, à droite, à gauche, et lâchant un coup de canon à chaque tour, défonçant le mur du fond, tout s'écroulait sur mon char de combat, vérole! les briques, les tuiles, les ardoises de la toiture, la charpente, et je ressortais dans la grand-rue du patelin le blindage blanc de farine et tout enduit de sang, des plâtras dégoulinant de jus de framboises, des babas au rhum, de la choucroute, des *Berliner-Kugel*, de la crème fouettée plein les chenilles, avec des éclaboussures de cuir chevelu, des cheveux, des chignons, des tresses, des toisons de femmes, et des bonnets et des soutiens-gorge et des robes et des tabliers et des corsets et des liquettes et des bas de soie et des slips, hachés, roussis, trempés de cambouis, noués parfois d'un bout de ruban, d'un élastique ou d'une faveur et formant de-ci de-là des petits tas comme des pâtés en croûte au format de mes empreintes comme si mon tank eût fait des bouses, et, une fois, je rejoignis ma section des chars rassemblés sur la place d'un village, devant l'église, les bobines d'un tiroir-caisse se déroulant dans mon dos, à croire que je sortais d'une boîte de nuit et descendais de Pigalle ayant fait la bombe, le visage criblé de confetti gluants, un nœud de serpentins dans le cou. C'était cocasse. On n'attendait que moi pour remettre ça. Tu parles si les copains se sont foutus de moi, vérole! quand ils m'ont vu arriver... Je... je... je voulais leur dire... Mais à quoi bon?... C'était la drôle de guerre qui continuait. Après cinq ans, cela recommençait en Allemagne, encore plus con qu'ailleurs, qu'en Italie, qu'en France... On n'y pensait même pas. Tout était automatique. Du ciné... Tout tourne... Je voulais leur dire de la boucler... Je... je... Je voulais leur dire de boucler leur sale gueule... Je voulais leur dire que... que... Ah! nom de Dieu... hurla soudainement le militaire en se dressant sur son séant et, au lieu de lâcher son sperme, il se mit à dégobiller dans le giron de la femme qu'il repoussait et faisait choir entièrement hors du lit toutes les saloperies qu'il avait pu boire depuis huit jours qu'il était en perme à Paris.

— Chéri!... murmurait la vieille femme qui s'était relevée et voulait l'étancher avec une serviette.

Mais le légionnaire s'était déjà retourné sur le ventre et roupillait vautré dans son vomi.

Rien à faire, il pionçait ferme, les fesses à l'air et bleues de tatouages. La femme eut un mouvement de recul, puis elle se pencha en avant pour mieux regarder la chose.

Une face cyniquement hilare la contemplait, un œil dessiné sur chaque fesse, avec des encres différentes, ce qui rendait ces yeux étranges asymétriques, le tarin du père Ubu, une rose rouge à la bouche, le tout comme une pleine lune et surmonté d'une inscription à double sens, dédicatoire et éjaculatoire.

Comme elle était très myope, la femme alla chercher son face-à-main sur la cheminée et alluma une cigarette. Elle bandait de curiosité. Elle tourna le commutateur. Alors elle découvrit avec stupeur que tout le dos de l'homme était décoré de tatouages suggestifs et crapuleux qu'elle n'avait pas eu le temps de débrouiller dans le désarroi du déduit amoureux, beaucoup trop vif et trop brutal comme entrée en matière : des prénoms, des surnoms, des femmes nues, des fleurs, un papillon, un chat noir sur une balançoire, la casbah d'Alger, un souvenir de Sidi-bel-Abbès, un serpent entortillé nouant par le milieu deux poignards entre-croisés, le falot, le pointillé à Deibler sous la nuque et entre les omoplates, la Veuve... On n'avait pas idée de ça. Cela la laissait rêveuse. Elle en pissait, se mouillait d'émotion... Elle y mit le doigt, la main pour se contenir.

Au bout d'un moment la vieille ramassa ses frusques, sans oublier son dentier qu'elle fourra dans son sac à main. Elle se renippa, se rajusta, se retiffa à la va-vite, s'enfonça sur le crâne son grand chapeau taupé dont elle rabattit l'aile sur les yeux, noua sa voilette, se faufila par la porte entrebâillée et dégringola l'escalier.

L'actrice courut réveiller Eugène dans sa soupente.

— Eugène!... Eugène!... l'appelait-elle en le secouant, Eugène... Laisse-le dormir... Dis-lui de venir me rejoindre *Au Père Tranquille* la nuit prochaine, j'y serai, qu'il vienne manger la soupe à l'oignon... Cet après-midi j'ai répétition, je crains que nous ne finissions fort tard, tu peux me téléphoner au théâtre si ça ne va pas... Et tiens, prends ça, tu peux lui donner de l'argent s'il t'en demande... Soigne-le-moi bien, je t'en prie...

— Madame Thérèse est contente, ça s'est bien passé?... Vous savez, je m'en suis fait du mauvais sang, je puis bien le dire. Je me tenais derrière la porte. Avec ces gars de la Légion, on ne sait jamais de quoi il en retourne. Le cafard, un accès de fièvre chaude, un coup de bambou et, couic! ils vous estourbissent une jolie femme...

— Tais-toi, Eugène, c'est un ange... A demain!...

— Madame Thérèse ne veut pas que je lui donne un coup de brosse et que je l'essuie un peu? Regardez-moi ça, vos mignonnes chaussures sont pleines de merde...

— Laisse ça, petit vicieux, tu sais bien que je n'aime pas que tu me touches.

— Ah! si Madame Thérèse le voulait bien... Je suis aussi bon que n'importe quel autre...

Mais la vieille futée se sauva dans la rue.

Elle n'était pas belle à voir avec sa robe dégrafée par derrière, ses bas qui retombaient, ses mèches qui flottaient, un œil au beurre noir, le visage flapi et, sans dentier, la bouche flasque. Les gens se retournaient sur son passage. Mais la vieille greluchonne s'en foutait, fonçant dans la foule des Halles, bousculant les ménagères.

— Quelle garce! elle a fait son plein..., soupira Eugène avec admiration.

Il la suivait des yeux, planté sur le pas de la porte, mal réveillé, le teint jaune, les bretelles pendantes, la braguette déboutonnée, ses orteils sales jouant hors les trous de ses savates avachies, et, rallumant le mégot sucé et resucé qu'il portait toujours derrière l'oreille :

— Elle est de l'autre siècle, on n'en fait plus des comme ça..., dit-il.

Et l'ayant perdue de vue, il remonta à l'étage se rendre compte dans quel état se trouvait l'heureux poilu. Et comme l'autre ne remuait pas :

— Le veinard, il est vidé..., dit-il encore.

Il s'empara comme s'il se fût agi d'un bijou précieux du face-à-main que Mme Thérèse avait oublié dans le lit souillé et alors Eugène s'exclama :

— Cela n'est pas ordinaire, visez-moi ça!...

Et lui aussi se pencha sur les tatouages du tankiste.

— Eh bien! mon colon, tu n'as pas l'air de t'embêter dans l'existence! Mais que c'est rigolo, ces trucs, mince alors!..., faisait-il.

Ayant inspecté le postérieur, il retourna le type qui

ne bronchait pas pour étudier le devant. Sur le bas-
ventre était écrit en lettres capitales : JE SUIS COCHON
AU LIT, et une truie était maladroitement dessinée parmi
les poils du pubis. D'un nichon à l'autre les quatre as
étaient incisés dans la peau, grossièrement coloriés et
dans l'ordre suivant : Pique, Cœur, Trèfle, Carreau, qui
se lisent : *Je le Pique au Cœur, je lui fauche son Trèfle
et il tombe sur le Carreau,* soit en clair : *Je le poignarde,
je lui prends son argent et il reste par terre.* Des initiales
étaient gravées dans un autre cœur percé d'une flèche
et d'où s'égouttaient des larmes rouge sang.

— C'est un beau salaud, oui! s'écria Eugène en s'en
allant et en donnant un tour de clé. Dire que c'est ça
qu'elle aime...

Il était jaloux.

Et en descendant l'escalier il constata à haute voix :
— On aura tout vu...

Comme il n'avait plus le cœur à l'ouvrage, il alla
s'installer au zinc d'en face boire un petit verre, et encore
un autre, et encore un, tout en surveillant la sortie de
l'hôtel à cause des clients qui s'en allaient souvent en
emportant les draps :

— Imbécile, grommelait-il dégoûté, tu ne sais pas y
faire, tu n'es qu'un pot...

Jusqu'à ce jour il s'était pris pour un dur.

Cependant Mme Thérèse trottait allégrement. Elle
n'allait pas loin, à deux pas, à l'*Hôtel Louvois*, où la
direction du Théâtre de la Scala Saint-Martin avait eu
l'attention, vu son grand âge et le rôle écrasant qu'elle
allait assumer, de lui retenir un appartement à proxi-
mité du théâtre pour que la grande artiste n'ait pas une
trop longue course à fournir dans le quartier mal fré-
quenté. Mais depuis plus d'un mois que les répétitions
duraient jusqu'à des deux, trois heures du matin, les
mauvaises rencontres que la vieille femme avait pu faire

la nuit l'émoustillaient, tant elle se sentait lasse et souvent à bout; elle avait besoin d'un stimulant et cela l'amusait follement d'inviter un clochard à venir manger la soupe à l'oignon avec elle dans tel ou tel caboulot des Halles, ou de danser une java de sa jeunesse avec un marlou dans un bal-musette, aux *Gravillons*, à la *Belle de nuit*, au *Caveau*, ou un pas exotique dans un dancing à boniches, *Les Miroirs*, boulevard de Sébasto, où sévissait un jazz désespérément pur dont les instrumentistes, rien que des Nègres déserteurs de l'armée des U. S. A., des hommes traqués, toujours sur le qui-vive, se relayaient et s'esquivaient selon les péripéties de leur aventure sans issue dans les bas-fonds de Paris. Déjà la vieillarde s'était payé des gigolos ou envoyé un béguin ou l'autre, des frappes. Bien sûr, tout le monde savait au théâtre que Thérèse avait des drôles de fréquentations, mais loin de l'en blâmer ou de s'en inquiéter, tout le monde admirait sa vitalité; et si les abominations qui circulaient sur son compte prenaient corps et si ses propos dans les coulisses et certaines confidences à des camarades, son rire pas bégueule et les provocations par lesquelles elle répondait quand on y faisait allusion eussent pu y faire ajouter foi, personne n'y croyait trop, les prenant pour du bluff, un prurit de la langue, du débinage, de la vantardise, un goût exagéré du scandale, un féroce appétit de publicité, et l'on attribuait à la curiosité la hantise qui poussait l'incorrigible comique chez les vagabonds, les truands, les rôdeurs, toute cette racaille de noctambules impénitents, et de se tremper dans leur ambiance et de se mêler à leurs micmacs pour les besoins de son rôle et mieux s'en pénétrer! Tout acteur de génie se dédouble pour vivre dans l'*aura* de son personnage, sinon, sans cette crise, il n'existe pas; ce qui explique le plus souvent les mauvaises mœurs et le scandale à la ville des passions dont les gens de théâtre

ne sont pas responsables mais qu'ils affichent car, hélas!
ils ne les ont pas dans la peau et c'est le plus souvent
du chiqué, d'où le grand nombre de cabotins.

On était à huit jours de la générale et, à la fin de sa
carrière, Thérèse allait créer le rôle de sa vie, à soixante-
dix-neuf ans un rôle de vamp pour gens du monde,
une espèce de pin-up de la pègre, la reine de la rue dans
Madame l'Arsouille, la dernière pièce de Guy de Montauriol, le benjamin des auteurs à la mode, la reine de
la rue, un personnage irrésistible de drôlerie et de verve
caustique, de cynisme, d'entrain, de désinvolture, de
gentillesse canaille, de sensibilité parisienne, poissarde et
dégingandée, au gros bon sens, aux bons gros mots
populaires, *Madame l'Arsouille*, comédie loufoque d'une
formule absolument nouvelle que les journaux portaient
déjà aux nues à coups d'informations sensationnelles et
d'indiscrétions controuvées.

Sept heures sonnaient à la pointe Saint-Eustache
comme l'actrice bohème tournait le coin de la rue du
Jour, où donnent les étuves des ébouillanteurs avec
leurs rangées de têtes de veau échaudées et chauves qui
vous regardent passer avec une feinte raillerie dans
l'atroce ruelle, tomba en arrêt devant une affiche apposée
de la nuit, toute ruisselante de colle fraîche et qui annonçait le spectacle avec son nom en vedette :

THÉATRE de la SCALA SAINT-MARTIN
THÉRÈSE ÉGLANTINE
dans
MADAME L'ARSOUILLE
Le Chef-d'œuvre de l'Humour noir!
La Nouvelle Comédie
de
GUY DE MONTAURIOL
3 actes de Fou Rire qui laissent rêveur...

— Décidément, mon légionnaire me porte bonheur, se disait la vieille toquée en baisant avec superstition un bouton d'uniforme qu'elle avait arraché avant de déguerpir au battle-dress du militaire endormi, une grenade à sept flammes qu'elle serrait dans le creux de sa main, et, se mirant longuement dans la vitrine d'une boutique pleine de têtes de veau grotesques et hilares autant que l'ignoble faciès qu'elle venait de découvrir au lit, elle se dit encore : « Ça y est, je tiens mon costume et j'envoie bouler couturiers, modistes et maquilleurs... Ma vieille loque de robe, ce même chapeau à la voilette, mon œil poché et avec, autour du cou, tous les bijoux de la Présidente, ce qui leur en bouchera un coin... tiens, j'ai oublié mon face-à-main !... et ce sera épatant... Oui, mais il va falloir bagarrer dur cet après-midi et je vais m'engueuler une fois de plus avec Félix Juin et le petit Guy qui n'aiment pas l'irruption de mon réalisme dans leur surréalisme un peu bébête, esthétique et conventionnel. Ils vont encore m'accuser d'être trop vraie et de faire ultra. Bien sûr que je fais ultra-vraie, et pourquoi pas... et pourquoi n'essaient-ils pas d'en faire autant, au lieu de caner ?... Il n'y a pas plus coco que ces directeurs et auteurs d'avant-garde qui veulent toujours faire du nouveau, rien que du nouveau, à n'importe quel prix et n'importe comment du nouveau-nouveau, c'est leur formule, comme si les pompiers ne se trouvaient pas toujours à l'avant-garde depuis l'Art pour l'Art comme le disait Maurice, qui m'a appris à me méfier de l'Art avec un grand A, car il avait du génie, Maurice, sauf au lit, où il était con comme la lune, le pauvre, imaginant des choses, mais des choses... dont il ne pouvait s'empêcher de parler, de parler... mais qu'il était bien incapable d'essayer et encore moins de réaliser... Il m'a complètement détraquée, Maurice, mon premier amant,... et il me faisait prendre des poses devant la glace de son entresol de l'île Saint-Louis, et, moi-même, je n'étais alors qu'une sotte... N'empêche que sans Maurice je ne serais rien... C'est comme mes camarades qui m'accusent d'égotisme, d'ingratitude, de vanité, d'arrivisme, de déplacer trop d'air en scène, de jouer au public, ce que la jeune génération ne sait plus faire, de n'en faire qu'à ma tête et qu'il n'y en a que pour moi alors que j'ai déjà un rôle tout en or, comme on dit... Bien sûr, bien sûr, on dit ça, mais c'est du métier qu'il faut et ils peuvent toujours courir, les jeunes... Ah! c'est beau, la jeunesse, mais c'est la jeunesse qui le dit... Et puis zut! je ne jouerai pas si l'on ne me cède pas... »

Et la vieille orgueilleuse d'éclater de rire, les yeux allumés.

Elle tira une cigarette de son sac à main.

La femme se sentait satisfaite, les lombes régalés, et le vieux jeton, plus batailleur que jamais, était prêt à tenir tête à son terrible directeur, à faire perdre pied à son jeune auteur ténébreux, à braver ses camarades, à se moquer du public, à faire marcher tout Paris, sans rien dire de ses innombrables admirateurs qui lui étaient restés fidèles depuis plus d'un demi-siècle que l'actrice triomphait sur les planches et leur tenait la dragée haute, tous ces vieux messieurs qui avaient si souvent demandé le numéro en mariage et qui occupaient tous les soirs qu'elle jouait les premiers rangs des fauteuils d'orchestre, décoratifs, empotés et plus moches que les têtes de veau décapitées, sans rien dire non plus des critiques professionnels, une autre espèce de vieillards impuissants qui savent tout, ont tout vu, tout lu mais n'entendent jamais rien à ce qu'ils ont sous les yeux en scène et se trouvent dans l'obligation de rentrer dare-dare chez eux consulter leur fichier pour se faire une opinion. Pouah, les vilains bonshommes! Déjà ils avaient

fait bloc en son temps contre les ouvrages de Maurice
Strauss, poète hypersensible perdu d'érudition mais
ayant le sens shakespearien du théâtre, de ses situations,
de ses rebondissements, de ses ficelles, de ses évocations
historiques ou triomphe et apothéose à la mode Renais-
sance ou byzantine, le virtuose des dialogues vifs et fra-
cassants, aux ripostes foudroyantes qui parent et portent
des coups dans un duel à mort et d'où jaillit la sentence
tranchante qui fait rendre gorge à l'adversaire, la vérité
sublime qui flotte comme une banderole sur les anta-
gonistes, la devise du héros ou de l'honneur des dames
qui rallie l'assentiment, l'admiration de tous, selon
l'optique traditionnelle du théâtre. Pouah, les vilains
bonshommes! Depuis plus de cinquante ans déjà, depuis
ses débuts au Théâtre-Français, quand elle était avant
tout l'interprète des poètes, la muse à la diction parfaite,
l'âme, le symbole, le lotus d'or, le lys éthéré, l'agnelle
de la nouvelle école poétique qui perçait à cette époque-là,
une vierge préraphaélite, et bien avant qu'elle eût
définitivement rompu avec l'administration de l'illustre
Maison où elle avait fait un suprême effort dans *Phèdre*
pour forcer les résistances, une *Phèdre* moderne, affinée
par l'insomnie et les fièvres du désir, audacieusement
sensuelle et musicienne — elle disait les vers comme
personne ne les dit plus, une tortue sur la langue, c'est-
à-dire un luth, le luth d'Orphée! — mais elle avait
paru trop jeune et on l'avait trouvée trop maigre, déjà
les vilains bonshommes étaient ligués contre elle à
cause de lui, Maurice, qui avait fini par l'épouser
in extremis, sur son lit de mort... Pouah, les vilains
jaloux!

Comme il l'avait déjà dit à plusieurs autres,

> *Elle a ce mignon travers*
> *De comprendre un peu mes vers*

lui avait écrit de sa menue main Stéphane Mallarmé
sur un de ses fameux *Éventails* qu'il lui avait dédicacé,
rendant hommage au talent de la débutante, à sa beauté,
mais aussi à son éblouissante jeunesse, se portant séni-
lement sur les rangs de ses adulateurs et se mêlant à la
cabale malgré sa passion exclusive pour Élisa Méry-
Laurent, la trépidante courtisane blonde, dodue et
coquette, la maîtresse affichée du riche Evans, le dentiste
de l'impératrice Eugénie, et malgré la jalousie qui travaillait sur le tard le faune apprivoisé, le poète humilié
par celle qu'il a allusivement désignée sous la forme
d'une mandore, c'est-à-dire d'un bidet dans *Sainte*,
l'un de ses derniers sonnets, surnommée *Toute la Lyre*
par Georges Moore pour avoir été la muse commune
de Théodore de Banville, de François Coppée, d'Édouard
Manet, d'Edgar Degas, de Reynaldo Hahn, jalousie,
humiliation de l'homme déclinant en proie au démon de
midi, le génie tenu en laisse comme le cochon par une
gourgandine sur certaine gravure érotique de Félicien
Rops.

— Oh la la... Quel métier!... Et quelle fatigue!...
Il faut toujours recommencer par le commencement, se
disait la vieille comédienne flétrie en pensant au chemin
parcouru et aux hommes qu'elle avait connus. J'en ai
marre...

Et en se mirant obliquement dans une autre vitrine,
où elle apparaissait en surimpression transparente parmi
les têtes de veau exposées, elle se demandait : « Suis-je
mieux avec ou sans mon dentier?... Je vais me faire
une tête, mais une tête!... Les bajoues, le gras du cou,
mon double menton... C'est une trouvaille... Je vais
me faire une tête de vache... Ça sera un triomphe...
probablement le dernier, je le sais bien, tellement je suis
lasse, mais un triomphe quand même et dont on parlera!
Je le veux. Je...

La bouche ouverte, elle essayait son dentier qu'elle avait sorti de son sac à main et qu'elle enfournait, retirait, remettait, accrochait, enlevait, se mirant, pivotant, se penchant en avant, reculant d'un pas pour juger de l'effet, tapant du pied d'impatience, les pieds dans le ruisseau débordant qui charriait des trognons de choux, des tomates, des pommes blettes, des œufs pourris et autres détritus des Halles.

— Chasseurs, sachez chasser sans chien, prononçait-elle à titre d'essai en retirant, en remettant son dentier dans la bouche...

— ... Je veux et j'exige..., prononçait-elle vingt fois de suite à haute voix pour juger du timbre...

— Hé! attention, vieille bique, lui cria un balayeur qui poussait les ordures dans une bouche d'égout, tu ne peux pas faire attention, hé! petite crotte de corne... Tu veux que je t'emmène, payse? Il y a encore de la place au Père-Lachaise...

— Chiche! répondit la comédienne. Repasse dans huit jours et je t'invite, je t'invite à mon enterrement. Je te donnerai même une place à l'œil!...

Et lui désignant du pouce et d'un coup de tête l'affiche du théâtre dans son dos, elle ajouta, rigolarde :

— Tu piges, hein? Tu n'auras qu'à donner mon nom à la Scala et l'on te fera rentrer. Ta soirée ne sera pas entièrement perdue, tu pourras rire plein ton soûl. Sacré farceur, va! Je m'appelle Thérèse. Thérèse Églantine, c'est moi...

II

VIVRE EST UN ART MAGIQUE

— C'est toi, Thérèse?...

— C'est moi, Toutoune... Mais ne bouge pas...
Regarde... Suis-je bien ainsi?... Hein, que je suis belle!...
C'est bœuf...

Thérèse Églantine se tenait sur le seuil de la chambre
de la Présidente, sa grande copine de toujours. Elle
avait passé la matinée à arranger son costume selon son
idée. Elle avait fendu la robe jusqu'à mi-cuisse, bordé la
fente sur le côté de nœuds et de faveurs rouges, faufilé
et cousu des strass sur le ventre, par grappes et par bou-
quets, ourlé le bas de la jupe par devant d'une fronce
de plis à une étoffe surajoutée, une bande de velours
zinzolin maintenant comme en des godets autant d'ailes
d'oiseaux multicolores et extravagantes qui se conti-
nuaient par derrière en une traîne de six bons mètres
composée entièrement de plumes d'autruche chagrinées
allant du blanc au bleu, au rouge, au noir en s'épanouis-
sant en éventail, les dernières piquées comme un panache
des pompes funèbres dans le coussin d'un vertugadin
qui rehaussait ridiculement son postérieur, qu'elle avait
plat de nature. Chacun de ses mouvements découvrait
ses jambes maigrichonnes de vieille femme enfilées
dans des bas illusion couleur chair qui faisaient démodé
mais riche, ornementés qu'ils étaient de brillants minus-

cules sertis entre les mailles de soie et qui pétillaient
de mille éclats, crépitaient, palpitaient, grouillaient à
même la peau comme de la vermine pour milliardaire.
Elle avait acheté cette paire de bas unique au monde à
un anarchiste espagnol, un réfugié politique rencontré
dans un bar de Montmartre, qui les avait arrachés en
septembre 1936 à Notre-Dame de la Guadeloupe de
Badajoz, en Estrémadure, dépouillant la statue mira-
culeuse de la Madone. C'était d'un effet prodigieux
quand elle se troussait haut, découvrant des dessous
illuminés, vastes, soufflés, ambrés, touffus et de couleur
rose-rose, sans rémission. Le buste était recouvert de
colifichets, de bouts de dentelle, de queues de fourrure,
de chiffons, de rubans, de fichus et de mouchoirs versi-
colores, de tout un échantillonnage ramassé dans une
poubelle des beaux quartiers ou volé au marché aux
puces, et, frappant du talon, comme une danseuse de
french-cancan elle cambrait ses reins fatigués et raidis-
sait ses seins mous et croulants. Elle braquait au bout
du bras un lourd face-à-main orfévré, rattaché par une
chaîne cliquetante à grosses boules de jais et à épaisses
facettes qui lui ceinturait la taille. Sur ses bras nus,
elle avait enfilé des mitaines vert-de-gris et or, à jours,
qui lui montaient au-dessus du coude et retombaient
lâchement retenues par des gances grenat passées dans le
filet. Des touffes d'aigrettes et de paradis, comme des
orchidées parasitaires lui dévorant le dessous des ais-
selles, poussaient avec exubération, lui contournant, lui
enfouissant les épaules. Le tout faisait une belle har-
monie maintenue dans les tons rose, noir, violet, capu-
cine, coq de roche, gorge de pigeon et le moiré des gris
et des mauves de la fumée de sa cigarette, et Thérèse
avait grande allure, plutôt de l'impératrice de Chine
que de la reine des rues parisiennes, de l'impératrice
des chiffonniers, bien entendu, surtout que comme celle

de Shanghaï qui porte un chapeau tartare, une espèce
de Cronstadt rogné, une forte calotte de feutre vert-vert,
autour de quoi elle noue sa natte les jours de fêtes
propitiatoires, Thérèse avait posé sur ses maigres cheveux
à pellicules et raides comme clous son vieux chapeau
taupé de tous les jours, le bord rabattu sur les yeux et
dont, à la dernière minute, elle avait supprimé la voilette
pour ne pas masquer son œil poché, son charlot, le chef-
d'œuvre de sa composition étourdissante. Elle avait
passé deux heures d'horloge à l'évermillonner, usant ses
fards, ses brosses, ses crayons de couleurs, sa pierre
ponce, sa peau de chamois, sa houppette pour le faire
passer par tous les dégradés de l'arc-en-ciel, si bien que
son œil au beurre noir, le gauche, loin d'être éteint,
fusait comme un soleil en décomposition et que le droit,
pour lui faire pendant, était agrandi d'une façon stupéfiante par un fort trait de noir et un autre trait de bleu,
plus une tache de cinabre sur la tempe. C'était au poil,
d'un artifice effarant mais parlant, d'un pathétisme frisant
la grimace, le masque de carnaval. On hésitait, tant la
face paraissait stupide. Et tout à coup, on était emballé
et l'on admirait sans aucune restriction mentale l'audace
de cette femme qui avait eu recours, probablement sans
l'avoir fait exprès, à la terreur religieuse, à la mythologie
crétoise, au culte de Minos pour se diviniser, impavide
dans un rôle gai, une énigme, un monstre

...vera incessu patuit dea...

Était-ce une réminiscence, une lointaine et dernière
influence de Maurice Strauss, un rappel des lectures
érudites et érotiques que l'esthète lui avait fait faire
jadis ou le souvenir imprévu d'une visite au musée
Cernuschi, dont son mari impuissant avait été le conser-
vateur et où il l'avait souvent entraînée au temps de sa

jeunesse pour la débaucher, lui montrer et lui faire palper certaines pièces non exposées en vitrine à cause de leur signification totémique par trop précise et de leurs proportions anatomiques exagérées, ou n'était-ce pas plutôt son sûr instinct de comédienne rompue à tous les trucs du métier ou encore, la fatalité, une manifestation de son subconscient, la vieillarde ruminant sa nuit de folle débauche, qui lui avait inspiré cette trouvaille? En tout cas, c'était « bœuf », comme Thérèse prit coutume de dire par la suite chaque fois qu'on venait la féliciter dans sa loge de sa création horriblement belle et si profondément humaine ou, comme devait le proclamer un jeune ironiste le soir de la première, trouvant que l'actrice était offerte sur scène en holocauste, *très vache sacrée pour le Minotaure*, le texte qu'elle avait à dire n'ajoutant pas grand-chose à l'absurdité du costume, à son maintien, aux dimensions métaphysiques qu'atteignait la trogne, à son imposture, son délire, autour de quoi paradoxalement toute la pièce se cristallisait, les répliques les plus spirituelles, les malices les plus exquises, l'imbroglio des situations ainsi que les cascades de rire.

Comme devait le faire le public huit jours plus tard et durant des centaines et des centaines de représentations triomphales, la première réaction de la Présidente fut d'éclater de rire, l'émotion, la terreur, l'admiration, la magie, le sublime ne venant qu'après :

— Tu es folle, ma pauvre Zette, complètement folle!... Qui, mais qui a eu le culot de te fagoter de la sorte?... Et c'est ainsi que tu vas te produire, et avec cette tête, cette tête... de... de..., je ne trouve pas le mot... cette tête stupide!... Mais tu n'y penses pas, ma pauvre fille... Tu fais peur...

— Folle, folle, c'est bientôt dit. Mais tu n'y entends rien, ma bonne Toutoune. Dis que c'est bœuf! C'est une heureuse inspiration que j'ai eue de me faire cette tête... D'accord, une femme amoureuse est toujours stupide et, justement, c'est alors qu'elle commence à se déguiser pour de bon, pour donner le change sur sa personne, intriguer, attirer, fixer l'homme, poser pour lui selon ses désirs, et que veux-tu que ces pauvres bécasses de femmes amoureuses dont je suis puissent faire d'autre que de se faire passer pour autant de Sphinx ou de prêtresses, d'où mon costume. Néanmoins, tantôt, je vais me trouver dans l'obligation de me défendre et de me bagarrer pour imposer ma conception du rôle car tu n'as pas idée, ma bonne, de ce qu'ils sont cornichons au théâtre et démunis de psychologie. Le petit Guy de Montauriol, ce morveux, va éplucher chaque détail de ma robe et me chercher querelle; quant à Félix Juin, je l'entends d'ici me menacer de me couper la tête, tout simplement, oui, cette tête idiote comme tu dis, cette tête de vache que je n'ai pas inventée toute seule, mais que je me suis fais faire ou, mieux, réduire à coups de talon par un inconnu cette nuit!... Je te dis que je suis amoureuse, hi, hi!... Mais tu as raison, il manque réellement quelque chose sur moi pour donner de la vraie grandeur humaine à ma déchéance, quelque chose de balzacien... Il me manque des bijoux, sapristi, des vrais bijoux, une flopée, des colliers en pagailles, des perlouses, des diams, des bagues à tous les doigts, même aux pouces, des solitaires, des bouchons de carafe, des pendentifs, des médaillons, des boucles, des broches, des anneaux, la batterie de cuisine d'un général, toute une fortune dans mes guenilles, il m'en faut des tas, accrochés partout, et pas du toc comme au ciné, il faut que les gens en restent paf!... Et quelle publicité, tu te rends compte?... Et c'est pourquoi je suis venue te voir en courant. Je viens chercher tes bijoux, Toutoune, et, bien sûr, partager ta côtelette et tes épinards traditionnels avant de filer à la répétition. J'ai tout juste le temps et j'ai faim, tu sais... Une nuit d'amour!... Et comment ça va, ma bonne Toutoune?...

— Ma Zette, viens que je t'embrasse et passons à table... Entendu pour les bijoux, tu n'as qu'à les prendre. Tu sais où ils sont, toujours dans la sabretache d'Oscar accrochée derrière la baignoire. Va les chercher. Tu as raison, tu es magnifique!... Mais je maintiens que tu es folle...

— Non, non, pas folle, Toutoune, mais amoureuse, comme je te l'ai dit... Pis que cela, amoureuse pour la première fois de ma vie... Ah! si tu savais, quel homme!... Je sens que je vais être heureuse...

— Viens, ma Zette, passons à table et raconte-moi ça... Tu n'auras jamais fini de m'épater...

Et la Présidente de frapper sur un gong pour appeler son majordome, un Nègre gigantesque qui la prit dans ses bras pour la porter à table, la Présidente étant cul-de-jatte de naissance.

— Mme Thérèse déjeune avec nous, Sam, lui dit-elle. Ajoute un couvert et apporte le magnétophone...

L'athlète noir installait l'infirme sur une haute chaise à dossier rembourré et à accoudoirs, la calait avec des coussins comme une enfant et l'enveloppait dans une couverture de vigogne. Il était aux petits soins et ses gestes étaient d'une tendresse infinie. Il avait les cheveux blancs, ce qui est toujours un signe de très grand âge chez un Nègre. Mais s'il souriait de toutes ses dents et si ses yeux étaient parlants, il ne sortait aucun son de sa bouche ouverte : on lui avait arraché la langue!... A la guerre? car il avait été soldat,... dans une rixe à Marseille ou dans un port chinois? car il avait été matelot,... en application de la loi de Lynch lors d'un raid de nuit du Ku-Kux-Klan? car il était citoyen des U. S. A...., cela personne n'avait pu le tirer au clair depuis six mois qu'il était au service de la Présidente, chez qui, à la veille de la libération de Paris, il avait sonné un beau matin et lui avait remis le mot de passe de son mari, Oscar de Pontmartin, un morphinomane, mort depuis en déportation en Allemagne... Et peut-être ce Nègre surgi inopinément du néant arrivait-il d'un maquis ou d'un camp d'extermination ou d'un cachot de la Gestapo et qu'il s'était mutilé d'un coup de dents et qu'il l'avait avalée, sa langue, pour ne pas parler dans la torture, le colonel Oscar, le mari de la Présidente ayant fait partie d'un réseau clandestin de résistance dans les Ardennes... Quoi qu'il en soit, Marie-Antoinette de Pontmartin l'avait adopté, et Sam s'empressait et l'on devinait qu'il adorait sa maîtresse blanche.

D'après ses papiers, l'homme s'appelait Bonfils, Sam Bonfils, et était originaire de la Louisiane, natif de Sidi-Tamtam, la capitale occulte de la région des *bayous*, ce pays secret des bouches du Mississippi où les esclaves marrons de La Nouvelle-Orléans et de Bâton-Rouge venaient se réfugier en cas de rébellion ou de panique pour se livrer à la magie et dont tous les habitants sont fous de père en fils. Aujourd'hui encore, ils croient qu'ils sont de *l'Autre Monde* et chacun d'eux vit familièrement et dans la plus grande intimité avec *son double*, c'est-à-dire son totem, un saurien dont la dépouille pend dans chaque cahute la tête en bas, un grand lézard, iguane, basilic, varan, un fantôme à peau squameuse, le Caïman avec qui chacun converse dans la journée et communie la nuit.

Ces gens sont des somnambules, des acrobates, des jongleurs, des charlatans, des prestidigitateurs, des hâbleurs, des illusionnistes, des menteurs émérites et désintéressés, des rêveurs éveillés qui dorment debout et sont en proie à une volubilité fiévreuse, une frénésie telle, de paroles, de gestes, de mouvements, qu'ils sont portés comme hors d'eux-mêmes dans leur agitation et ont l'air de planer déséquilibrés, de graviter sans toucher sol. *Nous sommes des enfants perdus, les enfants de Dieu,* déclarent les rares Noirs désorientés qui quittent *le bayou natal,* les bois, les lacs, les étangs, les ciels en mue de leur paradis terrestre en marge du monde contemporain, pour se mettre à courir le pays comme des bêtes innocentes ou des archanges en transhumance. *Nous sommes des étrangers sur terre,* disent-ils encore, et ils se comportent en conséquence. Mais la race est belle et ces idiots sont souriants et pleins de mansuétude. Par ailleurs, ils sont inoffensifs, sauf qu'ils se droguent.

Dès la première fois qu'elle avait vu Sam officier chez son amie, Thérèse, avec sa gouaille habituelle, l'avait interpellé : « Salut, Bonne-Quéquette! », faisant rougir la Présidente, bien que les deux femmes n'eussent plus de secret l'une pour l'autre depuis le temps qu'elles se connaissaient et qu'elles menaient bien que complices, chacune dans son cercle et selon son tempérament et ses possibilités physiques, une vie sans aucune commune mesure, sinon leur fureur utérine et que la comédienne, qui était son aînée de plus de quarante ans, était en quelque sorte la mère spirituelle de l'infirme, non pas pour l'avoir mise au monde mais pour lui avoir donné vie publique, la renommée et la fortune, en un mot la liberté en jetant la malheureuse par la troisième fenêtre d'un ksar ou château marocain. Oui, comme on jette au fumier un mannequin crevé ou un buste de cire démodé aux orties, elle avait eu ce geste impulsif de violence à leur première rencontre tellement elle avait été jalouse de l'impotente, un phénomène, une femme-tronc, un buste de chair, un buste vivant, le plus beau buste de femme qu'elle eût jamais serré dans ses bras, des seins qui la rendaient folle, un dos sublime, des épaules et des hanches, les flancs renflés comme une outre posée dans

les coussins, mais une outre sommée d'une tête et munie
de bras, les plus beaux bras du monde, une tête capri-
cieuse, la tête de Fatma, la divinité du harem, la favorite
du puissant seigneur de l'Atlas, le vieux pacha de Keni-
tra, le sénile collectionneur de femmes immensément
fier de sa pièce la plus rare, unique, payée son pesant
d'or, une péri, mieux qu'une péri, une houri, une houri
aux jambes atrophiées comme les pattes d'un têtard de
grenouille, mais aux rotondités d'autant plus vastes par
derrière pour pouvoir y retremper sa virilité selon la
promesse du paradis de Mahomet, un batracien, un
monstre, fous, folles, épileptiques, intouchables que le
Koran interdit d'approcher, un monstre, un monstre
comme on n'en rêve pas la nuit. Mais aussi un doux
monstre, d'amour, une révélation pour la comédienne et
l'unique passion de sa vie... En tout cas elle avait voulu
s'en défaire dès la première étreinte et, maintenant, elle
ne savait plus... Sur la voie de la perfection... (*En art,
la perfection c'est la perdition*, enseignait le docte Maurice
Strauss.)... sur la voie de la perfection une femme-fleur
comme on n'en trouve qu'au bout du monde parmi les
sensitives sans pied et sans racines qui se pâment ou qui
s'envolent au moindre souffle d'une bouche ardente, ou
qui se rétractent au toucher, ou qui se dérobent à la
main ou s'y nouent en serpent. L'œil s'exténue. La
paupière bat. On ne peut suivre le mouvement de l'âme
qui aspire à la possession. Désir... Désirs...
— Non, non!... Aujourd'hui pas de dictaphone, Sam.
Apporte-moi vite la sabretache du Colonel que je me
pare de tous les bijoux de ta patronne, s'écria Thérèse...
Et se tournant vers la Présidente, elle lui dit :
— Excuse-moi, Toutoune chérie, aujourd'hui je ne te
raconterai rien. Le temps de te dépouiller et je me sauve!
Je ne vais pas même m'asseoir. D'ailleurs, je ne pourrais
pas le faire sans me découvrir le derrière et j'ai le der-

rière en feu... Cette robe... ces fanfreluches... tout cela
ne tient qu'à un fil... Tout à l'heure, j'ai traversé Paris
debout dans le taxi, les fesses au vent... Le chauffeur se
marrait. Nous avons été sifflés une demi-douzaine de
fois par les agents. Je lui disais de ne pas s'arrêter, que
je payerais les contredanses. Délit de fuite qu'ils appellent
ça. C'était tordant!... Ah! ma pauvre minoune, quel
dommage que tu ne puisses pas bouger, je t'aurais
emmenée avec moi et tu te serais amusée, pauvre chérie
adorée... Imagine-toi que tout cela s'envole dans un
carrefour et que j'apparaisse toute nue!... Quelle rigolade, hein, mais quel coup de publicité pour une vieille
sorcière comme moi, hi, hi!... Je ne sais pas ce que j'ai
aujourd'hui... Je voudrais ameuter les gens dans la rue...
Je suis prête à tout...

— C'est le trac... Tu es à bout de nerfs... Ces répétitions sont exténuantes... Viens que je t'embrasse, ma
douce Zette aimée... Ça fait une éternité qu'on s'est
vu... Heureusement qu'il y a les journaux... Tu es
contente?... Ça marche?...

— Mal...

— Mal? Tu m'étonnes, Zézette, on ne parle que de toi...

— Oh, souviens-toi, ma bonne, tu sais ce que c'est.
C'est toujours la même chose pour moi et c'est ça qui
me tue. Je suis vannée, crevée, à bout de souffle, je n'en
puis plus. J'ai besoin d'être remontée. Même pas la
force de fumer une cigarette jusqu'au bout et, par-dessus
le marché, je me dégoûte. Heureusement que j'ai rencontré cet homme...

— Oh! dis, raconte...

— Non, pas aujourd'hui. C'est un type extraordinaire.
J'ai envie de plaquer le théâtre et tout et tout...

— Tu l'aimes?...

— Ça serait bien pour la première fois, grosse niaise!
Mais j'avoue que je suis tout chose...

— C'est donc sérieux?...

— Tu veux rire!...

— Non, mais je te trouve bien mystérieuse. C'est
la première fois que je te vois faire tant d'embarras. Je
devine que tu es prise...

— Prise... Éprise... Ah! si seulement je le savais...
Mais il m'a fait jouir, le bougre, moi, une vieille femme...

— Alors tu es perdue...

— A mon âge!... Ah, si seulement tu disais vrai, ça
serait le plus beau jour de ma vie...

— Oh!..., gémit la Présidente, et ses yeux se rem-
plirent de larmes.

— Ne fais pas cette tête, Toutoune, ce n'est pas pour
toi que je dis ça. Tu sais bien qu'il n'y a que le théâtre
qui compte. Mais j'en ai assez et je me dégoûte. Je suis
fatiguée...

— Dis-moi qui c'est?

— Oh!... A toi je puis bien le dire après tout puisque
tu es la marraine de la Légion, et peut-être le connais-tu?
Ça serait drôle! C'est un légionnaire, un soldat en permission que j'ai levé cette nuit aux Halles. Un vieux de
la vieille, complètement soûl et couvert de tatouages.
Un dur à cuire. Tiens, voilà le bouton de son uniforme,
une grenade à sept flammes. Mais c'est un tankiste et
il m'en a raconté des choses. Il y avait de quoi avoir mal
au cœur, vomir...

— Comment s'appelle-t-il?...

— Je ne sais pas. Mais tu me donnes une idée pour
mon personnage. Je vais me faire faire un tatouage sur
la cuisse : *A Vérole pour la vie!* Ça ne s'est encore jamais
vu en scène. Ça fera un effet de surprise. C'est bœuf!
Oh, ma moune, je t'aime, tu as toujours des bonnes
idées...

Et Thérèse se mit à raconter sa nuit, cyniquement,
par le menu détail.

Et comme elle parlait, parlait, elle allait, venait, contournait la table pour aller embrasser, réembrasser son amie et, comme sur un clin d'œil de la Présidente, Sam avait branché, la cabotine se laissait prendre au jeu du micro, faisait des effets de voix, posait dans son tralala comme sur les planches, donnait des coups de pieds dans sa traîne à plumes pour en faire voltiger la queue quand elle se ruait sur son amie, la réagressait, se jouait la grande scène du III, la baisait sur la bouche ou dans la nuque, profitait de la surprise pour lui piquer ses pendentifs, ses colliers, ses boucles et se les fixer aux oreilles, se les passer au cou, s'écartait, faisait des tas de chichis, poussait des cris admiratifs devant la glace de la cheminée, s'éloignait, minaudait avec son reflet devant les portes-fenêtres de la terrasse qui donnaient sur les jardins du Luxembourg, juste à la hauteur des grands platanes qui abritent comme dans un écrin de feuilles froufroutantes la fontaine Médicis, grignotait en hâte son bâton de rouge, suçait l'os d'une côtelette, buvait un doigt de vin de champagne, revenait sur la Présidente sous prétexte de prendre congé, lui baisait les mains, s'attardait pour faire glisser les bagues une à une et lui enlever ses bracelets, lui chiper ses clips, ses peignes précieux, ses épingles de diamant, lui faisant mille mamours et des cajoleries dans les cheveux et des mignardises, l'étourdissant de babils et de tendres chatouilles, puis Thérèse s'éclipsa brutalement après une dernière étreinte et non sans être allée fourrager dans la salle de bains pour dénicher la sabretache hors d'usage emplie des autres éblouissantes parures de la Présidente et l'emporter, laissant son amie bouleversée, stupéfaite, soufflée, à moitié grise d'émotion, le chignon, le corsage défaits.

Une porte claqua sur le palier. Le ronronnement de l'ascenseur s'assoupit dans les profondeurs de l'immeuble

et l'on entendait soudain remonter par les fenêtres
ouvertes la voix provocante de Thérèse appeler un taxi
dans la rue.

La portière. Le moteur qui démarre. Les changements
de vitesse. Le taxi qui s'éloigne en jouant d'une trompe
incertaine qui va s'atténuant.

La Présidente avait la sensation de tomber dans le
vide...

— Au secours, Sam!...

Elle allait glisser... Elle allait tomber... Mais Sam la
tenait déjà dans ses bras et la berçait comme seul il
savait le faire, câlin-câlin, et Mme Antoinette se cram-
ponnait au cou du Nègre, gémissait, pleurnichait, en
proie à un malaise qui la faisait se pâmer et presque
s'évanouir... Elle s'abandonnait...

Les platanes frissonnaient et elle entendit s'égoutter
la fontaine Médicis comme en pleine nuit, quand la rue
était silencieuse et qu'elle ne dormait pas...

— Ma confiture, Sam, murmura-t-elle.

Alors Sam porta la Présidente dans son boudoir, la
posa comme une poupée dans les oreillers, trempa son
gros index de la main gauche dans un pot de crème ver-
dâtre et lui donna son doigt à sucer.

Comme toujours quand sa patronne était prise de
malaise, il avait recours à la drogue.

Elle tétait comme un bébé.

C'était du peyotl.

Au bout d'un moment le Nègre en prit lui-même une
bonne dose et se coucha comme un chien en travers de
la porte.

Tout proches, les platanes centenaires chuchotaient
entre eux et la fontaine Médicis s'égouttait, comptant
les heures comme en pleine nuit, quand la rue est morte
et que Paris dort.

Mais ces deux-là ne dormaient pas. Ils étaient couchés

les yeux ouverts, la prunelle fixe, dilatée, chacun suivant
sa vision ou son songe : l'homme était en train de se
noyer en esprit dans *son bayou natal* et il sentait exploser
contre son ventre des gros globules délétères et des feux
follets qui montaient de la vase des étangs et lui faisaient
une peur atroce; la femme chassait l'éléphant et elle
allait, allait derrière le lourd pachyderme car il lui était
poussé des jambes, une paire, deux paires, trois paires
qui laissaient des empreintes sur la piste détrempée,
des empreintes de pieds nus, et elle franchissait d'un
bond marigots et fondrières, et elle courait derrière la
bête, faisant aller ses jambes... ses jambes... C'était
merveilleux et elle avait peur... De temps à autre, elle
avait la notion d'être à Paris car Paris ne se laisse pas
aisément oublier et la drogue a des cahots et le rêve des
trous. Alors, elle gémissait.

— Sam! appelait-elle languissante...

Mais Sam ne lui répondait pas. Le Nègre avait pris
une dose massive. Il avait coulé à fond. Il s'hypnotisait.
C'est la faculté des primitifs. Un don. Il était en contem-
plation devant son totem. En tête à tête avec le Crocodile. C'était sacré. Mais qui mangeait l'autre?...

L'univers est une digestion.

Vivre est une action magique.

Vivre.

III

LE SPECTACLE EST DANS LA RUE

Naturellement, J.-B. Kramer était là, J.-B. Kramer, le roi des chroniqueurs, J.-B. Kramer, une signature, le plus Parisien des Parisiens, un Suisse-Allemand qui, depuis trente ans que ses mots faisaient fureur et scandale dans les salles de rédaction, les salons, les bars des Champs-Élysées, n'avait jamais pu s'affranchir de son accent tudesque pas plus que de sa soif inextinguible, Kramer, un terrifiant buveur d'alcool, une espèce de lansquenet qui ne pouvait passer nulle part inaperçu car si l'homme mettait volontiers les pieds dans le plat avec un gros rire et provoquait des bousculades, il avait les rieurs pour lui tant sa malice était prompte et son esprit fourchu en cas de riposte, mais ses rosseries avaient aussi le don d'exaspérer, tellement elles portaient loin ou trop fort, ce qui était le point de départ d'innombrables calomnies, scandales, polémiques, procès, duels et lui avait valu une notoriété de spadassin des lettres, d'esprit libre, paradoxal et dangereux, d'ultra ou de bolcheviste, d'amateur de nouveauté, outrancier et impertinent, mais aussi de journaliste intègre, de critique incomparable car quand il s'emballait, il s'emballait à fond, bataillant, se bagarrant, payant de sa personne, imposant son point de vue et ses convictions, érudit comme un bénédictin, passionné de théâtre, féru des

Grecs et de leurs tragédies où l'homme seul, tel Promé-
thée, lutte avec son destin, brave la fatalité et, blessé à
mort, se refuse à s'accomplir contraint et forcé, se révolte
et se dresse contre les dieux jusqu'à son dernier souffle
qui est une imprécation.

Kramer n'avait d'égard pour personne. Il compro-
mettait par son intransigeance jusqu'aux artistes pour
lesquels il était entré en lice, car il s'était fait un monde
d'ennemis et plus particulièrement parmi les gens de
cinéma qu'il criblait de ses sarcasmes et lui servaient,
les vedettes de l'écran, de repoussoirs, les magnats du
septième art, de têtes de Turc, — et on lui revalait ça
en ne faisant pas travailler ses protégés ou, au contraire,
en leur mettant le grappin dessus à force d'argent, à
coups de publicité et le bluff de la mise sous contrat à
des conditions prohibitives, au point que cette industrie
de la pellicule mangeait peu à peu le théâtre, dont les
salles fermaient les unes après les autres, et Kramer ne
pardonnait jamais aux transfuges et ne perdait pas une
occasion de les stigmatiser férocement. « Supporter » du
Cartel depuis sa fondation (1926), il jouait chaque fois
sa situation, sa bourse, sa vie, risquant le ridicule. *(Les
duels, l'honneur, c'est de la frime, aujourd'hui que l'on
se présente sur le terrain armé d'un fusil scié, dangereux
pour les seuls témoins. Hélas! le ridicule ne tue plus en
France. —* KRAMER *dixit.)*

Absolu, excessif, enthousiaste, généreux, violent, ·fin,
têtu, impitoyable, goguenard, ironisant, iconoclaste,
connaisseur passionné, amateur fou de théâtre, la providence des jeunes, du talent et de la beauté, démolissant
les pièces d'une chiquenaude *(Au théâtre, les jeunes
sont pleins de ferveur, ils y croient; ce sont les pièces
d'aujourd'hui qui ne valent rien parce que la vie d'aujourd'hui ne vaut rien! — Aphorismes inédits de J.-B. Kramer.),* méprisant les auteurs modernes pour leur manque

de réalisme et leur goût de l'abstrait (*Aérophages et ça
sent de la bouche!* disait-il d'eux.), prônant une troupe
pour son amour du métier, sa tenue, son esprit d'équipe,
sa présence physique en scène, la gymnastique du spectacle, la commanditant, lançant indifféremment un
acteur ou une actrice et jamais par caprice car on ne lui
connaissait aucune liaison, ni homme ni femme, le
fameux chroniqueur qui avait fait et défait tant de
célébrités (*Scarface* comme l'avaient surnommé pour
quelques balafres qu'il portait au visage, des *Schmiss*
d'étudiant, les gens de cinéma pour qui Kramer était
une terreur, un gangster, l'ennemi n° 1), vivant dans les
nues, l'ivrogne dans les vapeurs de l'alcool, le journaliste
dans les bouillonnements de sa plume, l'écrivain, qui
frappait du poing sur la table, tout à ses idées, Kramer
était un chaste et, au fond, un timide.

On ne voit chose pareille qu'à Paris où la folie des
grandeurs et l'apologétique théâtrale sont des menus
faits du boulevard. Néanmoins, certains fanatiques, qui
croyaient en lui comme en un prophète, l'avaient surnommé *Jean-Baptiste.* Cent fois, mille fois, il avait vu
juste et avait eu raison en donnant la gloire à un débutant ou en annonçant comme irrémédiable la chute
d'une pièce à succès qui tombait en effet à plat avant
la cinquantième et ne se relevait jamais plus; c'est pourquoi il avait l'oreille du public et, loin de pontifier,
s'adressait à lui familièrement, le rendant juge.

Entre autres, n'est-ce pas lui, il y avait quinze ou
vingt ans déjà, qui avait redécouvert et relancé Thérèse
lors de son retour à Paris après une longue éclipse, quand
personne ne savait ce que la femme était devenue et que
tout le monde avait oublié la tragédienne? En attendant
sa rentrée officielle sur un des théâtres de la capitale, il
avait même réussi à lui décrocher un contrat pour deux,
trois films au cinéma, malgré ses principes et son horreur

de ces gens-là, des démarches qu'il avait dû faire personnellement, des marchandages et des pressions qu'il
avait subis et des couleuvres qu'on lui avait fait avaler
sous formes de conseils de modération, de sagesse ou de
menaces de poursuites judiciaires, voire d'expulsion en
sa qualité de citoyen étranger s'il ne mettait pas enfin
un terme à ses critiques véhémentes, et Kramer avait
encaissé et même promis d'y mettre sourdine pour caser
provisoirement la grande artiste, aussi mortel que ce
chantage avait été pour son amour-propre.

... *Que voulez-vous*, devait-il expliquer dans l'article qu'il consacra à Thérèse le jour des nouveaux
débuts de Thérèse dans *La Mégère apprivoisée* au
Théâtre Pigalle, article sensationnel qu'il avait intitulé
LE TRIOMPHE DE LA FOLLE MÉGÈRE, *notre Thérèse, Teresa
Espinosa, c'est le nom de son troisième ou quatrième mari
qui est mort d'amour pour elle, l'épine, le dard, je la
baptise Églantine, retenez ce nom, elle n'a jamais été aussi
vivante, aussi vivace, la fleur du roncier, notre grande
Thérèse vient de battre la dèche durant des années dans des
bouis-bouis infâmes en Espagne et en Argentine. Il fallait
la dépanner, la requinquer. Pour une fois, la machine à
fabriquer des vedettes en série aura été utile à quelque
chose, Thérèse a fait du fric au ciné. Merci. Dieu merci.
Parisiens, vous reverrez Thérèse, Thérèse Églantine, la
rivale de Sarah Bernhardt sur les planches et faites
qu'elle n'en redescende jamais plus, faites comme moi :
aimez-la! Du courage, elle en a et nous donne l'exemple de
ses mésaventures. La plus grande tragédienne de tous les
temps s'inspire aujourd'hui du plus haut comique et se
moque d'elle-même. C'est pathétique. On ne sait pas où
elle va s'arrêter et, dans ce sens-là, elle ira loin. Telle que
je la connais, elle ira jusqu'au bout, y compris la culbute
finale. Allez voir ça! Elle est inimitable. Elle est plus folle
que jamais et triomphe de la bêtise, de la vertu, de la*

platitude..., et se laissant emporter par son tempérament, malgré les belles promesses faites à ses ennemis,
il enfourchait une fois de plus son dada pour ne pas dire
son fougueux cheval de bataille et déplorait sur deux
colonnes le manque de pièces géniales et la convention écœurante des scénarios qui faisait tache d'huile
de l'écran d'argent à la scène, bousillant, souillant
tout.

Le plus drôle, c'est qu'il se prénommait pour de
bon Jean-Baptiste, J.-B. Kramer, et que cet ours mal
léché mais savant et qui vaticinait comme un moine
ivre était originaire d'Appenzell, le pays du yodle, de la
joie dans les montagnes, et qu'il avait fait ses études à
Saint-Gall, le pays de Notker Balbulus, le Bègue, le
plus grand poète chrétien du haut Moyen Age, un moine
tout imbibé du Verbe, du Logos grec.

Au physique Kramer était un colosse, au moral un
sportif et il était venu dans sa jeunesse à Paris pour faire
du rugby. Thérèse appelait ce sacré gaillard familièrement *P'tite Maman* en public et quand elle le voyait
penaud, pantois, prêt à rougir de honte à cause des
gens qui les entouraient, elle ajoutait finement avec un
sourire, alors que lui serrait les dents :

— Ne pleure pas, P'tite Maman, je t'appelle ainsi
parce que je n'ai jamais eu de maman dans la vie. C'est
vrai que tu es ma mère... tout au moins au théâtre...
Mais je ne puis tout de même pas t'appeler Clytemnestre
pour te faire plaisir et parce que tu aimes les Grecs!...
Ah, ces têtes carrées qui ne comprennent jamais rien...
Tu es mon pote, non?

Donc, Kramer était là.

Il était un peu décontenancé.

C'était pour la première fois depuis la guerre qu'il
remettait les pieds dans un théâtre. Il avait été libéré
le matin même. Il venait de passer cinq ans en cellule

comme suspect, puis comme otage. Pendant ce temps-là
le théâtre avait évolué. En bien? en mal? Il n'en savait
rien mais n'avait pas trop confiance. Félix Juin revenait
d'Amérique où il s'était fait un nom du tonnerre comme
metteur en scène à Hollywood et comme acteur à
Broadway, des films de propagande, une pièce sur l'es-
pionnage, il avait vu ça dans les journaux, mais Thérèse?
et Coco? et tous ses autres amis d'avant, Louis, Jean,
Pierre, Charles, Étienne, cet autre grand seigneur du
théâtre?... Une bouffée de souvenirs heureux lui montait
au cerveau...

La répétition battait son plein.

Kramer s'était faufilé dans la salle et se tenait debout
dans l'ombre du balcon. Comment ses amis allaient-ils
le recevoir? Dès l'entrée, il avait senti que cela ne marchait pas...

L'atmosphère était à l'orage.

Une seule ampoule était allumée dans le grand lustre
qui planait du plafond et sur la scène quelques lampes
qui éclairaient brutalement un praticable reliant le plateau à la salle, côté cour.

Dans le vaste vaisseau clair-obscur on distinguait à
peine quelques groupes disséminés qui bavardaient
à voix basse, d'une part des courriéristes et des échotiers,
d'autre part des photographes de presse, et, mal dissi-
mulés dans le fond de la salle et par-ci par-là dans les
fauteuils, au bas bout des rangs, côté jardin, des habitués
du théâtre, quelques amis du patron et des indiscrets
assis sur une fesse, prêts à déguerpir en cas d'éclat et
à faire claquer leur strapontin.

A la première pause, Kramer s'avança pour aller
serrer la main à son vieil ami Félix Juin.

Le patron lui tendit deux doigts :

— Ah! te voilà. Et d'où sors-tu? Je me demandais
aussi ce que tu étais devenu? Depuis le temps qu'on ne

te voit pas! Les Boches ne t'ont donc pas fusillé? Il
est vrai qu'on ne se fait pas de mal entre cousins, hein,
mon vieux? Nous as-tu assez barbés avant guerre! Mais
les temps sont révolus, la ferme et va te faire foutre,
on t'a assez vu! Est-ce que tu m'amènes enfin ta garce
et sais-tu où elle perche, Thérèse? Personne n'est capable
de la retrouver, elle a disparu hier soir. Voici plus de
deux heures que nous attendons son bon vouloir. C'est
bien la première fois que cela m'arrive. Je vais la flanquer à la porte, oui, et je boucle tout. On n'a pas idée de
ça. A huit jours de la générale!...

Le patron était en rogne.

Assis comme à l'accoutumée au troisième rang des
fauteuils d'orchestre, dont il avait retroussé la housse
de serge verte avec rage, installé à deux enjambées du
praticable pour mieux bondir en scène à l'occasion et
agonir un interprète défaillant et lui ânonner son rôle,
depuis le début de la répétition Félix Juin était rempli
d'une fureur rentrée, ce qui expliquait la grossièreté de
son accueil et son humour particulier et de mauvais ton,
ce qui ne tirait pas à conséquence pour un vieil ami
comme Kramer, un ami du début, un ami de toujours,
un ami qui avait assisté à bien d'autres scènes de jalousie
atroce ou de dépression et d'incroyables découragements
en plein succès, un témoin de sa carrière.

Mais un jeunet jubilait sournoisement de l'entendre
vitupérer Thérèse, qu'il n'aimait pas, et injurier Kramer,
qu'il n'avait jamais vu et avait déjà pris en grippe pour
en avoir trop entendu parler avec admiration et éloges
et citer en exemple par Félix Juin, au point que le chroniqueur fameux lui faisait peur, l'effarouchait, c'était
l'auteur de la pièce que l'on répétait, l'inséparable du
moment dont Félix Juin s'était entiché à son retour
d'Amérique, Guy de Montauriol, un Parigot malingre,
mal embouché, méchant, agressif comme un bossu, mal

élevé, toujours prêt à râler et qui pour une fois se tenait coi, se pressant dans l'ombre, s'agriffant au bras de son directeur, en pâmoison.

— Je devine que la pièce ne vaut rien, mais qu'est-ce qu'il y a qui ne marche pas? demanda Kramer à Coco en allant prendre place à côté de lui, au quatrième rang, dans le dos des deux autres, où Coco, le plus génial des décorateurs, le troisième grand maître de la troupe se tenait habituellement, ne disant jamais rien, semblant toujours distrait, l'œil rieur, caressant sa barbe hirsute ou son petit chien de Ténériffe ébouriffé qu'il serrait dans son giron et dont il entortillait machinalement les boucles autour de ses doigts qui n'avaient rien d'artiste, des doigts mous, incroyablement boudinés et qui avaient chiffonné les plus belles étoffes et drapé les robes de théâtre les plus costumées du siècle.

— Il y a, chuchota le peintre en se penchant vers Kramer, sa main charnue sur la bouche, il y a...

— Il y a, s'écria en se retournant Guy de Montauriol qui avait surpris la question de Kramer, il y a, monsieur Kramer, que vous auriez mieux fait de laisser votre gonzesse croupir dans la mistoufle que de vouloir nous l'imposer au théâtre. Thérèse n'est qu'une grue, ainsi que M. Félix Juin vient d'avoir l'honneur de vous le dire. Elle n'est pas du tout indispensable en scène, à preuve que nous répétons sans elle, et, ainsi que Félix vous l'a laissé entendre, vous ne faites pas notre bonheur au théâtre et votre présence non plus n'est pas indispensable. Boche ou demi-Boche, je vous invite à vous en aller. Donc, sortez! Je vous en intime l'ordre...

— Jeune homme, pour qui vous prenez-vous? dit Kramer posément. Je m'incline devant Monsieur votre père putatif. Guy de Maupassant était un grand homme et un bon étalon. Vous vous êtes abusé. *Mont-Oriol* est un navet. C'est un mauvais roman. C'est une œuvre moderne, ratée. Le titre d'une fausse-couche ou d'un avorton. Ce n'est pas un nom à particule ou de famille. Vous me faites l'effet d'un chien errant, monsieur Chose. Et bien que je n'aie pas eu l'honneur de vous avoir été présenté, je regrette de ne pas avoir un bâton...

Les deux hommes s'étaient dressés.

Le jeune auteur écumait :

— Sortez, monsieur! Sinon, je fais chercher les agents! criait-il d'une voix suraiguë qui se brisait d'émotion.

Coco était ravi. Tout l'amusait. Il détestait bien cordialement ce petit arriviste de Montauriol qui, après tout, pouvait fort bien s'appeler Dupont ou Durand, pourquoi pas? Kramer était trop drôle. Ne sortait-il pas de prison? On l'avait entendu dire. En tout cas, il n'y paraissait pas, le Suisse n'avait perdu ni sa verve ni son mauvais caractère d'avant-guerre.

Le peintre tira le chroniqueur par le revers de son veston et le fit se rasseoir. Puis il se fit un devoir de faire taire son petit chien émoustillé qui aboyait d'une voix artificielle comme celle d'un joujou pneumatique :

— Assez, Pouf, tais-toi, cela suffit, vilain-vilain! Monsieur Pouf est en colère?... grondait-il en lui faisant comiquement les cornes de la main gauche, ce qui est beaucoup plus efficace pour dompter un lion, paraît-il.

Le patron hurla :

— Silence, nom de Dieu! On répète. En scène pour le II. On enchaîne à bla-bla-bla... Et, encore une fois, silence!... SILENCE!...

Et la répétition reprit sans entrain, cahotante, et monotone, dans une atmosphère trouble, de malaise et d'énervement que le violent incident qui venait d'éclater entre Guy de Montauriol et Jean-Baptiste Kramer n'avait pas suffi à purger.

L'orage était toujours dans l'air.

C'était du travail inutile et cela ne pourrait pas marcher tant que Thérèse n'était pas là. Seule la musique de scène tournait rond. Les musiciens sont toujours contents quand ils peuvent faire du bruit, et ceux-ci s'en donnaient à cœur joie sous prétexte de souligner les traits, d'autant plus que la troupe était manifestement désorientée. Les acteurs étaient distraits. Tout le monde ne pensait qu'à Thérèse. On la maudissait *in petto*. Mais personne ne s'inquiétait sérieusement de son sort ni ne se demandait si la vieille femme n'était pas tombée malade ou n'avait pas été assassinée, un chacun étant convaincu qu'elle faisait une frasque. Pourtant son retard était anormal et son absence injustifiable. On meurt en scène. Il n'y a pas de mijaurées sur les planches. Au théâtre, même les plus tendres sont des femmes fortes. Le travail passe avant tout. On se fait faire une piqûre derrière un portant pour ne pas rater son entrée, quitte à se trouver mal par la suite mais on tient le coup, il n'y a pas de mauviettes, et Thérèse était une femme de métier, la doyenne, un exemple, et jamais elle n'avait flanché ou alors, elle cassait tout et partait pour de bon, en claquant la porte. C'est ce qui lui était arrivé dans sa jeunesse quand elle avait plaqué les Français pour filer une première fois en Espagne avec un homme, « son » homme, un méchant acteur qui n'était ni jeune ni beau, qui n'avait pas le sou mais qui faisait si bien l'amour, qui la battait et qu'elle avait dans la peau... et depuis elle en avait eu trois, quatre autres du même acabit et avait même séjourné avec l'un d'eux à Buenos Aires où il avait ouvert un conservatoire et la battait en public. Mais aujourd'hui, à son âge, c'était impossible! On ne comprenait pas. C'était curieux, c'était même symptomatique que personne ne songeât à autre chose et si, réellement, Thérèse se trouvait en bonne fortune, cette fois-ci elle exagérait! La réprobation était unanime.

Comment répéter dans ces conditions de murmure et
de sourde hostilité et pourquoi est-ce que le patron ne
faisait-il pas appel à une doublure? On aurait dû faire
la grève sur le tas et se débarrasser de la vieille couenne
qui les empoisonnait depuis trop longtemps. Tel était
le sentiment des comédiens à l'égard de leur illustre
camarade, la meilleure. La troupe en avait assez.

Non, cela ne pouvait continuer et Juin, qui connaissait
ses comédiens sur le bout du doigt, devinait leurs pensées, sentait monter leur indignation. Et comment y
faire face? Lui-même partageait leur exaspération et se
laissait gagner par les nerfs.

Il était excédé.

Toutes les trois minutes, Porphyre, son fidèle et
dévoué régisseur, qui était en train d'ameuter tout Paris
par téléphone pour retrouver Thérèse, venait lui dire
qu'il n'arrivait pas à joindre la doyenne.

— Et chez la Présidente?...

— J'ai téléphoné. On ne répond pas.

— Et chez le Prince, rue de Rivoli?...

— On ne répond pas.

— Et à son hôtel?...

— Nul ne l'a vue. Elle n'est pas rentrée la nuit dernière.

— La garce! Et dans sa garçonnière, rue Cognacq-
Jay, tu n'as pas téléphoné à sa sœur de lait?...

— Je viens d'avoir Victorine au bout du fil. Il paraît
que Thérèse est passée chez elle dans la matinée, même
qu'elles ont taillé une robe ensemble dont Thérèse
s'est revêtue pour aller déjeuner chez la Présidente. En
partant, Thérèse lui a donné rendez-vous au théâtre. Je
lui ai dit de venir tout de suite, de prendre un taxi.

— Ah! mon petit, tu me sauves la vie. Il n'est pas
six heures. Il y a donc encore de l'espoir de la voir venir.

La garce, qu'est-ce qu'elle va prendre!... Mais tu devrais encore téléphoner chez la Présidente...

— J'ai déjà téléphoné une dizaine de fois, patron. On ne répond pas.

— Insiste...

— Oui, patron. Mais je crois que ces gens-là sont un peu cinglés. Ce n'est pas normal ou alors, il n'y a personne.

— La Présidente ne sort jamais. Elle est bancroche. Tiens,... Kramer aura la gentillesse de t'accompagner. Il saura mieux se débrouiller... Vas-y, mon cher...

Et comme les deux hommes s'éloignaient pour se rendre au téléphone, Juin rappela Porphyre...

— Quoi, patron?

— Est-ce que tu as le numéro de... de...

— De la Papayanis, hein? Balzac 71-71.

— Sapristi! Alors, Porphyre, alors maintenant je n'ai plus de secrets pour toi, tu lis dans ma pensée?...

— Oh! vous savez, tout le monde en parle. Ce n'est pas malin, c'est le secret de polichinelle.

— Ah oui!... Tu pourrais peut-être lui téléphoner...

— Ne faites pas ça, patron.

— Et pourquoi?...

— Parce que... La Papayanis, c'est une belle femme, bien sûr... Une statue... Mais elle n'est pas à la hauteur de Mme Thérèse. Ça serait un four.

— Bon... N'en parlons plus... Mais dégotte-moi la Thérèse... Elle est peut-être dans un bar à cette heure-ci ou dans un bistro... Tu ne sais pas qui elle fréquente?... Non?... Alors va, grouille-toi...

Porphyre n'avait pas tourné les talons que Juin se pencha sur Montauriol et lui chuchota dans le tuyau de l'oreille, lui pinçant la cuisse jusqu'au sang :

— Grouille-toi, loupiot. Tiens, voilà mille balles.

Prends un taxi et ramène-moi dare-dare la Papayanis.
Tu as son adresse?... rue Pierre-Ier-de-Serbie... au 49...
c'est une maison d'angle... Et maintenant file et pas un
mot à personne!... Ça va faire bagarre... Tu es content?...

— Aïe! Vous m'avez fait mal... mais je jubile!...

Et Guy de Montauriol sortit en courant.

Juin se renfonça dans son fauteuil et eut un sourire
sardonique. « Ça va faire bagarre », pensait-il. Et il ferma
les yeux comme pour savourer son astuce.

— Dieu, ce qu'il fait vieux! se dit Kramer qui revenait bredouille du téléphone.

— Rien à faire, Félix, la Présidente ne répond pas,
lui dit-il.

— C'est bon... N'en parlons plus...

Et comme pour donner le change, Juin se mit debout
et commença à houspiller les acteurs :

— Qu'est-ce qui ne gaze pas?... On dirait un paquet
de nouilles!... Je n'y peux rien, mes enfants, je vous
boucle... Thérèse arrive à six heures, elle vient de téléphoner... En attendant, on reprend le I... Et s'il le faut
on y passera la nuit, tant pis... Tâchez de vous remuer...
On enchaîne à bla-bla-bla... Vous y êtes?... Gy!...
C'est un beau guingue!...

Et l'on recommença par le commencement, le patron,
qui s'était rassis, intervenant à tout moment d'un coup
de gueule peu amène.

La fièvre montait.

Quelle scie!...

— Il ferait pas mal de faire lever la répétition, mur-
murait-on.

— Ça me donne soif. Je vais boire un demi au café
du *Globe*. Tu ne viens pas? demanda Kramer à Coco.

— Tu m'étonnes, lui répondit le peintre. Tu t'en
vas juste comme il va se passer quelque chose. Tu ne
tiens donc pas à assister au drame?

— Quel drame?

— Tu ne sais donc pas que Félix a envoyé chercher la Papayanis? Tout le monde l'a deviné.

— Et puis après? Je suis tranquille pour Thérèse. Mais tu ne trouves pas qu'il en a pris un sacré coup, Félix? Il se fait vieux. Jamais je n'aurais cru ça de lui. C'est pas une troupe. C'est pis que le cinéma. C'est de la chie-en-lit. C'est du travail à l'américaine, à la chaîne, usiné. C'est pas du fini.

— Que veux-tu, c'est la gloire! dit Coco en se tordant. Cela fatigue. Mais je t'assure que la pièce est bonne.

— Peuh! Sans Thérèse elle tombe à plat.

— Justement et tu désertes! Tu te défiles, donc?

— Prosit!...

— A tout à l'heure, vieux...

— Peut-être... Je ne sais pas... J'ai soif...

Et le gros Kramer sortit comme il était venu, sur la pointe des pieds et sans déranger personne, mais il était las. Il regrettait sa prison où il avait été si bien pour méditer et relire ses Grecs, assis dans le noir, à tout espérer de l'avenir. Ce n'était pas ça. Paris ne valait pas une messe...

Dans les coulisses aussi tout le monde avait la fièvre et discutait le coup, la Kamarinskaïa, encore une grande-duchesse dans la mouise, la célèbre costumière des « Ballets russes » qui avait été convoquée et qui attendait depuis des heures et qui s'impatientait au milieu d'un essaim de couturières, les meilleures ouvrières de son atelier qu'elle avait emmenées avec elle car il fallait faire vite, prendre les mesures, faufiler, se mettre d'accord, établir les devis, parler argent, obtenir une sérieuse avance, prendre rendez-vous pour les essayages, il n'y avait pas une minute à perdre, la *barina* en avait la migraine et des palpitations; Serge, le maquilleur et ses trois coiffeuses, des poupées interchangeables; les habilleuses qui ne se sentaient plus de rester en expectative dans les loges et qui se risquaient sur le plateau, mourant de curiosité depuis qu'elles savaient qu'il se passait quelque chose dans la salle, que « ça bardait »; l'équipe des électriciens, insouciants mais râleurs et pleins de jactance qui attendaient que ce fût enfin leur tour, qu'on s'occupât d'eux, qu'on leur donnât des ordres, et jusqu'aux machinistes eux-mêmes qui lambinaient, le mégot éteint aux lèvres, peu ou pas du tout à leur affaire.

Il est vrai que les décors n'étaient pas prêts et qu'à part quelques maquettes ébauchées et quelques croquis, les idées du peintre n'étaient pas arrêtées. Ainsi Coco avait envie de brosser un rideau pour créer dès le début l'atmosphère de *Madame l'Arsouille*, il ne savait quoi et il ne savait comment s'y prendre tant qu'il n'aurait pas fixé son choix sur les costumes, qui étaient de l'époque et qu'il lui fallait interpréter, que diable, pour leur donner du style, le style d'aujourd'hui. C'était la difficulté. Créer la mode n'est rien. On peut la démarquer. Mais s'emparer de la mode du jour pour lui donner du style comme il se doit au théâtre, c'est conférer à la mode, qui par essence est éphémère, un semblant d'éternité sans laquelle l'illusion, qui est le propre du théâtre, n'est pas possible. *Le spectacle est dans la rue!* portait une des annotations du générique. C'est facile à indiquer en une ligne; mais rien n'est aussi difficile à réaliser sur le plateau et il y faut beaucoup d'imagination car le costumier doit échapper au réalisme, à la copie des robes qui circulent dans la rue et aux mille détails par lesquels la mode du jour se particularise et se différencie, d'une part, et, d'autre part, le costumier qui veut éviter le pompiérisme du déjà vu doit se garder de la convention des types vestimentaires classiques auxquels le théâtre fait généralement appel dès que l'on veut habiller le populaire. Des gros détails narquois peuvent marquer l'homme, un individu, mais des modèles ne font pas la classe. Or, *Madame l'Arsouille* était justement le drame d'une classe de déclassés. C'est ça qui en faisait une tragi-comédie ultra-moderne, une surprise, une nouveauté, un impromptu à la Molière, un sujet universel, et c'est ça qui avait emballé Juin, qui revenait d'Amérique et qui envisageait sérieusement, après sa création à Paris, d'aller monter la pièce à Broadway, où le public est par définition un public de déclassés. C'était ça la trouvaille, le trait de génie. Les dialogues venaient après, bons ou mauvais, drôles ou tristes. Le texte n'avait pas beaucoup d'importance mais exigeait des interprètes de tout premier choix pour ne pas tomber. Seule la situation comptait. On pouvait traduire le texte dans toutes les langues et arranger les scènes du dialogue essentiellement français au goût, à l'humour, à la sentimentalité, à la moquerie, à la hargne sociale, à la satire politique de chaque pays. La situation était irrésistible et devait porter dans le monde entier, aujourd'hui, après la deuxième guerre, que le monde entier est déclassé, même en Inde, en Chine!

Montauriol, un enfant de génie qui avait percé durant la guerre dans les ruines de la cité, ce gamin amer n'avait pas de plus chaud défenseur auprès de Félix Juin que Coco, qui le détestait cordialement non pas pour lui avoir posé un problème bougrement difficile à résoudre — au contraire, cela le passionnait! — mais parce que ce petit sagouin manquait par trop de savoir-vivre et que le gosse était odieux, jaloux et se rendait ridicule.

Coco, une espèce de grand seigneur de la bohème dorée, ne s'en faisait pas, jamais, et n'était à l'aise que dans les intrigues, les coulisses, les embrouillaminis

d'argent, les folles dépenses, la passion, les coups de
foudre, les rivalités, la publicité, la presse, les emballements, le déboulonnage, la cruauté, l'injustice, les applaudissements, la portée aux nues ou la chute, les sifflets,
la claque, le public, les commanditaires ou les entrepreneurs, les spectacles variés, la vie, le rêve, les succès,
le triomphe du théâtre, cet univers à part dont il était
le dieu incontesté, *deus ex machina* dans le Paris du
demi-siècle xx. Tout l'amusait. Selon la formule d'Henry
Miller : *Dieu créa le monde et y entra...*, fidèle au propre
de son génie, Coco attendait l'inspiration de la dernière
heure pour tout improviser quand les autres perdaient
la tête et c'est en frisant chaque fois la catastrophe
qu'il atteignait à la maîtrise, d'où ses prodiges au théâtre
où le peintre n'avait connu que des succès, une longue
suite de triomphes. Il n'en était pas plus vaniteux pour
cela, au contraire, il restait humain, pas humble, non,
mais caché, toujours comme Dieu dans sa machine. Fils
d'un entrepreneur des pompes funèbres, quand on
venait le féliciter du brillant, de l'extravagance, de
l'extrême nouveauté classique, du réalisme féerique de
ses décors, de l'ambiance vivante, monstrueuse, sacrée,
voire inhumaine que créait la conjugaison et de ses
costumes et de ses décors et de ses éclairages en scène
pour animer une pièce et en exposer le syndrome au premier plan — c'était de la métempsycose plutôt que
de la mythologie, et comme une transfusion de sang
astral — il répondait, prenant son chien-chien à témoin :

— Pas, Pouf, je suis comme papa?... C'est à la dernière heure, quand les mortels se lamentent et déses-
pèrent et ne savent que devenir que je m'empare d'eux
par la pompe et triomphe en leur faisant franchir la
rampe, ce mauvais pas. Je ne sais pas d'où me vient
cette sévérité. C'est héréditaire. Tel père, tel fils. J'aime
le spectacle. Mais, pauvres humains! c'est un voyage à

sens unique... Papa a fait fortune. Drôle de commerce...
On ne revient pas. C'est la mort. Un Soleil Noir. Mais
c'est une grande lumière. Celle dont je me sers au
théâtre. Plus vraie que vraie. C'est mon seul truc.
Une sérénité terrible. C'est sérieux... La fin de la
comédie avant que ça commence...

Et il éclatait de rire, très inquiet de ce qu'il avait dit,
craignant en avoir trop dit, faisant un demi-pas en arrière,
tournant la tête à droite et à gauche, l'index sur les
lèvres, faisant signe de se taire, mais riant, riant de bon
cœur, épousquetant sa barbe, allumant un cigare, se
foutant du tiers et du qu'en-dira-t-on, avançant à
reculons, sans se presser.

Il y a les signes.

La hâte, la fièvre de vivre peut être un indice prémo-
nitoire comme peut l'être la sensation d'un arrêt du
cœur. Coco portait souvent sa main au cœur pour
le masser sous son habit. Devinait-il qu'il avait été
choisi et savait-il qu'il allait être emporté en pleine
gloire, foudroyé par une apoplexie avant la fin de la
carrière de *Madame l'Arsouille?* Quelle énigme! Lui
non plus n'était pas prêt et c'était l'heure.

« En scène! En scène! »

Qui frappe les trois coups?

Le rideau se lève sur un cadavre...

. . . .

Soudain la rampe s'alluma et l'on devina que Mme Thérèse était arrivée.

Il se fit un silence.

Tout le monde se figea instantanément.

On aurait entendu voler une mouche.

Les photographes des journaux braquèrent leurs
appareils, le flash chargé.

Comme dans un geste votif, Coco éleva son chien
en l'air, des deux mains, et enfouit son visage faunesque

dans le poil soyeux de la petite bête gigotante. Cachait-il
une émotion profonde ou tout simplement une douleur
physique, cardiaque, vulgaire?

Une fois de plus Félix Juin en était pour sa courte
honte car chaque fois que Thérèse entrait en scène,
c'était pareil : tout s'apaisait comme par enchantement, jalousie, mauvaise humeur, débinage, et le silence
qui se faisait était quasi religieux. Et Félix, le terrible
metteur en scène, ce bourreau de travail, était vaincu.

IV

LE MONSTRE SACRÉ

Le théâtre est un monde, un monde « énorme et délicat » dont les frontières ne sont pas fixées entre le réel et l'illusion, si bien que l'on ne sait jamais qui l'emporte du mensonge ou de la vérité. Pour ceux qui font partie de ce monde instable sa fluidité déborde jusque dans la vie courante et l'on peut sérieusement se demander quand l'homme de chair perce la peau de l'homme de théâtre et quand le cabotin apparaît sous le masque de l'homme de ville?

Ainsi, deux taxis qui roulaient en sens inverse dans la rue du Faubourg Saint-Martin s'arrêtaient pile et en tête à queue devant le passage de la Scala. Le soir tombait. Il pleuvotait. De l'un descendit Thérèse dans la robe de parade qu'elle avait inventée dans la matinée et qu'elle était allée montrer à la Présidente, et, de l'autre, la Papayanis, une grande et belle jeune femme accompagnée de Montauriol jubilant comme un coquebin fier de sa première conquête, et, pendant que celui-ci réglait son taxi, Thérèse, qui tutoyait tout le monde, se précipita sur la Papayanis, la serrant dans ses bras :

— Oh! ma chérie, s'écria-t-elle, que je suis contente que *vous* soyez venue! Je désespérais... *(Ce « vous » marquait la morsure de la jalousie.)*

— Oh! Madame Thérèse, dit la Papayanis en rougis-

sant de plaisir, comment vous remercier d'avoir pensé
à moi? Jamais je n'aurais osé espérer que votre bonté
s'étendrait jusqu'à votre humble servante... *(Elle était
Grecque et la Papayanis faisait des compliments emberli-
ficotés, à la mode de son pays.)*

— Si, si, si! Ne t'inquiète pas. Tu seras très bien. Et
n'oublie pas, mon petit, que c'est moi qui t'ai désignée.
Je t'ai nommée et je ne veux pas de doublure que toi,
sinon je ne joue pas. Souviens-t'en... *(Elle disait tout
cela sans rire, la bougresse, et Thérèse pensait avoir gagné
la première manche. En tout cas, la Papayanis savait
maintenant pourquoi on était venu la chercher et n'avait
plus d'illusion à se faire.)*

— Mais, madame Thérèse, j'espère bien n'avoir jamais
l'occasion de vous... *(Très fière de sa beauté, la jeune
femme se faisait humble.)*

— Tais-toi, mon petit. Pas de boniments entre nous
deux. Je n'ai plus de souffle, je ne suis plus qu'une vieille
carne. Il faut tout prévoir. On ne sait jamais. Cela peut
arriver d'un moment à l'autre. Je suis prête. Alors, j'ai
pensé à toi. Tu as de l'étoffe. Écoute bien. Je ne jouerai
que pour toi et je te ferai répéter le rôle aussi souvent
que tu voudras. Tu as compris?... *(Elle le disait, mais
la vieille hypocrite n'en pensait pas un mot, tout à son
affaire de gagner la deuxième manche.)*

— Ne parlez pas ainsi, madame Thérèse, et touchons
du bois, vous me faites du chagrin. Il n'y a pas plus
alerte, bien portante que vous et vous êtes gentille
comme personne avec moi, je vous adore, et votre robe
est une merveille... *(Elle le pensait très sincèrement,
l'innocente Papayanis, qui retombait dans les compliments,
alors qu'elle était jouée.)*

— Pas qu'elle est belle, hein? fit Thérèse. Eh bien!
je te la léguerai... et c'est tout ce que tu auras de moi,
ma fille, et encore si tu es sage! N'écoute pas Juin ni

cet escogriffe de Montauriol. Je m'occuperai de toi. Tu es faite pour le théâtre. Tu as seulement besoin d'être dégourdie... On ne te l'a jamais dit?... Tu es belle... mais tu fais un peu trop statue... Avant tout, une comédienne doit être femme... *(Peut-on avoir plus de dissimulation tout en disant autant de rosseries? Mais elle était de Paris, Thérèse, et de Montmartre! Elle avait bec et ongles.)*

Prenant la Papayanis par le bras, Thérèse fit cent pas, tourna le coin du passage et entraîna la belle jeune femme dans la sordide courette du théâtre; mais, avant d'en franchir le seuil, Thérèse se retourna brusquement :

— Sois gentil, paie aussi mon taxi, dit-elle à Montauriol. Je n'ai pas de monnaie, excuse-moi...

« ... C'est toujours ça de pris... Nous courons à la centième, c'est du tout cuit, et cette petite frappe va faire fortune sur notre dos, à la sueur de notre langue, si j'ose dire. Pauvres de nous! Les hommes sont des maquereaux. Notre jeune auteur est maquisard, paraît-il. C'est du pareil au même... », chuchotait Thérèse en entraînant sa camarade dans l'immeuble.

L'entrée des artistes.

Un long couloir mal éclairé.

Il était plus de six heures du soir. Thérèse avait tout prévu et savait déjà ce qu'elle allait raconter au patron pour justifier son retard. Mais elle était déroutée par cette rencontre inopinée à la porte même du théâtre.

Quelle alerte!

Elle avait eu chaud.

C'était donc ça, sa rivale, mince alors!...

Thérèse estimait s'en être pas mal tirée, mais elle était furieuse, et qu'est-ce que ce salaud de Montauriol, dont elle s'était adroitement débarrassée, avait bien pu raconter dans le taxi?...

Heureusement que la Papayanis n'avait pas trop de

malice. C'était même une brave fille. Elle l'avait prouvé
en se laissant fourrer en prison vers la fin de l'occupation
pour avoir hébergé un Juif qui était venu frapper à sa
porte. C'était un vieillard, un ancien diamantaire avec
qui elle avait vaguement couchaillé autrefois. Cela avait
eu si peu d'importance qu'elle ne s'en souvenait plus
au juste. Néanmoins elle l'avait reçu chez elle, logé,
nourri, blanchi durant dix-huit mois, sans penser bien
ou mal faire, ni même par bonté d'âme, mais tout simplement parce qu'elle ne savait pas refuser, cachant
l'homme, lui apportant de quoi fumer. Dénoncée par
une voisine, les Allemands l'avaient emmenée, d'abord
dans une villa spéciale de Neuilly, puis ils avaient envoyé
la fille au Raincy et, de là, à Compiègne, d'où la Grecque
allait être déportée en Allemagne quand survint la
Libération. La Papayanis n'avait qu'à s'en prendre à
elle-même d'une si longue détention. Elle était trop
bête, bête à en paraître suspecte, et ses geôliers et ses
gardiens avaient longtemps cru à de la ruse, à une astuce
inédite. Pourquoi? Tout simplement parce que la Papayanis faisait de la culture physique! En effet, durant tout
ce temps-là, matin et soir, la Papayanis se foutait à poil
et faisait des exercices d'assouplissement. Oui, en cellule
comme dans les camps de misère, où des êtres humains
tombaient malades par milliers, désespéraient, se laissaient aller, mouraient de honte, la Grecque n'avait
songé qu'à sa beauté et voulait conserver sa ligne.
Tant d'impudeur frisait l'insolence et c'est pourquoi
les méfiants agents de la Gestapo ne l'avaient pas relâ-
chée et avaient finalement décidé de la faire passer en
Allemagne pour se débarrasser d'une pareille femelle,
encombrante et exaspérante. Et pendant tout ce temps-là
la Papayanis ne s'était appliquée qu'à faire méthodique-
ment ses exercices, impassible sous les quolibets cin-
glants des autres détenus, comme si elle avait été chez

elle, dans sa salle de bains, convaincue qu'elle reverrait Paris, Paris où la beauté prime le talent et où elle se ferait un jour un nom.

Comme beaucoup de théâtreuses dont c'est en somme le second métier que de vouloir conquérir Paris, la Papayanis soignait beaucoup plus son corps qu'elle ne meublait son esprit. Penser la fatiguait et c'était déjà un tel effort que d'aller suivre des cours de diction pour apprendre le français. Elle en était encore à la fiction d'un Paris galant qui lui rendrait hommage parce qu'elle était belle femme, très belle. Elle était sûre d'elle et armée de patience. Si elle avait une idée, c'était une idée fixe : arriver.

« Non, ce qu'elle est cruche, une amphore!... » pensait d'elle Thérèse en grimpant la rampe obscure qui menait au plateau. « Sotte et belle, et c'est dommage car c'est un beau morceau. N'importe quel B. O. F. peut s'amouracher d'elle et lui faire un sort. Mais voilà, depuis dix ans qu'elle traîne à Paris, elle n'a rien pigé. Excessivement belle, mais bornée comme on l'est dans les îles. Les femmes de l'Archipel sont célèbres par leur entêtement. Des mules. Dommage qu'elle soit Grecque. Elle est butée. Et avec ça, pleine d'ambition. Elle s'imagine que tout lui est dû. Elle n'arrivera pas. Mais je vais tout de même essayer de la confier à la Bande des vaches, la présenter au vieux Max Hyène ou à Chauveau, le directeur des Concerts et des Festivals. Ils pourraient la caser. Mais je parie qu'elle ne sait pas chanter... »

La Bande des vaches, un club à sa dévotion, tous les vieux messieurs qui lui faisaient la cour et qu'elle avait éconduits depuis cinquante ans... Ah! zut...

— Tu sais chanter, mon petit? demanda-t-elle.

— Non, madame Thérése. Pourquoi?

— Pour rien.

L'avait-elle assez préparée son entrée en scène, cette

fine mouche de Thérèse. Dans le taxi qui la menait au
théâtre, elle avait échafaudé mille et une combinaisons
pour bluffer Félix Juin et se faire pardonner son retard
par ses camarades de la troupe. Elle était prête à leur
jouer la comédie, et de faire donner tous ses moyens, la
persuasion, l'attendrissement, la passion, le pathétique,
faire son mea-culpa, une confession publique, un grand
déballage sentimental, plaider le remords, simuler la
honte mais, certes, elle n'avait pas pensé au rire pour
se les concilier, et c'est pourtant à ce dernier parti
qu'elle s'arrêta avant de pousser la porte de fer qui la
séparait du plateau.

Aussi c'était par trop comique... Cette rencontre dans
la rue devant l'entrée des artistes... La Papayanis... On
avait pensé à la mettre en concurrence avec une jeunesse,
parce qu'elle était décrépite et que l'autre était belle...
Bande d'idiots!... Qui, mais qui avait pu avoir cette
idée de singe?... Et pas un n'était intervenu pour lui
épargner cet affront... Ils allaient voir ce qu'ils allaient
voir... Elle était furieuse... Ils n'avaient qu'à bien se
tenir... Et le patron, ce grand lâche, cette triple buse de
Félix Juin, elle allait lui fiche tout son turbin en l'air...
Il va voir de quel bois la vieille se chauffe... Dire que
j'avais des scrupules pour ma robe... Plutôt lui flanquer
la robe au nez et le coiffer, ce cocu, oui, et je me sauve...
Relâche... On ferme, on boucle et je me débine... A moi
l'amour!... A moi la Légion!...

— Viens, ma belle, dit-elle à la Papayanis, on entre.
Je vais te présenter à M. Félix...

Elle avait une revanche à prendre et voulait gagner
la dernière manche.

Et elle poussa doucement la lourde porte.

— Donne la rampe, puis allume tes casseroles quand
nous entrerons en scène, dit Thérèse à l'électricien-
chef perché dans son cagibi, cependant que se reluquant

dans un méchant morceau de miroir fixé au mur par trois pitons, elle se mettait du rouge, du noir, refaisait son œil poché, l'autre œil, s'attifait les cheveux, faisait bouffer sa robe, déroulait sa traîne.

— Venez, venez, dit-elle à la Papayanis qui s'en défendait. Suivez-moi! Tenez, portez ma traîne d'autruches... *(Dans son trouble, elle la revouvoyait.)*

Son entrée fut un triomphe, un moment unique dans l'histoire du théâtre. De mémoire humaine on n'avait jamais vu ça et de l'avis des rares privilégiés qui eurent la chance d'assister à cette scène improvisée, burlesque, sanglante, désopilante, de froid calcul et de haute poésie, de don total, d'abandon de soi-même, d'emportement mais sans aucune frénésie, d'inspiration, d'humilité et de maîtrise, Thérèse faisait sonner sa voix poignante de contralto et maintenant en sourdine sa raucité vulgaire, n'employant que les registres simples et les moyens les plus élémentaires pour atteindre au pathétisme, jamais plus on ne reverrait chose pareille au théâtre, de spontanéité féroce et de génie douloureux, d'autant plus que la farce était gratuite, absurde, et ne rimait à rien, et ne se rattachait à rien d'apparent, et que personne n'en devinait la raison profonde, l'énigme, et comme ordinairement les gens embrouillent tout et que les journalistes ne cherchent jamais à pénétrer ce qui se passe sous leurs yeux *(une simple photo leur suffit à ces myopes armés*, disait Kramer), l'assistance était persuadée que la scène que Thérèse leur avait donnée faisait partie intégrante du spectacle, immédiatement la nouvelle se répandit dans Paris par la voie des journaux du soir et d'innombrables coups de téléphone filés dans toutes les directions que l'actrice s'était surpassée, Thérèse, Thérèse Églantine, la vedette de *Madame l'Arsouille*, et déjà la pièce était lancée, sa publicité faite, Paris dans l'attente, Juin coincé, mis au pied du mur, ne pouvant plus reculer ni se dédire, Montauriol obligé d'accepter des compliments qui ne le faisaient pas sourire mais rire jaune et lui donnaient la colique... Le Paris des arts est parfois cruel pour un débutant... Les jeux étaient faits et Thérèse avait gagné la partie.

Elle était entrée en scène comme une somnambule. Elle en fit d'abord le tour deux ou trois fois, le face-à-main haut, la Papayanis l'escortant, portant la traîne, puis, en aveugle ou comme une vieille entremetteuse se rendant au sabbat en entraînant sa jeune servante, elle se mit à errer à travers le plateau, prise d'une espèce de tremblement épileptique qui allait s'accentuant comme elle s'approchait de la rampe où elle s'immobilisa soudain et, d'une dernière secousse, fit tomber la robe qui se détacha d'elle, et Thérèse apparut toute nue. Alors, s'emparant de sa compagne qu'elle saisit par le poignet pour la tirer à côté de soi, elle se plaça en pleine lumière dans le rond d'un projecteur qui venait de s'allumer, elle s'exposa à tous les regards sans dire un mot.

C'était cruel et infiniment tragique.

La vieille et la belle!

Coco applaudissait à tout rompre. Félix Juin s'esclaffait. Et les gens dans la salle, après un moment d'hésitation et de surprise, partirent d'un immense éclat de rire.

Le dos voûté, les jambes cagneuses, le ventre en bosse, les fesses pendantes, les seins qui n'étaient plus des seins mais des outres flasques, le temps n'avait pas eu pitié ni la débauche. Les yeux étaient toujours beaux malgré leur flétrissure mais ils brûlaient de fièvre. Les traits étaient durs. Les joues s'affaissaient. Le menton retombait sur un col raccourci par les épaules qui remontaient.

Quelle aubaine! Les photographes tiraient des photos.

— Voyez sa fente!... s'écriait la grande-duchesse en

trépignant et ne se tenant plus de joie. C'est le Mont-Chauve!...

La Papayanis mourait de honte et c'est alors, quand elle sentit sa rivale au bord des larmes, que Thérèse, qui n'avait pas bronché ni fait mine de rien, se mit à réciter d'une voix dolente et sans faire un geste, mais poussée par un suprême sentiment de vengeance raffinée, les aveux et les plaintes de la vieille rombière de François Villon, cependant que les éclairs de magnésium fusaient sans arrêt et que les flashes éclataient et que l'auditoire, d'abord atterré, puis saisi, était porté aux extrêmes limites de l'enthousiasme, au-delà de quoi il n'y a plus qu'à rendre l'âme car tels sont les prestiges du théâtre : on entre de plain-pied dans un monde inhumain, chez les monstres sacrés.

. . . .

> *Ha! vieillesse félonne et fière,*
> *Pourquoi m'as si tôt abattue ?*
> *Qui me tient que je ne me fière,*
> *Et qu'à ce coup je ne me tue ?*
>
> *Tolu m'as la haute franchise*
> *Que beauté m'avait ordonné*
> *Sur clercs, marchands et gens d'Église :*
> *Car lors, il n'était homme né*
> *Qui tout le sien ne m'eût donné*
> *Quoi qu'il en fût des repentailles,*
> *Mais qui lui eusse abandonné*
> *Ce que refusent truandailles.*
>
> *A maint homme l'ai refusé,*
> *Qui n'était à moi grand sagesse,*
> *Pour l'amour d'un garçon rusé,*
> *Auquel j'en fis grande largesse.*

A qui que je fisse finesse,
Par m'âme je l'aimais bien!
Or ne me faisait que rudesse,
Et ne m'aimait que pour le mien.

Si ne me sut tant détraîner,
Fouler aux pieds que ne l'aimasse;
Et m'eût-il fait les reins traîner
S'il m'eût dit que je le baisasse,
Que tous mes meaux je n'oubliasse!
Le glouton, de mal enteché
M'embrassait... J'en suis bien plus grasse!
Que n'en reste-t-il? Honte et péché.

Or il est mort, passé trente ans,
Et je remains vieille, chenue,
Quand je pense, lasse! au bon temps,
Quelle fus, quelle devenue;
Quand me regarde toute nue,
Et je me vois si très changée,
Pauvre, sèche, maigre, menue,
Je suis presque toute enragée.

Qu'est devenu ce front poli,
Ces cheveux blonds, sourcils voutis,
Grand entrœil, le regard joli,
Dont prenais les plus soutis;
Ce beau nez droit, grand ni petis,
Ces petites jointes oreilles,
Menton fourchu, clair vis traitis,
Et ces belles lèvres vermeilles?

Ces gentes épaules menues,
Ces bras longs et ces mains traitisses,

Petits tétins, hanches charnues,
Élevées, propres, faitisses
A tenir amoureuses lices;
Ces larges reins, ce sadinet
Assis sur grosses fermes cuisses
Dedans son petit jardinet?

Le front ridé, les cheveux gris,
Les sourcils chûs, les yeux éteints,
Qui faisaient regards et ris,
Dont maints marchands furent atteints;
Nez courbes, de beauté lointains;
Oreilles pendantes, moussues,
Le vis pâli, mort et déteints,
Menton froncé, lèvres peaussues...

C'est d'humaine beauté l'issue!
Les bras courts et les mains contraites,
Des épaules toute bossue;
Mamelles, quoi? toutes retraites;
Telles les hanches que les tettes;
Du sadinet, fi! Quant des cuisses,
Cuisses ne sont plus, mais cuissettes
Grivelées comme saucisses.

Ainsi le bon temps regrettons
Entre nous, pauvres vieilles sottes,
Assises bas, à croupetons,
Toutes en un tas comme pelotes,
A petit feu de chenevottes
Tôt allumées, tôt éteintes;
Et jadis fûmes si mignottes!
Ainsi en prend à maints et maintes.

. . . .

La Papayanis était effondrée et pleurait à chaudes larmes. Et d'autres femmes pleuraient aussi parmi les artistes et les habilleuses, dont la grande-duchesse qui s'était d'abord moquée de la fente et qui maintenant était terrorisée.

Félix Juin fut le premier à franchir la rampe et à l'embrasser :

— Tu as été divine, Thérèse. Pardonne-moi, tu es la seule, l'unique, disait-il, hoquetant, enthousiaste, ayant du mal à maîtriser son émotion, et Coco, qui accourait sur ses talons, la serra sur son cœur :

— Tu es sublime, mon petit, dit-il. Tiens, ne prends pas froid, tu es couverte de sueur...

Et il la drapa dans un pan de l'étoffe de serge verte qui recouvrait le premier rang des fauteuils d'orchestre et qu'il avait arrachée en passant.

Bientôt, la scène fut envahie et les photographes se pressaient pour obtenir des gros plans. Les machinistes, les électriciens entouraient la dive et la félicitaient, fiers d'elle, émus, bouleversés, rigolards, épatés. « On voit bien qu'elle est de Montmartre, la môme, c'est une frangine », disaient-ils en s'envoyant des claques dans le dos. Et jusqu'au pompier de service qui jaillit de derrière un portant pour lui rendre hommage et lui demanda solennellement la permission de lui baiser la main! On n'avait jamais vu ça... et ce fut un nouvel éclat de rire général. Cette scène grotesque détendit l'auditoire car tout le monde était dans un état inimaginable d'exaltation.

— Porphyre! fais évacuer la scène..., s'écria Juin qui fut encore le premier à se ressaisir. Ce n'est pas tout ça. On n'est pas ici pour rigoler. Au travail!... au travail!...

Et quand un chacun eut regagné sa place et que le brouhaha se fut apaisé, et aussi pour faire montre d'autorité, il enchaîna :

— M'expliqueras-tu, enfin, pourquoi tu es arrivée en retard? Je te mets à l'amende, tu sais, et aussi divine que tu sois, tu n'y coupes pas, je te mets au tableau de service et je retiens ton premier cachet.

— Excuse-moi, patron, dit Thérèse d'une voix désarmante. C'est mon petit filleul qui est malade. On ne sait pas si c'est la rougeole ou la coqueluche. Je suis restée tout l'après-midi au pied de son lit pour voir si ça se déclarait. Le docteur n'est pas venu et me voilà.

— Allons bon, tu as un filleul maintenant? Première nouvelle. Tu ne m'en avais jamais parlé. C'est vrai, Victorine?...

— Elle ment! cria la sœur de lait du fond de la salle et que personne n'avait vu entrer, sauf Félix Juin, qui avait l'œil à tout et qui était célèbre parmi les directeurs de théâtre de Paris pour savoir estimer d'un seul coup d'œil furtif donné par le trou du rideau la recette d'une soirée, à un strapontin près. Elle ment! Je suis sa seule parente...

— Tu ne le connais pas, bécasse! Il est arrivé cette nuit. C'est mon filleul de guerre...

— C'est une menteuse! s'écria encore la sœur de lait. M'sieû Juin, ne l'écoutez pas. Elle se moque de vous. Elle ment comme elle respire...

— Je mens? Tu vas voir, même que c'est un beau légionnaire et qu'il viendra un de ces soirs te couper le cou, espèce de vilaine petite guenon!... Hou, hou, hou!...

— Quelle horreur! criait Victorine verte de peur.

Juin intervint.

— Silence! tonnerre, SILENCE!... On va répéter... En scène pour le III... Et toi, ma petite vieille, va t'habiller...

— Je ne vais pas reprendre ma robe, protesta Thérèse. Je l'ai confiée à la Kamarinskaïa pour la parfaire. Tout cela ne tient qu'à un fil, patron. Vous l'avez tous vu.

Je l'ai perdue en scène. Tu es bien d'accord, Coco, n'est-ce pas qu'elle est bien? C'est même une trouvaille...

Et tout à coup Thérèse se mit à hurler :

— Au voleur!... Au voleur!... Les bijoux!...

A cet instant précis arrivait Montauriol qui en avait fini avec le chauffeur de Thérèse avec qui il s'était longtemps chamaillé. Cet individu n'avait-il pas eu la prétention de lui réclamer 4 600 francs de course.

— Mais, bon Dieu, où êtes-vous allé? C'est fou...

— Mon petit jeune homme, lui avait répondu le chauffeur de taxi, 4 600 balles, c'est exact, c'est ce que marque le compteur. Je n'y suis pour rien...

— Mais alors, vous venez de faire le tour de France? 4 600 francs... On n'a pas idée...

— Comme tour de France, je le retiens. J'ai stationné tout l'après-midi aux Halles.

— Aux Halles?

— La vieille dame, qui est bien honnête, m'avait prié de bien vouloir l'attendre. J'ai attendu tout l'après-midi devant la porte d'un hôtel meublé. Et pendant tout ce temps-là, j'ai lu les journaux et le grignoteur, lui, il a marché, dame! Excusez-moi, c'est QUATRE MILLE SIX... Payez-moi...

— Attendez, je n'ai pas de quoi, je vais en chercher...

La concierge du théâtre lui avait donné un billet de 5 000, et quand Montauriol eut payé l'homme, et déjà s'en allait en courant, le chauffeur du taxi l'avait rappelé :

— Hé! jeune homme, jeune homme, tenez, vous oubliez le sac de la dame. Elle l'a laissé tout l'après-midi dans la voiture...

— Chouette! s'écria Thérèse, ce sont mes bijoux...

Et elle sauta de la scène pour s'emparer de la sabretache gonflée à bloc que Montauriol avait remise à Félix Juin en lui racontant sa mésaventure.

— Ne fais donc pas de ces sauts de carpe, tu n'as plus vingt ans et tu risques de te casser une patte. Il ne nous manquerait plus que ça! Tu trouves qu'on n'a pas perdu assez de temps? dit Juin bougon. Mais qu'est-ce que c'est que cette histoire de taxi, Thérèse? Il y en a pour 5 000 francs...

— Le théâtre peut bien payer ça, répondit Thérèse. Ce que vous êtes pingres! On dirait que je vous retire le pain de la bouche alors que je vous apporte pour 300, 400 millions de bijoux, et à l'œil! Tenez, regardez...

Et elle ouvrait la sacoche de cuir.

— Qu'est-ce que c'est que ça et pour quoi faire?

— Ce sont les bijoux de la Présidente, tu sais bien. Je les lui ai ratiboisés.

— Sacré garce, va! Tu n'en fais jamais d'autre. Tout l'après-midi, la Présidente n'a pas répondu au téléphone. Je sais bien qu'elle est phocomèle comme on dit en tératologie, et j'espère bien que tu ne lui as pas fait le coup du Père François avec ton beau légionnaire, dit Félix en riant.

C'était un ancien étudiant en médecine et quand il lui arrivait de faire des plaisanteries de salle de garde c'était plutôt bon signe : le patron se rasérénait.

— Pas de pet, patron... Cet après-midi, j'étais avec mon filleul et il était malade, comme je l'ai dit... Mais je vais faire coudre tous les bijoux sur ma robe... Coco, viens voir!... Qu'est-ce que tu en penses?... Ça t'en bouche un coin, hein?... N'est-ce pas que c'est bœuf!...

Et Thérèse se passait des bagues aux doigts, se nouait des colliers autour du cou, choisissait des boucles d'oreilles...

— Vous ne lisez donc pas les journaux? demanda-t-elle. Je veux être aussi belle que la princesse...

Et elle expliquait :

— L'autre jour, il y avait sa photo sur le journal...

La princesse Farida, la fille du shah de Perse, celle qui doit épouser Farouk, le roi d'Égypte... Elle portait une traîne de huit mètres entièrement constellée de diamants... C'est ça qui m'a donné l'idée de ma robe, tu piges?

— Admirable... Admirable..., constatait le peintre en ouvrant des écrins et en faisant couler les pierres dans ses mains grassouillettes,... ton idée est admirable... Mais tu sais, Thérèse, des fausses auraient aussi bien fait l'affaire...

— Des fausses! protesta Thérèse véhémente,... des fausses!... Cela m'étonne de toi... Des fausses!... Mais tu te rends compte... moi, Thérèse, Thérèse Églantine, se pavanant sur scène avec des vulgaires cailloux comme une grue des *Folies Bergère*... Et pourquoi pas avec des ampoules au derrière, des ampoules allumées?... Non, tu me fais de la peine, Coco...

— Ça va, ça va, fit Félix Juin qui recommençait à s'agacer. Le temps passe. On ne fera donc rien aujourd'hui? Au travail!... En scène!... Silence!... Allez, ouste, en scène, c'est à toi... On enchaîne le III... Vas-y, Thérèse, c'est ton tour... Gy!...

— Attends, Félix, une minute... Voilà-t-il pas que je perds ma robe pour de bon... Mais aussi, pourquoi est-ce que cette sale fille de Victorine ne vient-elle pas à mon secours?... Tu ne veux pas m'aider, Papayanis, il me faudrait des épingles...

Et Thérèse se mit à hurler :

— Victorine!... La pelote!...

Comme sa sœur de lait et la Papayanis s'affairaient autour de Thérèse pour lui remonter sa robe et l'épingler et que Juin s'impatientait, la salle fut plongée dans le noir par une brusque coupure de courant comme cela se produisait presque quotidiennement à l'époque.

— Bon, on en a pour deux, trois heures, dit Juin,

découragé. Il n'y a rien à faire... Aujourd'hui, c'est la guigne... Allons croûter, j'ai la dent...

— Patron, à l'amende! C'est votre tournée!... crièrent les machinistes en touchant du bois.

— Merde! fit Félix. Je la paie bien volontiers...

Mais, avant que s'allumât l'éclairage de secours, une dispute éclatait en scène et une gifle claqua dans l'obscurité.

— Voyez-vous ça, dit Thérèse à un électricien qui accourait une lampe de poche à la main, c'est cette chipie qui m'enfonçait des épingles dans les reins...

Victorine se tordait par terre en proie à une crise de nerfs.

— Ouvrez une trappe, qu'elle disparaisse et que je ne la voie plus jamais, criait Thérèse. Elle est jalouse. C'est chaque fois pareil. Elle en est malade de me voir jouer, cette teigne!...

Et Thérèse ramassa sa robe et les bijoux et disparut dans les coulisses en faisant signe à la Papayanis de la suivre :

— Chérie, viens avec moi. Je monte me rhabiller dans ma loge, puis nous irons rejoindre le patron chez la mère Magne. Ton affaire est dans le sac. Il me l'a dit. Tu es engagée. Viens que je t'embrasse. Tu es une chic fille. Je t'ai fait pleurer, hein? Mais n'oublie pas nos conventions. Nous sommes bien d'accord? C'est toi qui reprends mon rôle si je viens à clamecer... Bon. Et maintenant allons prendre l'apéro. Dis voir, tu ne trouves pas que les Amerloques exagèrent avec leur panne d'électricité?...

V

L'ABSINTHE

Thérèse était une buveuse d'absinthe. C'était l'heure. Elle poussa une petite porte vitrée, attenante à la sortie des artistes, rue Bouchardon, la rue la plus moche du quartier, hôtels borgnes et rendez-vous de pédés, genre clubs pour sidis et chômeurs intellectuels.

— Attention au faux pas, dit-elle à la Papayanis. Ne te tords pas le pied...

En effet, il y avait trois marches en contrebas devant la porte du *Radar* et l'on ne pouvait pousser la porte du bar sans la flanquer dans le dos d'un buveur ou la cogner contre le zinc et renverser des verres, ce qui donnait lieu à d'infinies contestations entre les habitués et le nouveau venu maladroit que l'on mettait à l'amende d'une tournée, tournée qui se réglait dans la confusion et la joie.

Le faubourg Saint-Martin est le quartier le plus galant de Paris, il est habité par des petites gens polis, maniaques, fêtards, jouisseurs, gourmands, se moquant de tout, raffinés jusqu'aux bouts des ongles quoique peu rupins, ayant leurs habitudes du lundi et chômant bien volontiers. De toute façon, l'étroite buvette ne désemplissait pas à l'heure de l'apéritif car Émile, dit le Capitaine, y débitait le meilleur pastis du quartier et faisait volontiers crédit.

L'entrée des deux femmes fut saluée par des cris de jubilation, Thérèse entourée, abreuvée par des joyeux farceurs qui connaissaient déjà son triomphe et tenaient à trinquer avec elle, la Papayanis mise à l'amende d'une, deux, trois tournées, bien qu'il n'y eût pas eu de casse, mais pour payer sa bienvenue et se trouver de ce fait affranchie dans le quartier.

— Vous comprenez, ma belle dame sans merci, vous tombez à pic, lui expliquait le Capitaine. Justement, ce soir, on va rebaptiser mon bar et je vous prends comme marraine. Cela s'arrose...

Et il lui mit sous le nez la nouvelle enseigne, un calicot au pochoir qu'il était en train de tendre sur un châssis avec des pointes de tapissier et portant en lettres de couleur bleu-blanc-rouge de trois pieds de haut l'inscription, flamboyante de nouveauté, de : *Aux Soucoupes volantes*.

Émile était un peu louf. Depuis qu'au lendemain de la Libération il avait obtenu la concession de sa petite cave, c'était bien pour la dixième fois qu'il en changeait l'enseigne. Cela s'était d'abord appelé *Le Trou de Rat*, puis *Bir-Hakeim*, *La Rose du Désert*, *La Fleur du Maquis*, *Chez le bon Résistant*, *Capiston's Bar*, *Mon Zinc*, *L'Asdic Bar*, hier encore *Le Radar* et aujourd'hui *Aux Soucoupes volantes*. Ces noms n'étaient pas de pure fantaisie, comme on aurait pu le croire, mais devaient correspondre dans son esprit, d'une façon ou d'une autre, à des images, à des illustrations de son curriculum de guerre, sinon aux avatars de sa toute récente carrière de bistroquet, abusif et alcoolisé.

Enfant de la balle, le Capitaine était natif du quartier. C'était un instable. Tout gosse, on avait vu Émile piloter un triporteur pour le compte de l'écailler du coin, l'hiver, et l'été, garçon de courses, commis chez le marchand de chansons du passage, puis camelot, puis

photographe à la sauvette sur le boulevard et, plus tard
enfin, traînailler des jours entiers à la terrasse du café
du *Globe*, cette bourse aux enchères du prolétariat
théâtral, presque un marché à la criée pour garçons et
filles, hommes et femmes, vieux cabots et théâtreuses
sur le retour d'âge, où le jeune gueux cherchait à dégot-
ter un cachet pour aller faire de la figuration plus ou
moins intelligente au théâtre ou au cinéma, au Châtelet
ou à Vincennes, chez les frères Isola ou chez Pathé
Frères, ces gros entrepreneurs de spectacles qui ramas-
saient du pognon à la pelle comme des entrepreneurs
de travaux publics.

C'est alors qu'Émile était tombé sur son protecteur,
un homme que sa faconde, ses boniments, sa drôlerie,
son débit rapide, son accent zézayant, ses gestes, son
vocabulaire, son hâblerie, son coup de gueule amusaient
et qui pensait lui permettre d'étoffer un peu sa maigreur
inquiétante de chien courant en lui procurant un emploi
adéquat au genre d'existence que le jeune Parigot avait
mené depuis ses débuts sur le pavé. Cet homme, dont la
bienveillante, la mystérieuse influence devait s'exercer
encore longtemps après sa mort autour de son protégé
et le tirer de maint mauvais pas, ce qui ne doit pas
étonner car il dirigeait la politique du quartier et était,
disait-on dans le faubourg, le chef occulte de la franc-
maçonnerie, le grand-maître de la loge de la rue Cadet,
cet homme n'était personne d'autre que Firmin Gémier,
l'acteur, qui fit engager Émile comme aide-machiniste
au théâtre Antoine, dont Gémier assumait pour lors la
direction par intérim. Ainsi le jeune homme était casé
et aurait pour l'avenir un vrai métier entre les mains.

Dégourdi, bricoleur, adroit comme un singe, inventif,
hardi, insolent, rouspéteur, ne se laissant pas marcher
sur les pieds, il eût dû réussir dans la partie, mais voilà,
en authentique enfant du faubourg, Émile avait un poil

dans la main et, au lieu d'apprendre consciencieusement ce beau métier de machiniste de théâtre, qui est de tradition un métier d'homme libre, quoique se pratiquant en équipe, un travail un peu irrégulier, il est vrai, mais enchanteur parce qu'en dehors du commun, il se rendit rapidement odieux à tous, faisant montre de puériles prétentions d'artiste, d'ambition ridicule, victime qu'il était des faux-semblants et de l'esprit d'intrigue qui règnent et font la loi dans ce curieux milieu des gens de théâtre et auxquels tout le monde se livre, à tous les étages, des grandes vedettes internationales à la dernière des habilleuses, au pauvre type oublié dans son trou de souffleur, comme le père de Léautaud. La tête troublée, notre jeune cinglé s'imaginant que si des personnages comme Gémier et sa dame s'étaient intéressés à lui c'était pour ses talents, Émile se répandait dans le quartier contre ses protecteurs, vaniteux, râleur, vantard, débitant des bouts de rôle, faisant de l'effet dans les bastringues, mais aussi bazardant en douce des cordeaux neufs, des rouleaux de toile, des cents de clous et jusqu'à des menus accessoires qu'il chapardait au théâtre pour aller boire et épater ses copains, gandin, lustré, cosmétiqué, parfumé, habillé de frusques élégantes qu'il fauchait dans les loges des artistes, grand resquilleur, tombeur de filles. Cela aurait fini par tourner mal si la guerre n'était survenue, la guerre mondiale n° 2 dans laquelle Émile disparut comme s'il avait été envoyé au bagne. Et le quartier en fut débarrassé. Et l'on n'entendit plus parler de lui.

Quelle époque! La guerre. L'invasion. L'exode. L'Occupation. La misère et la faim. La honte. Les murmures goguenards. Une sourde résistance. Les premières rébellions. Les nouvelles sous le manteau, de bouche à oreille, et les affiches à la main. La radio clandestine. Les journaux polygraphiés. Les tracts. Le trac.

Les rues noires. La traque. Les arrestations. La baignoire.
Les exécutions la nuit. Les fusillades. Les attentats.
Pas une lumière, sinon les bombardements des Alliés,
le ciel en feu, une pyrotechnie savante, la *flak*, les for-
teresses volantes, canons, bombes, avions, torpilles, projecteurs, essaims de balles traçantes multicolores, une
féerie qui coûtait trop cher parce qu'elle faisait trop de
victimes innocentes mais qui était tout de même une
grande espérance qui se réveillait et vous mettait la
rage au cœur. La Gestapo. Les zazous. Les nazis. Les
maquisards. Les S. S. Le débarquement en Normandie.
La révolte du peuple de Paris. Les barricades. La Libération. Le *Te Deum* de Notre-Dame. Les charognards
embusqués derrière les cheminées et qui tiraient du
haut des toits sur le populo en délire. La folle envolée
des cloches.

Et dès le lendemain, Émile, Émile dont nul ne savait
plus rien, Émile fit sa réapparition dans le quartier, en
uniforme de parachutiste, à croire qu'il venait de tomber
du ciel, la Croix sur la poitrine, trois galons au calot,
une badine à la main, escorté d'un cleps, fumant et dis-
tribuant des cigarettes anglaises dont il avait plein les
poches, des bas de soie, du chewing-gum, radieux,
j'm'en-foutiste, bonhomme... Émile! c'était Émile, en
chair et en os, ce chenapan d'Émile, ce vaurien... Le
retour de l'enfant prodigue!... et immédiatement ce fut
la ruée autour du Capitaine. Le quartier tenait son héros.

On lui fit fête.

Sacré Émile, va!...

On le trouvait grossi, confortable, beau, et toujours
aussi rigolboche... et quand deux, trois jours plus tard
on apprit qu'il ouvrait un bistro et qu'il avait fourré sa
Légion d'honneur au fond de sa poche, il devint l'homme
le plus populaire, de la porte Saint-Martin aux Halles.
Il aurait pu se présenter à la députation.

Quelle époque! Peut-on concevoir plus belle image d'Épinal? Mais aussi quelle drôle de guerre! Trois, quatre ans de mobilisations successives pour entraîner tous les pochards du pays à bien boire sans soif. Munich. Ça y est, fini de rire, on est embarqué. L'ultimatum. La déclaration. Le départ sans tambours ni trompettes. Pour Émile, six mois de sports d'hiver dans la coloniale sur les avancées de la ligne Maginot. La surprise du 10 mai 40 digne d'un poisson d'avril et, malgré la politique qui s'efforçait de mettre des bâtons dans les roues, la fuite, la fuite des armées motorisées. Sauve-qui-peut! Du front jusqu'à Marseille. Marseille, la pause, juste le temps de respirer et de s'y faire des relations sur le Vieux-Port, et un nouveau bond en avant. Bon pour l'Afrique du Nord, la Cyrénaïque, la Libye, le désert, ce terrain de manœuvres idéal pour les généraux forts en thème, tour à tour Rommel ou Monty. Permission de détente en Angleterre. Deux ans de séjour idyllique en Écosse pour la formation des hommes de main dans les collines de bruyères en compagnie des bergères du pays aussi velues et plus chaudes que les douces toisons de leurs brebis. Balalaïka, ukulele, guitares, mandolines, harmonica. Terrorisme et pastorales. Enfin le grand jour J, l'heure H. Aviation et parachutage. La bonne blessure. Maquis et décorations. La libération de Paris. Le retour du héros... et, pour une fois, l'enfant prodigue n'avait pas besoin d'en rajouter pour raconter ses aventures. Émile laissait dire et parler les gens, tous les excités du quartier et les refoulés et les mythomanes qui après cinq années d'expectative et d'intense bourrage de crâne solitaire lui attribuaient tout naturellement des prouesses légendaires. Le tire-au-flanc n'avait pas à faire le vantard pour hypnotiser les gogos et les cocus, les femmes qui se donnaient au beau Capitaine s'en chargeaient.

Attention.

Motus.

Il tenait la bonne combine.

Le jour de son ouverture, n'avait-il pas dénommé sa cave *La Planque*?

Depuis, toutes les nuits, des Nègres de l'armée des U. S. A., qui partaient en désertion et s'égaillaient dans les rues pour faire la nouba et ne voulaient plus quitter Paris, ce paradis où ils s'envoyaient des femmes blanches, abandonnaient leurs camions devant sa porte, des cargaisons de bas de soie, de cigarettes, de couvertures, d'imperméables, de chaussures, de drap, de boîtes de conserves, de café et autres denrées alimentaires, des *jerricans* pissant l'essence, des pneus, camions qu'Émile payait cash et que des copains à lui, ses relations de Marseille, des camarades de Bir-Hakeim, des types des commandos parachutés ou du maquis qui étaient montés à Paris, allaient camoufler dans les garages clandestins des carambouilleurs et des receleurs associés aux grands chefs du marché noir, des racketters et des gangsters américains formés à l'école d'Al Capone, le tsar des bandits de Chicago, les Lucky Luciano et les Ralph Ligori, les William Golberg et les Isaac Benderlack, les O'Donnel et les trois frères Dune, Patrick, Richard et Joyce, des Irlandais, des Juifs, des Siciliens, le grand *boss* fixé à Tanger, Joseph Renucci, sans rien dire de Robert-la-Pipe, le roi de la drogue, l'aviateur, qui aujourd'hui trafiquent de tout à la suite des armées modernes et pressurent anonymement les peuples d'Europe comme naguère les détrousseurs de cadavres à la suite des armées de Napoléon, ce *Führer* des Français, semaient la terreur parmi les populations paysannes des contrées que ces armées traversaient au pas accéléré. On ne brûle plus la plante des pieds d'un pétzouille devant son âtre : on affame des régions entières, des métropoles,

une ville comme Paris. On les prive de tout. C'est le
progrès. Un trust mondial. Le *brain-trust* de la pègre.
Cela grouille et prolifère comme un cancer.

Bien qu'à la tête de *La Planque* et responsable du
bisness qui s'y pratiquait et prenait des proportions
énormes et chaque jour plus alarmantes, Émile n'était
qu'un rouage infime dans la vaste organisation du trafic.
Il n'était ni un chef ni un dur. Il n'en avait pas le tempérament. Il était par trop fantaisiste, fainéant, tire-
au-cul. Il n'arrivait pas à se passionner pour. Il n'avait
pas la bosse du commerce. Trop c'est trop. Il ne voulait
pas se mouiller. S'il s'avouait avoir eu de la chance et
se félicitait de ne s'être pas mal tiré jusqu'ici des aventures dans lesquelles il s'était laissé entraîner, souvent
pour rire, d'autres fois par fatalisme, le plus souvent par
rouerie, et aussi par habileté pour profiter d'une occasion qui ne durerait pas éternellement et qu'il avait cru
malin de saisir par les cheveux, en son for intérieur il
n'était pas trop rassuré et appréhendait l'issue de tout
ce micmac. Il fallait se retirer à temps, cela il le sentait,
mais il ne savait pas comment se dédouaner ou se carapater en douce dans un trou de rat. Ce n'est donc ni
par bravade, ni par cynisme, ni par bluff que le Capitaine
avait tant tenu à revenir s'installer sur les lieux mêmes
de ses premiers exploits, mais tout simplement parce
qu'il était fils du quartier, qu'il en avait souvent eu le
cafard, qu'il y faisait bon vivre et qu'un sentiment
obscur de protection et de sécurité l'y avait poussé.
N'était-ce pas ici qu'il avait connu Gémier, Mme Mégard,
la brave femme qui lui pardonnait ses frasques et ses
fredaines de jeune homme et qui intervenait toujours
en sa faveur quand Gémier, las de ses perpétuelles incar-
tades, allait le laisser tomber et, bien qu'il eût renoncé
pour toujours aux ambitions ridicules de sa jeunesse
et n'eût plus aucune envie de faire du théâtre, Émile

savait ne pas pouvoir jouir ailleurs de cette ambiance unique au monde de libre baguenauderie et de véritable fraternité insouciante entre mauvais garçons, et qui sont de règle au faubourg. Il était de Paris, quoi!...

Certes, les premiers temps, le héros s'était amusé et le Capitaine avait été fier d'épater les boutiquiers en leur montrant à quoi un enfant du ruisseau peut parvenir et ce, à force de flair et à la force du poignet; mais, au fond, malgré sa popularité toute récente, ses succès féminins qui ne se comptaient plus depuis son retour, sa chance insigne, ses galons inattendus, sa croix toute neuve, son pécule d'officier et tout son argent de rencontre et mal acquis, le drôle n'avait pas tant changé que ça. C'était toujours la même tête fêlée. Il ne tenait pas encore à s'acheter une conduite et il était plus instable que jamais depuis qu'il s'alcoolisait. Néanmoins et en dépit de toute son astuce dans laquelle il semblait par moment nager comme un joyeux canard, il lui arrivait soudainement de se sentir gêné. Sa réussite le dépassait. Il reprenait pied à Paris et il avait le sentiment d'être du mauvais côté. Trop c'est trop. Il n'était tout de même pas un de ces Américains, quoi!...

Alors, il fermait boutique pour deux, trois jours et partait en vadrouille.

Il n'avait que trente ans, après tout.

Et les filles du faubourg sont jolies.

Alors, quoi?...

Tout pouvait aller au diable... Et il se payait de ces muffées comme on ne peut s'en payer que dans le quartier des Halles. Oh, quelles bitures!...

Dans ses « expéditions punitives », comme le Capitaine appelait ses grandes vadrouilles, il lui arrivait d'oublier son cabot, un bâtard de chien assez farouche, tenant du bas rouge d'Auvergne et du molosse bordelais, mais le joyeux drille n'oubliait jamais sa Légion d'hon-

neur qu'il fourrait dans sa profonde en enfonçant encore
par-dessus son mouchoir à carreaux pour être bien sûr
de ne pas perdre la médaille dans une bagarre, et Émile
partait tout réjoui et impatient comme un gosse qui en
a préparé une bien bonne.

— La Légion d'honneur, c'est rien bath et jamais je
n'aurais pu croire que cela me vaudrait de la rigolade.
Imaginez-vous que la Croix est faite pour emmerder
les flics! expliquait-il aux soiffeurs qui assiégeaient son
zinc quand Émile rentrait d'une de ses randonnées,
souvent encore à moitié schlass et toujours le visage en
sang, extraordinairement heureux et exubérant. Ah, mes
potes, ça n'a pas raté et une fois de plus, cette nuit, je
les ai eus, les flics, ils n'ont qu'à bien se tenir! Attention,
c'est ma tournée...

Il remplissait les verres, se gargarisait la gorge avec
du gros rouge qu'il recrachait au plafond comme un
vaporisateur, appelait Kiki, son gros chien à l'œil vairon,
à qui il ouvrait une boîte de maquereaux au vin blanc
ou de langue de bœuf à la sauce piquante, ou donnait
l'entame ou le croupion d'un jambon, se versait du pastis
pur sur les mains pour laver ses égratignures et se tam-
ponner, se masser le visage, les yeux, se gargarisait une
deuxième fois au vin rouge, avalait une lampée de n'importe quoi, du raide, puis il se mettait à soigner métho-
diquement sa mixture personnelle dans un grand verre,
du solide, pastis et fine, moitié-moitié, ou gewürztra-
miner et kirsch de la Forêt-Noire, moitié-moitié, avec
une larme de cassis, ou encore, après une nuit qui avait
été plus particulièrement chaude, 3/4 gin, 1/4 rhum
aromatisé d'une giclée d'angustura, qu'il avalait d'un
seul trait, entonnant par-dessus une bouteille de bière
anglaise, du stout noir, et une bouteille de champagne,
carte blanche, du doux, horrible composé qui montrait
bien son degré d'intoxication et sa déchéance ou sa

perversion due à sa trop longue fréquentation des buveurs anglo-saxons, mais qu'il prétendait être le seul breuvage à le désaltérer et qu'il appelait *la Mer morte* ou du *jus d'asphalte* ou tout vulgairement de la pisse, et, en effet, il se soulageait instantanément dans son évier, après quoi il reprenait, toujours aussi monté et grande gueule, la narration incroyable de son divertissement nocturne et chaque fois inédit, qui faisait tourner les flics en bourriques :

— ... Il était trois heures tapant. *La Taupinière* venait à peine d'ouvrir que déjà c'était la bousculade, comme toutes les nuits, des loucherbem, des bourgeois, des chauffeurs, des livreurs, des forts, des poivrots et pas mal de jeunesses et de la fesse. Je me tenais au bout du comptoir et buvais mon coup d'aligoté. A *La Taupinière* c'est du fameux. Je ne disais donc rien et n'avais pas à rouspéter. Je buvais le coup, un autre, un troisième, un quatrième, en me marrant, attendant mon heure, regardant la bille des gens et me réjouissant fort car on mène toujours grand raffut à *La Taupinière* et les discussions, les prises de bec, les engueulades qui font ma joie n'y sont pas rares. Je veillais au grain car on ne sait jamais jusqu'où cela peut aller. Les paroles en l'air, qui semblent ne s'adresser à personne, ça peut porter loin et faire du vilain, plus qu'un bazooka contre un panzer. Je buvais, je rigolais en douce et me réjouissais d'avance, et voilà-t-il pas que la grosse Charlotte qui tient la caisse et qui me zyeutait depuis un bon moment déjà comme une grenouille, voilà-t-il pas que je remarque qu'elle fait signe à son homme pour lui baragouiner je ne sais quoi à l'oreille, et voilà que cet imbécile de grand Julot, que je n'ai jamais pu blairer, tourne la tête pour me dévisager à son tour, et voilà-t-il pas qu'il s'amène avec le sourire et le verre à la main pour trinquer avec moi et faire plus ample connaissance; alors, je ne fais

ni une ni deux, je lui allonge une baffe et lui vide mon
verre en plein visage, à ce gniaf de patron qui me flanquait à la porte quand j'étais môme et qui ne me laissait
même pas stationner auprès du poêle les nuits de pluie.
Pan! encaisse ça, mon salaud, et immédiatement c'est
la bagarre, à croire que les clients n'attendaient que ça
pour commencer et se sauter dessus et se mettre à se
cogner les uns sur les autres et à tout casser. Les siphons
volaient, les verres, les bouteilles. Les guéridons étaient
écrasés. Les étagères s'effondraient, les dessertes, les
piles d'assiettes, les plats de hors-d'œuvre, les raviers.
Un type trempait les serviettes amidonnées dans les
sauces et les mayonnaises et les jetait par poignées dans
la mêlée. Tu parles d'un grabuge! Avec les loucherbems
qui avaient pris le comptoir d'assaut sous prétexte de
protéger le patron mais qui, en vérité, le pillaient et le
dévalisaient, se battaient comme des guignols à coups
de saucissons qu'ils décrochaient du plafond, on aurait
pu croire à une noce massacrée, à cause de leurs cas-
quettes et de leurs tabliers blancs tout maculés du sang
des abattoirs. J'avais empoigné une chaise et je faisais
des moulinets avec pour faire le vide autour de moi.
Grâce aux glaces de l'établissement qui toutes n'étaient
pas démolies, je me gardais par-devant et par-derrière.
J'entendais la grosse Charlotte glapir au téléphone. Elle
appelait Police-Secours. D'autres femmes beuglaient en
fuyant. Les gens de la rue s'attroupaient. Quand le car
de police arrive, les cognes se mettent à six pour me
tomber dessus et me ceinturer et je me laisse faire, sans
me débattre, malgré les horions et les coups de pieds dans
les guibolles, car c'est ça mon grand truc avec la police,
comme vous allez voir, je ne tape pas dans le tas, je ne
me mets pas dans mon tort, à aucun prix, néanmoins sur
le chemin du commissariat, je les bouscule de temps en
temps d'un coup d'épaule comme pour me dégager ou

je leur fais un croc-en-jambe histoire de les foutre en
rogne, comme vous allez voir, et de me payer leur tête,
et eux de marcher à fond et de me taper dessus et de
me bourrer les côtes. C'est vache, ce que je fais là, mais
je rigole bien en faisant le gros dos et ris sous cape, à
cause de la musique qui va suivre au commissariat.
Mais, dites-donc, c'est peut-être l'heure de prendre le
pastis, non, il va sonner midi, qu'en pensez-vous, les
gars?...

C'est encore sa tournée. Émile sert le pastis à faire
déborder les verres. On trinque dans le brouhaha et
Émile impose le silence à tous en reprenant triompha-
lement l'exposé de ses hauts faits de la nuit :

— ... Je n'ai pas fait le coup une fois, mais dix. C'est
dire que ma technique est au point. On ne fait pas
mieux comme esbroufe. Je vous le garantis. Vous pouvez vous renseigner. Je me suis entraîné. Et comme je
suis l'inventeur du truc, je le perfectionne à chaque fois.
Ça ne rate jamais. Le malheur, c'est que je commence
à être trop connu dans le quartier et que bientôt les
flics ne marcheront plus et que je vais me trouver dans
l'obligation d'émigrer à Montmartre ou sur la rive gauche,
où il n'y a rien à boire, j'entends, du bon. Bref, comme
on entre au poste de police de la rue Prouvaires, je suis
sur mes gardes, je me tiens fin prêt, prêt à bondir dans
l'arène comme un acrobate qui va exécuter son numéro
et peut-être se casser la figure, et comme les flics vont
dégainer pour me passer à tabac, sitôt la porte entrou-
verte je fonce, secouant la sacrée branlée qui est à mes
trousses, je fonce tout droit sur le brigadier de service
et je lui gueule à bout portant : « Chef, dites à vos
hommes de se mettre au garde-à-vous! Ils n'ont pas le
droit de sévir. Je suis chevalier de la Légion d'honneur... »
En prenant mon élan, j'ai toujours grand soin de viser
la table du chef de poste que je renverse sur lui en me

précipitant, si bien que le bougre se trouve coincé entre le meuble et le mur du fond quand je lui dis ça; quand j'ai dit, je me glisse à côté de lui à l'abri derrière le bureau renversé et me plaque contre le mur pour ne pas recevoir un mauvais coup par derrière car, avec ces michetons-là, on ne saurait prendre assez de précautions, et, alors seulement, je sors la croix de ma poche et je me la fixe avec une épingle de nounou sur le côté gauche! Tableau. Musique. Généralement, le brigadier est saisi comme si je lui avais passé un nœud coulant autour du cou. Je ne lui laisse pas le temps de reprendre souffle : « Chef, lui dis-je encore, mais cette fois sans crier, très sûr, très maître de moi et le faisant à l'autorité, chef, envoyez chercher M. le Commissaire. J'exige que vos hommes me fassent des excuses. Obtempérez! Je suis capitaine... » Si le brigadier n'obtempère pas, je lui fourre sous le nez mes papelards, ma citation à l'ordre de l'armée, ma nomination d'officier parachutiste, chef de commando, mon carnet d'invalide, ma carte de combattant, mon titre de maquisard, celui de compagnon et, si ça traîne, j'exhibe ma patente de bistrot; mais habituellement, le chef obtempère illico, il envoie un agent chercher le Commissaire qui radine en s'excusant... et ça ne traîne pas, on me relâche... et je jubile! C'est ainsi qu'avec le plus grand sérieux du monde je me paie la police à la rigolade. Vous ne trouvez pas, vous autres, que c'est bath, la croix? Mais ce matin, au petit jour, on m'a gardé un peu plus longtemps qu'à l'accoutumée, rue Prouvaires, probablement qu'on avait dû aller tirer le Commissaire du lit et en attendant qu'il arrivât, devinez qui envahit le poste avec toute une bande de faux témoins, et qui se met à chialer et à faire du foin, la grosse Charlotte de *La Taupinière*, et qui réclame cent cinquante mille balles de casse, un rien, dont elle me rend responsable! C'était le bouquet. « Monsieur le

Commissaire, dis-je à un petit bonhomme ventripotent qui venait d'entrer à la fin et qui s'installe à la table du chef, nouant sa cravate, bâillant, s'étirant, boutonnant sa vareuse, monsieur le Commissaire, veuillez enregistrer la plainte de cette femme si Madame désire un bon procès, mais pour l'amour du Ciel faites-la taire, la Charlotte me tape sur le système. Elle m'accuse de tout, alors que je n'ai pas pris part à cette histoire, sinon tout juste pour boire le verre de l'amitié avec son homme. Si j'ai fait des moulinets avec une chaise, c'était pour me garer d'un mauvais coup toujours possible dans une bagarre à laquelle je ne suis pour rien et n'ai pas participé, sinon, comme je viens de vous le dire, à mon corps défendant, ayant trop peur du vilain. Je suis invalide, réformé 100 % et à la merci du moindre coup. Je n'ai commis aucune violence. Je n'ai pas cassé un verre ni un carafon, ainsi que cent témoins peuvent vous le certifier, de même que vos agents, s'ils sont de bonne foi, peuvent vous dire que je ne leur ai offert aucune résistance sérieuse quand ils se sont jetés sur moi, je me demande pourquoi, alors que le véritable instigateur de toute l'affaire a eu cent fois le temps de se défiler. Cent cinquante mille francs de casse, je m'en lave les mains! On plaidera. Voici la carte de mon avocat. J'ai des répondants. Je paie patente, tout comme Madame d'ailleurs, dont le mari, le grand Julot, est un honnête bistrot car son vin est bon, je le reconnais bien volontiers, surtout l'aligoté, comme chez moi le pastis, qui est le meilleur de Paris. J'en ai plein ma cave. Avis aux amateurs!... » Sur cette invite, car de prime abord j'avais repéré l'homme du Midi dans la personne du Commissaire de police, je partis la tête haute, je ne dirai pas avec les honneurs de la guerre, mais presque... et ils m'ont laissé sortir, à preuve que me voilà, comme vous le voyez. C'est pas bien joué, dites?...

N'empêche, chaque fois qu'Émile jouait ce jeu, chaque fois il risquait sa vie, et c'est peut-être le danger mortel qu'il savait courir du fait de sa blessure de guerre qui l'émoustillait tant. Les joueurs sont ainsi faits, moralement ce sont des lâches et n'est-ce pas par inhibition de leur volonté qu'ils risquent tout sur une seule carte avec une insouciance déconcertante? Ils subissent l'attrait du malheur et s'y jettent, comme dans le vide, non par défi mais pour jouir jusqu'au vertige du vice auquel ils s'adonnent. C'est une forme du masochisme. Une autre forme en est l'exhibitionnisme.

Du fait de sa blessure secrète, Émile se savait être à la merci d'un accident, d'un coup porté bas, au niveau du ventre, c'est pourquoi il se gardait si bien par-devant et par-derrière pour éviter les traîtrises d'un inconnu dans une bagarre et, quand il s'abandonnait aux mains des flics, se ramassait, plié en deux, pour se garer de leur fameux coup de genou dans les parties. Mais avec les femmes, les filles qu'il désirait séduire, son comportement était tout autre, non seulement il pérorait et s'en vantait mais avait tendance à vouloir exhiber sa blessure et se déculottait avec empressement.

— Regardez..., touchez..., disait-il avec fierté en faisant glisser la fermeture-éclair dont sa braguette était munie, ne dirait-on pas que j'en ai trois?...

En effet, sous la pression du doigt, il y avait une grosseur suspecte qui roulait du côté des bourses, et lui de rigoler comme une baleine.

Sautant en parachute, Émile s'était empalé sur un échalas qui l'avait perforé de part en part, lui déchirant les intestins. Comme il ne pouvait pas être question de lui écheniller le gros boyau tout plein d'échardes, on le lui avait coupé et à la place on avait mis un sac avec un tuyau en caoutchouc qui débouchait dans le bas-ventre, jouxtant le pli de l'aine. Pour vous faire voir sa blessure, Émile dévissait une plaque d'argent grosse comme la main qui maintenait ses tripes tout en les protégeant, et par l'ouverture ainsi découverte l'on pouvait admirer avec appréhension des matières grasses, jaunâtres, compressées derrière la vessie comme du hachis dans une paupiette. Émile profitait de la démonstration pour vider le tube en caoutchouc d'où s'écoulait une purulence fétide, une odeur nauséabonde, mitigée d'une pointe de baume du Pérou. Le séducteur souriait, sûr de l'effet produit, prêt à cueillir le fruit de ses extravagances, sachant par expérience que sa plaie ouverte émouvait les femmes profondément comme tout ce qui leur rappelle les entrailles chaudes et les remuements de la maternité et que la turpitude de l'exhibition troublait les filles d'une façon quasi mystique comme si elles apercevaient par une *fenestrella* pratiquée dans un sarcophage les organes vénérés d'un jeune martyr chrétien dont la relique embaumée et les restes exposés, enguirlandés, arrangés, peints, vernis, émaillés sont trop adorables, trop chargés de poésie et d'offrandes et, dans la lumière des bougies et des cierges au fond d'une crypte, trop vrais, trop proches, trop réalistes pour pouvoir résister à la tentation d'y porter la main, les lèvres, ou, par désespoir, d'en dérober une parcelle que l'on cache dans son cœur, que l'on dissimule en rougissant, en mourant de honte, tellement cela vous brûle d'amour. Oui, parmi tant de pucelles qui l'avaient perdu avec cet homme taré, bien des filles rieuses du faubourg et des petits tapins avaient connu des transports d'amour divin et des extases. Dans le commerce du sexe et de son ivresse rien ne ressemble autant à l'état de sainteté et à sa transfiguration inhumaine que de vivre dans l'abjection du stupre, cette divinité, une idole.

(... Il y a une église dans le quartier dont tous les saints personnages sont des automates. On glisse une pièce de cent sous dans la fente, on appuie sur un bouton, la lumière électrique s'allume qui nimbe les statues et éclaire une liqueur rouge dont on peut suivre le cours d'une chapelle à l'autre dans une tubulure de verre qui relie comme le cordon ombilical le Divin Enfant à la Vierge Mère et l'on peut voir le sang du Christ qui coule de Son flanc grand ouvert se mettre à bouillonner dans une ampoule, le Sacré-Cœur apparent dans le décolleté de la Mère du Ciel qui trône parmi les étoiles. Malheureusement, cela ne dure qu'une minute quand ça fonctionne car, neuf fois sur dix, l'appareil est en panne et l'ineffable Consolation n'a pas lieu. Cette ladrerie sans nom du sacristain est une déception navrante et un manque absolu de charité à l'égard des jeunes pécheresses dévotes qui viennent y risquer leurs maigres économies, les demoiselles de magasin, les bonniches, les mannequins, les commises, les dactylos, les midinettes, les brodeuses, les plumassières, les matelassières, les caissières du quartier Saint-Martin, qui s'en vont révoltées, ayant l'impression d'avoir été flouées et d'être une fois de plus victimes d'un *fils à papa* — le Fils de l'Homme ou le Fils de Dieu? — et qu'il ne leur reste rien d'autre à faire que d'aller se jeter dans le canal. Elles n'ont même pas comme oraison droit à trois lignes dans les faits divers. Il y en a trop. On en repêche tous les jours!...)

La Papayanis était aux anges. Une fois les premières tournées payées pour son dédouanement dans le quartier, la Grecque était passée de l'autre côté du comptoir pour donner un coup de main à Émile qui l'avait invitée et qui la pressait, lui faisant du boniment. Depuis dix ans qu'elle était à Paris, c'était pour la première fois qu'elle se sentait heureuse. Cela lui rappelait les samedis soir de son pays quand elle descendait au port donner un coup de main à son oncle, qui tenait la petite auberge

des pêcheurs de la *Marina*. Un orgue de Barbarie jouait
devant la porte. On y débitait des petits verres qui avaient
à peu près le même parfum que le pastis qu'elle servait
ce soir, du raki, du résiné et le mastic, une liqueur à la
résine de lentisque. La boîte à matelots était pleine et
l'on y menait grand train toute la nuit, et encore le lendemain dimanche, car tous les garçons des îles de la
mer Égée s'y donnaient rendez-vous et il ne manquait
même pas un beau gars un peu fou, un nommé Nicolas,
qui n'avait pas froid aux yeux et qui passait pour être
un peu pirate, un luron passionné qui tournait autour
d'elle et lui faisait du plat et la serrait de près, tout
comme le Capitaine contre lequel elle se laissait aller,
ce soir, rougissante, chaude, alanguie, pleine de la nos-
talgie des îles. Elle soupira, cherchant des yeux Mme Thérèse pour lui sourire à cette chère amie pour qui elle
sentait naître au fond d'elle-même de la passion reconnaissante et dont la présence la libérait, elle ne savait
dire de quel poids, fait d'appréhension et d'angoisse,
comme certain soir où Nicolas l'avait prise sous l'escalier. Elle avait quinze ans... Et jusqu'à l'éclairage de
cette cave parisienne qui était le même que chez son
oncle, trois quinquets, qu'il fallait sans cesse moucher
et qui dégageaient cette odeur suffocante qui vous prenait à la gorge mais, pour elle, inoubliable parce qu'elle
lui avait fait tourner la tête, un beau dimanche soir de
l'Archipel, de l'acétylène.

— Tiens! s'écria Émile en crevant d'un coup de mar-
teau la nouvelle enseigne, reste avec moi et la boutique
est à toi! Tu veux bien? Dès que le courant sera revenu,
je te peins une autre enseigne, la tienne. A la place des
Soucoupes volantes, j'annonce le changement de proprié-
taire : *A la Belle Dame sans Merci*, ça te va? On fera la
fête et tout le quartier se réjouira.

— Minute, dit Thérèse s'arrachant au cercle de ses

admirateurs, toutes sortes de loustics qui choquaient son verre, qui sortaient, qui revenaient, qui repartaient, qui rentraient remettre ça, et l'on ne savait si c'était pas réellement les mêmes tellement tous se ressemblaient en casquette ou tête nue, la nuque passée à la tondeuse, les cheveux gominés ou embroussaillés sous un vieux feutre, les joues pas rasées, et certains le menton bleu avec des rouflaquettes, un foulard autour du cou, minute! Tu ne trouves pas, patron, que les Amerloques exagèrent avec leur panne d'électricité?

— Les Américains? demanda Émile interloqué. Qu'est-ce que les Américains ont à voir avec le courant électrique?

— Vous m'étonnez, répliqua Thérèse. Voici plus de dix fois que je pose la question et personne ne semble savoir de quoi il en retourne.

— Et de quoi?

— Mais de la chaise électrique! Chaque fois qu'il y a exécution, chaque fois les Amerloques coupent le jus. Je voudrais bien savoir pourquoi?

— Mais... Vous êtes sûre?... Ils ont installé la chaise électrique à Paname?...

— Et comment, et elle fonctionne!

— Où ça?

— Dans les caves du Palais-Royal. C'est un ministre qui me l'a dit.

— Merde! c'est pas un coup à nous faire, dit un des auditeurs car tout le monde écoutait maintenant ce que Thérèse était en train de leur apprendre.

— Leur conseil de guerre siège à la caserne de Reuilly et la chaise électrique attend au Palais-Royal que quelqu'un vienne s'y asseoir. Tous les jours il y a quelqu'un, le conseil de guerre s'en charge et ne chôme pas. Combien avez-vous eu de pannes cette semaine? Cinq ou six, je ne saurais vous le dire, je ne les ai pas comptées; mais demandez-le à Félix Juin, notre directeur, qui y perd de l'argent et qui ne décolère pas. Pas moyen de répéter sérieusement. Cela nous fait du tort. Et l'on passe dans huit jours. On ne sera jamais prêt...

— Non, ce n'est pas possible, dit un birbe en manches de lustrine. Et que faites-vous de l'heure légale, madame Thérèse?

— Qu'appelez-vous l'heure légale? Je ne sais pas.

— Je croyais qu'une sentence de mort n'était exécutoire qu'au lever du jour. Souvenez-vous, on dressait la guillotine boulevard Arago et l'on n'exécutait le condamné qu'à l'aube. Comme cela faisait trop de raffut dans le quartier, les exécutions capitales ont lieu maintenant dans la cour de la Santé, mais le pauvre type n'est amené qu'au lever du jour. C'est ce qu'on appelle l'heure légale. Un peu plus tôt l'été, un peu plus tard l'hiver. Mais l'heure c'est l'heure, on respecte l'heure.

— Je n'ai assisté qu'une seule fois à une exécution capitale, d'une fenêtre qu'un type nous louait, c'était chez un imprimeur, boulevard Arago, et il nous servait du vin chaud, à mon mari et à moi. C'était l'hiver. En effet, il a fallu attendre toute la nuit et, à l'aube, il y avait un brouillard épais. Les bois de justice étaient dressés. La cérémonie n'a eu lieu que vers dix heures du matin. S'il est actuellement sept heures du soir, dites-moi, quelle heure est-il à New York? Il est peut-être sept heures du matin à New York, non?

— Mais jamais de la vie! Il est tout au plus trois, quatre heures de l'après-midi, répondit un jeune mécano.

— Et à Chicago?

— Il est deux heures.

— Et à San Francisco?

— Dix, onze heures du matin. Il n'y a que cinq heures de différence entre New York et San Francisco.

— Et aux antipodes?

— Aux antipodes il est, mettons, sept heures du matin.

— Vous voyez bien! Nous y arrivons à votre heure légale, si on l'observe dans l'armée américaine et la respecte comme chez nous, ce que j'ignore. Je le demanderai à mon ministre. Je savais bien qu'il y avait un décalage d'heures, mais je ne savais de combien. Je ne sais pas si vous me comprenez car ces histoires d'heure me dépassent. Mais imaginez que l'on exécute ce soir dans la chaise du Palais-Royal un soldat américain originaire de l'île de Guam, en plein Pacifique, alors c'est à peu près l'heure légale pour lui, l'aube dans son pays natal et l'on peut l'expédier *ad patres* à cette heure-ci et, si votre question de l'heure légale tient toujours, cela expliquerait l'irrégularité des pannes d'électricité que l'on nous impose à toute heure du jour à Paris, les soldats américains étant originaires de la Virginie, de la Nouvelle-Angleterre, du Nouveau-Mexique, du Texas, de l'Oklahoma, de la Californie, de l'Alaska, de Hawaï, de Guam, des Philippines, est-ce que je sais, moi! Bref, ils dépendent de toutes les longitudes et l'on peut les pendre et les électrocuter à toutes heures, sans manquer à la légalité. Vous avez compris ce que je veux dire? Ça n'est pas aussi compliqué que ça en a l'air. Comme pour les avions, c'est une question d'horaire et de correspondance.

— Madame Thérèse, c'est ce qu'on appelle les fuseaux horaires, intervint le jeune mécano. Ils sont peints sur le mur dans la salle d'attente de l'aérogare du Bourget.

— Merci, mon petit, tu es bien gentil. Mais tout cela est trop moderne pour entrer dans ma cervelle de vieille sotte. Dans cette histoire, un fait est certain :

quand on donne le courant à la chaise du Palais-Royal,
on le coupe aux Parisiens. Faut-il donc tant de jus
pour tuer un homme? C'est cela qui m'étonne. Et voilà
pourquoi je trouve que les Amerloques exagèrent. Et
maintenant, ma chérie, dit Thérèse en prenant la
Papayanis par la taille, légale ou non, l'heure c'est
l'heure. Pour nous, c'est maintenant l'heure d'aller
rejoindre le patron. C'est très bien de t'humaniser ce
soir, tu as raison, le Capitaine est un bel homme, un
rigolo, et tout et tout, mais tu dois signer ton contrat
avec Félix Juin, ce qui est mieux. Les affaires sont les
affaires, ma belle. Tu auras cent fois l'occasion de revoir
ton homme. Viens, filons... Bonsoir, Messieurs!... A la
prochaine!...

— Vieille gaupe, je te revaudrai ça! cria Émile comme
la porte se refermait sur les deux femmes dans un fracas
de vitres cassées, des éclats de rire simultanément à un
coup de feu et qu'Émile s'effondrait derrière le zinc,
frappé d'une balle en plein front.

Les témoins n'avaient vu qu'un long pistolet, une
main gantée d'une mitaine à deux doigts, l'index, le
pouce, qui faisaient pince de homard, un bras gauche
passer à travers les carreaux.

Un homme? Une femme?...

Les buveurs s'égaillèrent dans toutes les directions.

Un règlement de comptes? Un drame de la jalousie?...

Mais Thérèse et la Papayanis ne s'étaient rendu
compte de rien. Elles couraient dans la rue noire et se
bousculaient comme des écolières à qui serait la première rendue chez la mère Magne, où les deux femmes
s'engouffrèrent en coup de vent comme deux folles
dans un fracas de vitres cassées et d'éclats de rire,
laissant la porte du restaurant ouverte sur le black-out.

Toute la troupe était là, autour d'une table ronde, dînant aux bougies.

— P'tite Maman! s'écria Thérèse en apercevant Kramer parmi les convives et lui sautant au cou.

— La porte! hurla Félix Juin qui avait toujours peur de s'enrouer et qui craignait les courants d'air.

— Excusez-nous, madame Magne, dit la Papayanis, mais la porte ne ferme plus. Je ne sais pas ce qu'elle a...

— Ne t'en fais pas, mon gros, c'est moi qui ai fait le coup! expliquait Thérèse à la mère Magne qui arrivait en sueur de sa cuisine, déposant sur la table une casserolée de homard à l'américaine dont l'arôme à la vieille chartreuse se répandit dans la salle. Mon gros, je suis paf! Et quand je suis paf, j'adore donner un coup de coude dans les carreaux, comme on donne un coup de coude à un passant qui en reste estomaqué ou que l'on coupe d'un coup de coude le sifflet à un bel homme qui vous fait du plat dans la rue, ça me réjouit! Déjà, quand j'étais môme, j'adorais casser les vitres, square d'Anvers, et ma mère de me flanquer la *jubilata*, c'est ainsi qu'elle appelait la fessée, et elle n'y allait pas de main morte. Mais ça ne me faisait rien. Je rigolais... C'est pas comme toi, P'tite Maman, qui me fais pleurer d'émotion, tellement je suis contente de t'avoir retrouvé...

Et Thérèse se remit à faire des caresses à Kramer. Elle s'était assise sur ses genoux.

— Qu'étais-tu devenu, dis?... On ne savait plus rien de toi, pauvre chéri... Tu étais en prison... Moi, pendant tout ce temps-là, j'ai fait des tournées. On jouait n'importe quoi. Ç'a été un triomphe. C'est beau la France, tu sais... On roulait en gazogène, tu parles, au nez des Allemands. On avait l'impression de leur jouer un bon tour. On était entre soi et tout le monde nous comprenait, dans les plus petits patelins où nous passions. Il n'y avait pas besoin d'insister ni de faire des allusions. Le moindre retroussé du nez y suffisait pour les faire rire... Ah! si tu avais été avec nous, tu aurais été content de ta fille... Quel bon public en province! On communiait dans le patriotisme, la résistance, et j'en faisais des frimousses. La nuit, on collait des affiches et on s'en allait...

— Acré, la rousse! cria une voix de l'extérieur.

Des coups de sifflet retentissaient dans la rue. Une escouade d'inspecteurs en civil fit irruption dans le restaurant brandissant menottes et revolver et embarqua sans ménagement tout le monde dans deux cars de police qui s'arrêtèrent pile devant la porte de la fameuse poissonnerie. On y poussa tout le monde, même la mère Magne qui gueulait, récalcitrante, le chignon défait, une louche à la main, ainsi que d'autres clients qui protestaient véhémentement, des gourmets, amateurs de coquillages, de christes-marines ou d'une bonne bouillabaisse. Des paniers d'huîtres et des citrons s'étaient répandus sur la chaussée. On piétinait des crevettes roses.

— Tiens, monsieur de Montauriol s'est éclipsé, remarqua Kramer.

Sinon tous étaient là : Félix Juin, plus embêté que jamais; Coco, souriant, la bouche pleine, une serviette encore nouée autour du cou, M. Pouf dans sa poche, et qui griffonnait dans son carnet de croquis; le coiffeur et la grande-duchesse, ce gigolo de Serge, reluisant comme un sou neuf, la Kamarinskaïa, l'air offusqué, le teint terreux, se mordant les lèvres, les yeux cernés comme une hémorroïdesse, en proie à des mauvais souvenirs qui lui revenaient, sur le point de se trouver mal en pensant aux perquisitions des bolcheviks dans son palais sur le bord de la Néva et des arrestations en masse, la nuit, à Saint-Pétersbourg; toute la troupe d'affreux cabots en ménage qui sont le tout-venant des gens mis sous contrat dans les théâtres parce qu'on les a sous la main et qu'ils sont du syndicat, et les créatures du patron, Mathilde, sa secrétaire, qui était amoureuse de lui; Tibure, le chef machiniste dont Juin ne pouvait se passer; Porphyre, le régisseur, attaché au patron comme son ombre; du Schnoque, le souffleur, un ancien beau de l'Odéon, un gaga que le grand directeur de la Scala avait repêché et qui lui servait de mouchard; sans oublier Victorine qui ne pouvait manquer dans une affaire capable de lui fournir l'occasion d'empoisonner sa putain de grande sœur de lait dont elle s'était juré d'avoir un jour la peau, mais qui, avant de se laisser agrafer à table, avait vidé son assiette dans son sac à main et qui, maintenant, coincée entre deux flics debout à l'arrière du véhicule, suçait avec surexcitation une carcasse de homard, les petits doigts en l'air pour se donner du genre, crachant autour d'elle des fragments de crustacés qu'elle faisait craquer sous la dent, décortiquant les pattes, une pince avec avidité, la figure flamboyante, l'œil fou, les trompettes de Jéricho dans son mouchoir, éternuements, quintes, toux, larmes, congestion, poivre, piment, safran, et ce fumet de vieille chartreuse qui la faisait délirer, râler. Pourtant, elle n'avait rien bu. Une alcoolique.

— Félix! On pourrait répéter. Il ne manque personne. On est au complet. Et vous les enfants, en scène pour le III!... Gy!... gouailla Thérèse, l'incorrigible.

Les cars fonçaient à tombeau ouvert dans le black-out faisant rouler leur sirène d'alarme.

C'était sinistre...

Et l'on retrouva Guy qui grillait des cigarettes depuis un bon moment déjà et faisait les cent pas devant la porte vitrée du bureau des commissaires quand tout le monde fut mené à la P. J., quai des Orfèvres, et grimpa les hauts escaliers.

Nul ne lui adressa la parole tellement sa présence parut insolite.

La lourde fut bouclée.

VI

L'HOMME ET SON DÉSIR

On les fit attendre longtemps dans la cage de l'escalier donnant sur le dernier palier, une espèce de corridor allant s'étranglant comme une hernie, s'élargissant brusquement pour former antichambre devant des portes et des guichets clos, antichambre condamnée, comme le palier de l'étage d'en dessous, par une grosse grille cadenassée. D'un côté, deux, trois bancs le long des murs; de l'autre, une très haute cloison en bois blanc qui isolait le bureau central des commissaires. Des cagibis aménagés dans tous les coins et les recoins du corridor. Une longue table à l'abandon, peinte en noir, criblée d'inscriptions grattées avec un clou, des cœurs, des croix, des initiales, des dates, des prénoms de femmes, des graffiti dans tous les sens. Des épingles à cheveux par terre, des mégots dans la sciure et des flaques d'urine qui sentaient fort. Pas de fenêtres. Les plafonds se perdaient dans les combles d'où pendaient au bout de longs fils entortillés des ampoules nues; mais comme l'électricité n'était toujours pas revenue, on avait allumé des lumignons qui brûlaient dans des lanternes accrochées un peu partout et hors de portée derrière les grillages. Avec ses taches d'ombre et de lumière, l'éclairage trouble des bouts de mèches qui graillonnaient dans leur godet, les grands pans inclinés des plafonds, les renfoncements, les recoins noirs du local, sa plantation, son développement irréguliers, ce décor poussiéreux ne manquait pas d'une certaine grandeur.

— Ça schlingue! fit Coco en entrant. On dirait un lavis de David. Pas le David du *Sacre*, bien sûr, mais celui qui se glissait incognito à la Conciergerie, le dictateur des Arts, curieux homme...

Et Coco d'essuyer soigneusement la table avec son mouchoir, de dénouer la serviette qu'il portait toujours autour du cou, de l'étaler, de la fixer bien à plat, de la tendre le mieux possible avec des punaises dont il avait une boîte dans son gousset, d'extraire de sa poche-revolver une poignée de crayons de couleurs, des fusains, un tampon, une gomme et de se mettre fébrilement à dessiner, braquant le faisceau de sa petite lampe de secours, pile portative dont beaucoup de bourgeois étaient encore munis à l'époque, les dernières alertes aériennes sur Paris étant par trop récentes pour s'être effacées de leur mémoire et personne ne pouvant imaginer ce que le désespoir de la défaite allemande ou l'ivresse de la victoire russe pouvait faire jaillir d'outre-Rhin après les V1, les V2, les fusées téléguidées et, apothéose de la mort, surprise de la fin de la guerre, préfiguration peut-être de la fin du monde, la bombe atomique américaine, Coco braquant sa petite lampe tantôt sur le vague de ce décor des limbes, tantôt sur son dessin, tantôt la plongeant dans la cage de l'escalier, où les gens grouillaient comme des larves, penchés sur ou adossés contre la rampe, assis sur les marches, montant ou descendant en s'interrogeant les uns les autres sur ce qui allait être leur sort car personne ne savait pourquoi on était là ni ne pouvait deviner de quoi il s'agissait, tantôt fouillant les plafonds comme pour en mesurer, en sonder la noire, l'imprécise profondeur, Coco ne fixant aucun détail sur la toile improvisée, ni geste, ni attitude, ni relief, ni pose, mais procédant par une distribution des masses et des plans, ou par des contrastes violents de couleurs qu'il frottait aussitôt, les effaçant presque pour obtenir une zone neutre d'un gradué raffiné, de la transparence.

Il était heureux et si absorbé qu'il en oubliait d'allumer les cigarettes qu'il se plantait dans le bec ou alors il les mâchait et les recrachait. Sa barbe hirsute était pleine de jus et de grelots de tabac et, de temps en temps, il faisait une pause et la tapotait avec satisfaction, prenant son temps.

Il regardait autour de soi, pensait, écoutait peut-être, semblait amusé.

Le bruit se répandait et prenait consistance qu'il s'agissait d'un assassinat, qu'un homme avait été tué dans un bistrot du faubourg, un familier du quartier, et chacun d'assurer qu'il n'était au courant de rien, de protester et de vouloir savoir jusqu'à quelle heure on les garderait à la disposition de la P. J., s'impatientant; et comme une panique commençait à s'emparer des gens à l'arrivée d'une nouvelle fournée de types du faubourg où la police faisait des rafles dans la rue, Coco se détourna soudain et se mit à reporter sur sa composition ce qu'il avait eu jusque-là dans le dos, d'autres masses, d'autres angles, plus vifs ou mieux éclairés (ou n'était-ce pas son œil malicieux qui gagnait plus d'acuité?) et qu'il poussait au premier plan, à l'équerre, profilés.

Le temps ne comptait pas plus pour lui que la perspective classique.

C'était comme au théâtre où il n'y a pas non plus de perspective ni de temps, sinon ce que l'on a sous les yeux et le potentiel de ce qui va se produire à l'instant même, c'est-à-dire la destinée.

L'Homme et son désir.

Une machinerie insensée.

... Tonnerre! un assassinat...

Coco pivotait sur un pied, pivotait sur l'autre pied, tournait dans un sens, tournait dans l'autre sens, et d'un mouvement de plus en plus rapide comme ce voyageur dont parle Edgar Allen Poe qui, du sommet de l'Etna, promenait à loisir ses yeux autour de lui et n'était affecté que par l'étendue et la diversité du tableau tant qu'il ne s'avisât pas de pirouetter avec accélération sur son talon gauche pour saisir le panorama dans sa sublime unité et faire absorber à son cerveau la parfaite simultanéité du spectacle.

Dieu, quel élan!

Un tour d'horizon complet qui fait tituber.

Vertige!

Le plateau bascule. Un cône d'ombre glisse perpendiculairement. Un déclic. Le couperet rentre ses angles en vitesse. Euréka! La guillotine est le chef-d'œuvre de l'art plastique, sa projection crée le mouvement perpétuel. La tête qui saute dans le panier de son cligne une ou deux fois les yeux pour fixer son regard qui s'éteint sur la flamme trop vive de la Vérité — c'est éblouissant! — et la bouche en voie de proférer une dernière parole et déjà à moitié pleine d'une vocifération s'arrête pour ne pas aller jusqu'au bout du Mensonge — et c'est la nuit, un message noir...

Erreur d'optique ou vision, la Poésie c'est simultanément le Paradis et l'Enfer!

L'Union.

... Mais qui est-ce? Pas possible! Ce n'est sûrement pas Émile dont le nom se met à circuler avec emphase à chaque nouvelle arrivée du panier à salade, Émile, le bistrot, Émile, le beau capitaine, Émile, le roi du quartier, Émile... sans qu'on puisse savoir au vrai si ce fada d'Émile est l'assassin ou la victime...

L'Homme et son désir.

La Vie et ses accessoires.

Le Théâtre est la seule réalité.

En tout cas, il n'y a pas d'abstraction possible, ni de métamorphose, ni de métaphore, ni de métaphysique.

Il y a l'Homme.

C'est chaque fois une révélation.

Il n'y a que ce qui grouille obscurément dans les reins qui monte en scène et s'extériorise en pleine lumière : larmes, sang, rires, la joie, le bonheur de vivre, d'être, la force, la puissance, la gloire et toutes ses faiblesses, le tout mû par les ressorts de l'immense machine,... le Théâtre.

— C'est la destinée. Tout est sorcellerie, fit-il.

Pour un rien Coco serait allé féliciter le petit Guy. C'était tellement « ça », sa pièce, débordante, disproportionnée, faite que de détails vrais, de contrastes, un tas de gravats, de la démolition pouvant encore servir, de la morale préfabriquée qui ne rimait plus à rien, les événements allant trop vite, les situations étant instables, les caractères n'ayant pas le temps de s'afficher, le bonheur, le malheur de vivre, la vie se foutant d'elle-même, un rire atroce dans une bouche si jeune, inexpérimentée... Où avait-il pu ramasser tout ça, ce sale gosse?... Un gamin dépravé, un génie, le génie de la perversité avec toutes les audaces du désordre et de la découverte et la pratique de tous les vices d'aujourd'hui. Et quel râleur! C'était magnifique... Job à dix-huit ans... et drogué... D'un cynisme bien moderne,... logique,... glacé,... intolérable,... qui aboutissait sans aucune retenue au suicide comme une belle glissade... Pauvre gosse, va!... Vas-y, mon vieux, vas-y!... On y va tous cul par-dessus tête...

Coco s'arrêtait de crayonner pour embrasser son chien.

Chaque fois c'était pareil. Chaque fois qu'il se sentait

porté vers un nouvel ami, il se méfiait de sa sensiblerie et faisait trois pas en arrière au lieu de faire franchement un pas en avant. Il revenait cent fois sur place, s'embusquait, observait, hésitait, n'osait se déclarer comme un qui sait qu'il ne pourra jamais rien posséder en ce monde, et, un beau jour, victime de ses refoulements, en pleine transe, saisi d'une sainte pétoche et pour se libérer, vivre, vivre, enfin vivre, il sautait comme un voleur sur l'élu, le violentait en se donnant à lui au lieu de le prendre! L'amant, l'aimé. Drôle d'orgie! Confusionnisme. Les homosexuels sont exigeants et instinctivement deviennent féroces. On connaissait les amitiés dangereuses de Coco, ses liaisons, ses passades, ses brusqueries. Ses intimes s'inquiétaient de ses coups de tête. Lui riait. Il n'était pas encore vidé, ni ruiné. A défaut d'opium, on buvait du laudanum. On cherche un troisième sexe pour décaper et lancer le plaisir, monter à bord, se perdre au large, sans quoi le rut est trop bref. On finit par crever de rage, insatisfait, d'une attaque...

— Oui, mon cher petit monsieur Pouf, on y passera tous. J'ai cinquante ans. Le cœur flanche. Ça fait mal. Mais ce n'est pas d'amour, c'est la crampe...

Et de passer la main droite sous son veston et de se masser le cœur.

— Sacré gosse, va! faisait-il. Il me le faut dans mon lit. Et dès cette nuit! Je vais le lui dire de ce pas... Cher... O cher!...

Il était tout guilleret et se dandinait.

— Ça colle? Ça biche? Tu tiens tes décors? On peut voir? Tu as l'air content...

Nichée dans les bras de Kramer assis en porte-à-faux à l'autre bout de la longue table noire, c'était Thérèse qui l'interpellait.

— Oui, ça va, lui répondit-il. J'ai autant de décors

qu'on en veut. Ce lieu m'inspire. Je vais même demander à Guy d'ajouter quelques tableaux ou quelques
scènes supplémentaires. Sa pièce est géniale, tu ne trouves
pas, Kramer?

— Heu!... Pour ce que j'en ai vu!...

— Ah oui, c'est vrai, j'oubliais, tu es parti avant que
Mme l'Arsouille entre en scène. Tu ne peux pas t'imaginer ce que tu as manqué, Kramer. C'était prodigieux!

— Oui, je sais, Thérèse m'a raconté. C'était peut-être
sublime, en tout cas imprévu sur le plateau car ce nu
n'est pas dans la pièce.

— Justement j'allais prier Guy d'intégrer la scène de
la femme nue dans son scénario.

— Inutile de lui en parler, c'est déjà fait, nous sommes
d'accord, dit Thérèse. C'est Montauriol lui-même qui
est venu me le demander. Il en bande...

— Non!...

— Et pourquoi pas, mon petit Coco? Montauriol est
monté dans ma loge comme j'étais en train de m'arranger après avoir perdu ma robe en scène. La Papayanis
m'aidait à m'épingler. C'est pour elle qu'il était monté,
le petit monsieur. Je crois que Montauriol a le béguin.
La Papayanis est une belle fille. Je lui ai dit de se méfier,
que M. Guy de Montauriol n'était pas sain. J'ai l'œil
pour ces choses-là, vous savez, une belle fille est trop
facilement baisée. C'est ce petit saligaud qui est allé la
chercher pour me la fiche dans les jambes. Je ne sais
pas ce qu'il a pu lui raconter en taxi mais, va te faire
foutre, nous nous sommes rencontrées par hasard au
coin de la rue et, à l'entrée des artistes, en moins de
deux, la Papayanis était roulée. Enfin, tu nous as vues,
non, est-ce que nous avions l'air de deux rivales? Nous
sommes copines maintenant et la Papayanis est loyale.
Souviens-toi qu'elle a fait de la prison pour un vieux
Juif qu'elle avait hébergé. Nous sommes d'accord. Nous

marchons la main dans la main et je lui ai promis ma
belle robe en cas de panne et si je venais à clamecer.
Comme c'était l'heure de l'apéro, nous sommes allées
boire, sans Guy comme de bien entendu car il suffit de
regarder ce pédalo pour se rendre compte qu'il n'a
aucune chance auprès des femmes. En effet, cinq minutes
après, la Papayanis tombait amoureuse du patron du
bar et, ma parole, devenait folle. J'ai dû l'arracher au
comptoir pour vous la montrer sur le plateau, elle avait
tout oublié, le théâtre, Guy de Montauriol qui lui avait
bourré le crâne, Félix Juin qui l'attendait pour lui donner mon rôle, une chance, sa plus grande chance, une
occasion unique, et, croyez-moi, j'y ai du mérite car
moi-même je suis amoureuse et folle et je ne sais plus
ce que je fais ni ce que je dis aujourd'hui. Je suis érein-
tée. J'ai fait l'amour tout l'après-midi avec mon homme,
un beau légionnaire que j'ai levé l'autre nuit et, vive
la Légion! j'ai envie de plaquer tout, le théâtre et le
reste... Ce n'est tout de même pas avec toi que je puis
faire l'amour, P'tite Maman! Mais ne te fâche pas,
reste. Depuis le temps que tu me connais, tu sais bien
que j'ai besoin de toi... Non, je ne puis pas me passer
de toi au théâtre, tu entends?... Je disais donc que je
me suis mise d'accord avec cette jeune crapule de Montauriol pour lui donner la scène du nu. O. K. Il veut la
placer en fin de spectacle, juste avant la chute du rideau.
On me verrait parader pendant les trois actes dans ma
belle robe de diamants dont je jaillirais nue à la fin,
moi, la vieille! C'est son idée. Ça peut être bœuf. Qu'en
penses-tu, Jean-Baptiste? C'est pour toi que je travaille...
et pour toi aussi, Coco. Vous êtes mes amis. Je n'ai
confiance qu'en vous deux.

— C'est à Félix que tu dois demander son avis. Ton
directeur est là pour ça. C'est tout de même le premier
metteur en scène du monde et, par ailleurs, il est ton

compère et défend son rôle. Je l'ai déjà répété mille et
mille fois : jamais je ne prêterai la main à une pièce
moderne. Montauriol est un petit crétin prétentieux. Je
n'y peux rien. Ce n'est pas du théâtre, c'est du cinéma
américain, un film absurde.

— Tu n'es pas aimable, P'tite Maman, et tu radotes
avec ta guerre des anciens et des modernes. C'est fini,
la guerre, tu dates. On en a marre. Tout le monde a été
battu. On a fait table rase. A quoi pensais-tu en prison?
Tu pêchais des crabes? On ne va pas contre le progrès.
Il nous faut du nouveau et recommencer par le commencement, même si cela te paraît absurde, à toi, puits de
science. Avec ton érudition, tu dois nous aider. Kramer,
regarde-moi. Je suis une vieille femme. C'est pour la
dernière fois que je monte en scène. Je veux que ça
porte et que l'on s'en souvienne. L'idée de Guy est
bonne. La parade. La pariade. En robe et à poil, c'est
toute la femme! Coco a raison, il a du génie, ce gosse,
d'avoir trouvé ça. A son âge... *La femme c'est un rond*,
me disait le vieux Renoir avant de mourir, et il se
plaignait d'avoir eu à peiner toute sa vie avant de réussir
à caser une femme nue dans un cadre. Aucune toile
n'était assez grande. Il y avait toujours un sein qui
débordait, un sein, l'autre sein, le ventre, une fesse,
une hanche, le gras des bras ou des cuisses, le derrière,
le dos ou une épaule dont il ne savait que faire parce
qu'il n'y avait plus de place dans son tableau pour faire
figurer toute cette chair qu'il adorait et sur laquelle il
s'attardait en la mignonnant. Sapristi, et maintenant
qu'il avait trouvé sa formule du rond et qu'il aurait pu
peindre des géantes, des Vénus hottentotes, des mères
aux multiples mamelles comme la Vénus de Lespugne
et se faire la main en inscrivant des académies de bai-
gneuses épanouies dans un cercle sans plus rien avoir à
sacrifier de son idolâtrie de la chair, il devait mourir!

Mon Dieu, il était plus jeune que je ne suis, soixante-dix-huit ans, et avait les mains nouées par les rhumatismes... Notre petit Guy n'a pas vingt ans. Il ira loin. L'avenir lui appartient. Il fera des sous. *Madame l'Arsouille* vaut une fortune, des millions. Ça va tenir jusqu'à la Saint-Glinglin. Je vous invite à la millième, à la deux millième si je tiens le coup. Je voudrais finir en beauté. Félix n'est qu'un vieux con. Il est jaloux. Il n'a pas de rôle. Il ne peut pas se défendre. Il sait bien que je l'écrase. Le plus bel asthme que j'aie jamais entendu! Il n'a plus de souffle et râle comme un soufflet de forge. Tu crois que c'est drôle de jouer avec lui? Il postillonne et lâche des vents par en haut et par en bas. Il se prend pour Mounet-Sully. Il est puant. Et je n'oublierai jamais qu'il a voulu se débarrasser de moi à huit jours de la générale. Me faire ça à moi! C'est bête. Il est idiot. Dis-lui que je l'emmerde et que je plaque tout s'il tente encore une fois de mettre les bâtons dans les roues. S'il met les bâtons, je mettrai les cannes. Et voilà. Je me trotte. A moi la liberté, à moi l'amour, à moi la Légion. Ni vu ni connu. Je déserte comme mon légionnaire va déserter pour moi. Il me l'a juré...

— Tu es complètement folle, Thérèse.

— Dis que je suis soûle, Coco, et que j'en ai marre, ça oui. Et puis je suis follement fatiguée. Mais je n'ai pas perdu la tête. Je vais me coucher, tiens. Au revoir, je m'en vais...

— Tu veux rire, Thérèse. Tu oublies que nous sommes tous bouclés.

— Ah oui, c'est vrai. Je l'avais oublié avec vous deux.

— On ne sort pas comme on veut de la P. J. Quand ils vous tiennent, ils ne vous lâchent plus. Ils sont comme des morpions, ils vous mangent. Leur enquête peut durer des mois. On ne s'appartient plus. Ils sont à vos trousses. Méfie-toi, Thérèse. Tu parles trop...

— Mais de qui se moque-t-on, Coco? Qu'est-ce que je risque? Dis-moi ce que nous foutons ici? On attend quoi? J'ai rendez-vous avec mon homme. Quelle heure as-tu?

— Tu as le temps, il n'est pas tout à fait dix heures. On attend que ça commence. C'est comme au théâtre, on attend les trois coups...

— C'est que j'ai rancart aux Halles, fit Thérèse.

— C'est à deux pas. Je t'y accompagnerais bien. J'ai soif, fit Kramer.

— Je parie que ce sera comme un lever de rideau quand l'électricité reviendra tout à l'heure, je parie qu'il y aura des applaudissements quand... l'Autre entrera, fit Coco.

— Qui ça, l'Autre? demanda Thérèse.

— Mais l'Autre, le mangeur du monde, celui qu'on attend, le chef de la P. J., le grand manitou. C'est moche...

— Tu le connais? demanda encore Thérèse.

— Il y aura du grabuge. C'est mon oncle Jean. Kramer, je ne sais pas quand tu pourras aller boire...

— Ah! les vaches. Je nage déjà dans mes vêtements. J'ai perdu vingt kilos. Ils m'ont tenu cinq ans...

— Mais qu'est-ce qu'il y a? s'impatienta Thérèse.

— Et toi non plus tu ne te doutes de rien. Tu n'as rien entendu dire, Kramer?

— Oh, moi, non, jamais! Je n'écoute pas ce que les gens racontent. C'est généralement idiot. Et c'est pourquoi je faisais ce soir de la morale à Thérèse. Je ne voulais pas qu'elle puisse saisir ni suivre le bruit qui se répandait en s'amplifiant. On parlait d'une certaine cave... Il y aurait eu mort d'homme... Mais je ne sais rien de précis.

— Quoi, il est arrivé quelque chose au beau Capitaine? s'écria Thérèse. Pauvre Papayanis...

— Chut! Je ne voulais pas te le dire, Thérèse, car j'avais deviné où vous étiez quand tu nous as avoué, tout à l'heure, être allée prendre l'apéro avec la Papayanis. Tu vois comme on se coupe facilement! Naturellement, ça ne pouvait être qu'au *Radar*. Il y a toujours beaucoup de monde au *Radar* et la cave ne désemplit pas à l'heure du pastis. Note que je n'en sais pas plus que Kramer. Mais à en juger par le nombre des gens rabattus ici, il y aura beaucoup de témoins dans cette affaire, tous les ivrognes du faubourg me semblent réunis. Or, le propre des témoins est de se contredire et cela fera une belle bagarre tantôt, plus animée encore et moins gratuite que celle dans la scène du II où Mme l'Arsouille nous fait mourir de rire en se chamaillant avec des pochards au commissariat des Halles. Tu y es désopilante, Thérèse, et ta façon de dire leurs quatre vérités aux gens est une manière de chef-d'œuvre. C'est irrésistible. Tu emportes la conviction. Ton public te suit jusqu'au bout. Cela va beaucoup plus loin et tape beaucoup plus fort que les répliques les plus suffocantes des *Plaideurs*. Comment fais-tu, Thérèse? Est-ce Kramer qui t'a soufflé ça?

— Je ne suis pour rien dans son jeu. Tu sais bien que je ne connais pas la pièce. Mais oser comparer Montauriol à Racine! On aura tout vu. On ne doute de rien aujourd'hui, protesta Kramer.

— Au contraire, les jeunes doutent de tout aujourd'hui, rétorqua Coco. On les a assez enquiquinés. C'est pourquoi ils foncent en avant. Battre Racine, battre Corneille, faire mieux que Molière, c'est leur seule ambition. Renouer avec la tradition c'est remuer les ruines avec une machinerie appropriée, reconstruire selon une technique nouvelle, exploiter la vie d'aujourd'hui, jusqu'à épuisement, la créer, la recréer, la détruire et, recommencer demain, prévoir le surlendemain car nous ne nous en lavons pas les mains, tout tourne trop vite, c'est encore honorer les dieux du Théâtre! Je voulais seulement rendre hommage à Mme l'Arsouille et mettre Thérèse en garde contre sa propre sensibilité. Je t'en conjure, méfie-toi, ne t'énerve pas et ne cède pas à ton tempérament, Thérèse. Et si c'est mon oncle Jean qui t'interroge, boucle-la. C'est certes un galant homme mais il joue au couillon. Attention, ne t'emballe pas. Il est très susceptible et ne supporte ni la causticité ni la moquerie. Mais je crois qu'il serait également bon d'aller prévenir la Papayanis pour qu'elle ne fasse pas esclandre sous l'effet de la surprise ou du chagrin. Si tu allais lui en toucher un mot, Thérèse, discrètement, entre femmes. Ne m'as-tu pas dit qu'elle était passionnée? L'oncle n'aime ni les cris ni les pleurs. C'est un grand bourgeois.

— Pauvre Papayanis!... Je veux bien y aller. Mais pour lui dire quoi?... Je ne sais rien...

— Tu ne sais rien, moi non plus et Kramer non plus ne sait rien... On raconte... Mais que ne raconte-t-on pas!... Un homme a été tué dans une cave... Il paraît que c'est Émile... Mais selon les autres, Émile serait l'assassin... En tout cas, c'est une sale histoire... Tu crois que la Papayanis ne sait réellement rien?...

— Elle ne doit pas en savoir plus que moi. Nous avons quitté la cave ensemble. En passant, j'ai donné un coup de coude dans la porte vitrée du *Radar*. On s'est mis à courir. On riait comme des folles. On était pompette. On est venu se jeter à votre table à qui perd gagne. En passant, j'ai encore donné un coup de coude dans les carreaux de la mère Magne. On avait bu. J'ai sauté au cou de P'tite Maman tellement j'étais heureuse de te revoir. Ah! quelle bonne surprise, mon chéri. Je ne sais rien d'autre. Elle non plus. Mais regardez-la...

Debout contre la cloison en bois blanc qui isolait le bureau central des commissaires la Papayanis faisait des exercices de culture physique. Mouche du coche, Guy de Montauriol tournait autour d'elle, lui offrait la main pour la relever dans les plongeons, essayait de lui passer le bras dans le dos sous prétexte de la soutenir quand elle faisait le tour des reins, s'évertuait à lui maintenir les genoux serrés dans les flexions profondes, la surveillait quand elle reprenait position, le buste droit. Elle était très belle ainsi, les bras écartés, les pieds joints, les doigts tendus, le visage impassible, les yeux fixes, comptant les mouvements à haute voix et décomposant les temps rythmiques, toute à son affaire, appliquée et méthodique, sa plastique en évidence, souple, haute, mince. Pas de ventre. Les seins gorgés.

— Regardez-la, disait Thérèse. Je crois que je me suis trompée sur son compte. Je la prenais pour une buse, voire une imbécile et elle a encore plus de tête que moi! C'est une femme dangereuse... Regardez-la, elle ne bronche pas, le petit Guy n'existe pas, toute à son job, elle, elle qui sans ma malencontreuse intervention serait à cette heure dans les bras d'Émile, elle, si sérieuse. Mais elle est adorable! Elle tient le coup, et c'est ce qui m'épate le plus. Cette jeunesse sait boire encore mieux que moi! Je suis refaite. L'âge...

— ... C'est une sale histoire pour nous, reprit Coco. Et si l'ami Kramer allait en toucher un mot à Félix? Le père Juin est fin et diplomate. Nous risquons d'être interdits. De toute façon, il ne faut pas que cette affaire traîne en longueur...

— Je veux bien lui en parler, dit Kramer. Mais je ne crois pas qu'il consente à faire les premiers pas. Il a son orgueil de comédien. La police...

— La police, mais c'est de la comédie, la police. Ce vieux renard de Félix Juin n'en sera pas dupe. Il connaît

le métier et ne se laissera pas bluffer. D'ailleurs, n'est-il
pas franc-maçon? Alors il a de l'entregent.

— Ah, celui-là! chuchota Thérèse. Regardez-le, cet
hypocrite. Depuis trois heures d'horloge qu'il est sur
son banc à faire semblant de dormir la tête entre les
mains, en train de nous surveiller à travers ses doigts,
observant tout ce qui se passe autour de lui, ne perdant
pas un mot de ce qui se dit, tendant l'oreille, je parie
qu'il est prêt à nous laisser tomber, qu'il l'a déjà décidé.
C'est un grand lâche. Je...

L'électricité revint à cet instant précis et le corridor
fut illuminé tout du long.

Un employé en casquette soufflait les camoufles avec
un éteignoir monté sur une canne pneumatique.

Il n'y eut pas des applaudissements comme Coco s'y
attendait mais, après un grand brouhaha dans les coulisses, les portes s'ouvrirent toutes à la fois et le corps
des commis de la P. J., en longs cache-poussière, prestes
et de bonne humeur comme des gens ayant bien dîné,
fit son entrée, et instantanément chacun d'eux se mit
à son travail, un fourbi sans pareil, et le mouvement de
s'organiser dans tous les coins et les recoins du corridor,
le défilé des types fouillés les uns après les autres, les
interrogatoires, les mensurations, les empreintes digitales,
les fiches, la toise, un ballet bien réglé, avec des figures
et des variantes à chaque guichet, des remous et des
rondes au seuil de chaque bureau où les individus finis-
saient par se trouver être groupés, classés, filtrés, chacun
tout ébaubi, tellement le triage avait été vite fait, de
répondre en tête à tête à un inspecteur qui lui tirait les
vers du nez, le calme rétabli. Seule la mère Magne
faisait encore du raffut. Un air d'opéra. On l'entendait
gueuler, vitupérer, protester, réclamant sa libération
immédiate avec véhémence et une forte indemnité pour
son restaurant saccagé, son poisson perdu, ses coquillages,

sa recette, ses clients envolés, dommages subis qu'elle
ne savait à combien chiffrer, et patati et patata, et elle
se lamentait, et elle sanglotait, et elle hurlait en se tordant les bras. On aurait dit du Gluck. *Eurydice deux
fois perdue.*

— Seigneur, j'en aurai les sangs retournés! l'enten-
dait-on brailler.

— La barbe, hein! fit une voix rogue.

Et, tout à coup, apparut, venant du bureau central,
le grand manitou, le chef, tenant un long pistolet à la
main et une petite mitaine noire, une main gauche, de
fillette ou d'enfant de chœur, qu'il agitait devant lui en
traversant la foule et en tournant lentement autour des
groupes déjà formés devant les guichets, s'arrêtant sans
rien dire à la porte de l'un ou l'autre des bureaux comme
s'il cherchait quelqu'un, dévisageant les gens qui attendaient.

C'était un grand rouquin, barbu, chevelu, la peau
très blanche, les yeux fauves, surnommé *Toison d'Or*.

C'était un homme massif, puissant qui avait trente-
deux dents bien plantées qu'on pouvait compter dans
son rictus quand il se contractait, voulant sourire, le
poil hérissé.

Il était tout imbu de sa personne, de son rôle.

Quand on parlait de lui, la pègre parisienne le nom-
mait, on ne sait pas pourquoi, peut-être parce qu'il
jouait volontiers des poings, abusant de son haut rang
dans la police, *Cloche-Merde*.

— Quel bel homme! Mais il a une tête de chien et
il me fait peur...

— Tu ne peux pas mieux dire, Thérèse. Papa l'appelle le bouledogue!

— Mais qui est-ce?

— C'est mon oncle Jean, pardine. Tu ne le reconnais
pas? Nous avons la même pilosité et le même sourire.

Un air de famille, quoi! Moi, je trouve qu'il ressemble au *Grand Jupiter* de Gustave Moreau, feu mon maître. Divin et bestial, tu ne trouves pas; Thérèse?

— Sois gentil, donne-moi son adresse, Coco.

— Mais tu es chez lui!

— Non, son domicile particulier.

— Mais pourquoi?

— Ça peut toujours servir.

— Ah, bon!

Et comme Coco lui donnait en riant l'adresse du 27, quai aux Fleurs et le numéro de téléphone, Thérèse expliquait :

— Tu comprends, c'est une habitude professionnelle. On sait jamais...

Et elle notait l'adresse dans un petit calepin.

Elle ralluma une cigarette.

Le chef se dirigeait droit sur eux.

— Monsieur de Haulte-Chambre, dit-il à Coco, vous pouvez disposer. On sait où vous retrouver, vous. Dites à Monsieur votre père de venir me voir demain matin. J'ai deux mots à lui dire à votre sujet.

Thérèse lui souffla une bouffée de fumée en plein visage.

— Chouette! s'écria Coco. Tu viens, Guy? Je vais au théâtre faire mes décors. Quant à votre commission, mon oncle, vous pouvez la faire vous-même. Je ne rentre pas à la maison cette nuit...

Guy de Montauriol et la Papayanis étaient venus se joindre à leur groupe.

Le chef leur tourna le dos.

Il fit un pas en avant pour s'éloigner, puis il se ravisa et se retourna :

— Monsieur Kramer, dit-il. Désolé. Vous avez eu des ennuis avec les Allemands. La maison n'y est pour rien, c'était du temps de mon prédécesseur. Vous avez

un dossier bien fourni. Aimez-vous toujours les armes
à feu? Vous en aviez une belle collection, paraît-il.
Connaissez-vous ceci?

Kramer se saisit sans méfiance du long pistolet que
le chef lui présentait.

— Quel beau pistolet, fit-il. C'est une nouveauté?

— C'est le 22 Long Rifle, une nouveauté américaine.
Les chasseurs américains s'en servent pour achever les
élans et les ours, mais c'est une arme de tir olympique.
Cela doit vous intéresser. Le 22 L. R. est un pistolet
redoutable. C'est pour la première fois qu'on s'en est
servi à Paris. Il mesure 28 centimètres. Pèse 750 grammes.
Sa portée utile est de 15 à 20 mètres. Il est muni d'un
chargeur de 10 cartouches du calibre 5 mm. 5. La longueur du canon et son filetage admirable lui donnent
une extraordinaire précision. Ses balles ont une vitesse
initiale et une force de pénétration très grandes. Quoique
du petit calibre que j'ai dit, 5/5, les projectiles de plomb
qu'il tire font des ravages à coup sûr mortels, la balle se
déchirant, s'écrasant, se déchiquetant. C'est pire que la
dum-dum. Mais, pardon, je vois que vous êtes gaucher,
vous permettez?

Et le chef reprit le long pistolet que Kramer maniait
en effet de la main gauche.

— Désolé, monsieur Kramer, désolé. Assurément
vous êtes gaucher depuis votre enfance. Mais comment
cela se fait-il que cela ne soit pas mentionné sur la
fiche de vos empreintes digitales, c'est pourtant un signe
distinctif de première importance. Quelle négligence!
Alphonse Bertillon n'aurait jamais pardonné ça, même
pas à un étudiant. Inutile, je crois, de vous demander de
me présenter votre main gauche, n'est-ce pas? Du premier coup d'œil on peut voir que cette petite mitaine
noire n'est pas à votre pointure. C'est pourtant celle de
l'assassin. Regardez, c'est à peine si vous pouvez y

introduire l'index. L'assassin devait donc être un enfant
ou une femme. D'autre part, seul un homme fort et
solide comme vous peut tenir un pistolet de sept cent
cinquante grammes à bras tendu, faire feu à travers
une vitre et loger à coup sûr une balle entre les deux
yeux, et tout cela en vitesse pour déguerpir. Gaucher,
adroit, solide, sportif, entraîné, champion de tir, à
Berne en 1913, à Buenos-Aires en 1923, vous avez eu
une dizaine de duels à Paris entre les deux guerres,
précise votre fiche. Désolé. Je dois procéder par éli-
mination. Excusez-moi si je vous prie de bien vouloir
rester provisoirement à ma disposition. Un homme a été
tué...

— Mais qui? demandèrent plusieurs à la fois. Et
pourquoi nous garde-t-on ici?...

— Cela ne valait pas la peine de me relâcher ce matin
pour me remettre le grappin dessus ce soir. Quel gâchis!
fit Kramer. C'est une histoire de fou. Je n'ai jamais tué
un homme. Peut-on savoir qui a été tué?

— Désolé. Les journaux vous l'apprendront demain
matin. Il s'agit d'un gangster. Du moins, je le suppose...
Mais où avez-vous passé la soirée?

— De cinq à sept j'étais au café du *Globe* où j'ai bu
une bouteille de cognac pour fêter ma libération, si
j'ose dire... Je m'ennuyais au théâtre et, comme cela
n'allait pas mieux, je me suis fait apporter de quoi écrire,
et, à la lumière d'une bougie plantée dans le goulot de
ma bouteille vide, je me suis mis à écrire un article pour
Le Figaro. Sur *Madame l'Arsouille*, bien sûr. Je voulais
dire pourquoi je n'aime pas la pièce, moderne, trop
moderne à mon goût; pourquoi je n'aimais plus Félix
Juin que je trouve 100 % américanisé, depuis son retour
des U.S.A., et pourquoi je porte de plus en plus aux
nues Teresa Espinosa, notre grande Thérèse nationale,
qui dans sa dernière création se moque d'elle-même

comme aucune tragédienne n'a jamais osé le faire en se
montrant toute nue... A son âge... soixante-dix-neuf ans.

— Ne vous êtes-vous pas chamaillé avec quelqu'un
durant la répétition?

— Oui... Non... Cela n'a aucune importance... Avec
un freluquet... L'auteur...

— Aha!... Et peut-on avoir votre papier?... Merci...
Permettez, je vais donner des ordres. Je vous garde
jusqu'à plus ample informé. Veuillez vous asseoir.
Désolé...

Et le chef de s'éloigner. Mais il n'avait pas fait trois
pas qu'on l'entendit s'écrier :

— Ménélas! Oh, par exemple... Mais que fais-tu là?...

— Et toi donc, Toison d'Or?...

Et le directeur de la police judiciaire et le directeur
du théâtre de la Scala Saint-Martin de se donner des
claques d'amitié dans le dos, riant aux éclats en échan-
geant leurs surnoms qui évoquaient pour eux l'atmosphère libre et libertine de la salle de garde de l'hôpital Saint-Louis quand ils étaient encore d'insouciants
élèves.

C'étaient deux anciens condisciples de la Faculté qui
s'étaient perdus de vue en quittant la carrière comme
cela n'est que trop fréquent à Paris où la vie qu'on y
mène, de travail, de fièvre, de lutte harassante quand
on doit percer coûte que coûte pour s'y faire un nom
et s'y tailler une place, fait que des anciens copains et
camarades d'études restent des années sans se rencontrer
et ne savent plus rien l'un de l'autre sauf par ouï-dire,
cancans, potins et, selon le cas, échos dans les journaux
ou des histoires de femmes plus ou moins roulantes,
mariage, divorce, collage, fil à la patte, coup de foudre.

La dernière fois qu'ils s'étaient rencontrés, il y avait
des années et des années avant la guerre nº 2, c'était à
l'occasion de leur réception à la franc-maçonnerie, Loge

des Trois Grâces, du rite écossais, et, depuis, chacun
d'eux avait fait du chemin et pris du galon.

— Tu tombes mal. Je n'ai pas le temps ce soir.
Regarde le monde qui m'attend, dit le grand chef de
police.

— Mais j'ai été ramassé avec eux, ainsi que ma
troupe! s'exclama le grand directeur de la Scala.

— C'est une belle gaffe! Alors raconte-moi ça, dit
le chef. Tiens, entre dans mon bureau...

— Monsieur! appela Guy. Je puis disposer?

Toison d'Or ne répondit pas et la porte vitrée de son
bureau se referma.

— Tu viens, Guy? demanda Coco. Je vais travailler.

— Reste encore un peu, dit Thérèse. Tiens-moi
compagnie. Il n'est pas galant, ton oncle. C'est un homme
horrible.

— Excuse-moi, Thérèse chérie, mais il y a Guy qui
m'attend. J'ai beaucoup de choses à lui dire.

— Bon. A tout à l'heure. Mais vous êtes tous des
lâcheurs. Je ne puis même plus compter sur Kramer.
Regarde-le ce gros bébé. Il a perdu sa superbe. Il boude.
Et regarde cette pauvrette qui pleure comme une Madeleine...

Assise sur un coin de table, cramponnée, les jambes
écartées, pendantes dans le vide, la Papayanis pleurait
silencieusement.

On eût dit de la matière cérébrale qui lui coulait du
coin des yeux tant ses larmes étaient épaisses, rares,
lentes, lourdes de khôl, traçant leur sillon dans du
maquillage.

— O ma chérie! Je vois que tu as tout deviné... Je
t'aime, lui chuchota Thérèse en la prenant dans ses
bras. Tu m'as. N'oublie pas que tu m'as...

— Tu viens, Coco? fit Guy.

Le jeune auteur et le peintre célèbre sortirent rapidement.

On les laissa passer.

Franchie la grille du deuxième palier, Coco sauta sur
la rampe de l'escalier et se laissa glisser comme un gosse
jusqu'en bas et il reçut Guy dans ses bras, Guy qui
l'avait suivi à cheval sur la rampe et qui arrivait à toute
vitesse.

Ils s'en allèrent en s'embrassant et ils enfilèrent le
quai des Orfèvres en se tenant par la taille.

— Comment m'as-tu deviné? demanda Guy. Il y a
déjà pas mal de temps que tu tournes autour de moi.
Je t'attire?

— Je t'aime. Je n'ai rien deviné. Je me donne tout.
C'est pour la vie, répondit Coco. Ta pièce est un chef-
d'œuvre.

— Ah!... fit Guy déçu.

VII

TARTUFE... TARTUFFES

— Voici l'arme du crime, dit le chef ayant refermé
la porte vitrée de son bureau et en posant le 22 L. R.
sur la table. C'est un monument. Mais le hic dans cette
histoire c'est qu'on n'a pas retrouvé la douille éjectée.
Vous permettez?

Et il décrocha un téléphone :

— Allô!... Passez-moi Herbert...

— ...

— Allô!... Allô Herbert?...

— ...

— Ici le chef. Allô Herbert, rien de neuf?...

— ...

— On n'a toujours pas la douille? Bon. Appelez
Victor et passez-le-moi...

— ...

— Allô Victor!... C'est toi Victor?... Bon. Ici le chef.
Et la douille?... Quoi?...

— ...

— Un chien?...

— ...

— ... Envoyez-le à la fourrière et fichez-moi la paix!
Mais la douille. Je réclame la douille...

— ...

— Pas de douille!... C'est inadmissible... La balle a été
tirée, il me faut la douille...

— ...

— Cherche encore, mets tout ton monde dessus...

— ...

— Quoi? Encore le chien!... Foutez-lui une balle
dans la peau si le mâtin vous fait peur... et qu'on ne
m'en parle plus! Écoute-moi bien...

— ...

— Bon. Si j'ai bien compris la disposition des lieux,
il doit y avoir deux, trois marches devant ou derrière
la porte du *Raḍar*. Rapportez-moi un croquis...

— ...

— Quoi?... C'est devant la porte qui mène à la cave,
bon, à l'extérieur?... Alors il doit y avoir un renfoncement dans le mur. C'est de là qu'on a dû tirer à travers
la vitre. Cherchez bien. Déchaussez tous les pavés...

— ...

— C'est cimenté?... Alors cherchez plus loin. C'est
petit une douille de 5/5. Elle a pu rouler. Mets ton
monde dans le ruisseau...

— ...

— Il y a un coffre-fort dans le caveau du fond? quoi?...
Un gros et qui a l'air compliqué... Ne t'occupe pas de
ça, nom de Dieu, on verra plus tard... Moi, c'est la
douille qu'il me faut... Allô, allô!... Ne te laisse pas
hypnotiser par le coffre...

— ...

— Allô Victor!... Est-ce qu'un homme peut se dis-
simuler derrière la porte?... Tu dis que non?... que le
renfoncement n'est pas assez profond?... Trois marches
et l'escalier est étroit... Ah, bon!... ça se complique...
Je m'y attendais... Merci... Tâche de me rapporter la
douille...

Et le chef raccrocha.

— Ça se complique, dit le chef à Félix Juin. Je n'aime pas ça. Cette affaire se présente mal. J'ai idée qu'elle nous donnera du fil à retordre et qu'elle sera longue à démêler. Comme toutes les affaires de gangsters d'ailleurs qui vont de complication en complication et qui se ramifient dans tous les sens. J'ai déjà donné ordre de coffrer cette nuit tous les soldats américains qui traîneront dans les rues après le couvre-feu et plus particulièrement les Nègres, qui sont presque tous des déserteurs. Le shérif de l'armée m'en débarrasse séance tenante et c'est autant de gagné. Mais cela ne nous avancera pas beaucoup cette fois-ci car cette affaire me paraît beaucoup plus compliquée qu'un simple règlement de comptes entre mauvais garçons ou une liquidation entre comparses du marché noir. J'y flaire un mystère. Or, j'ai horreur du mystère.

Le bureau était nu. Trois tabourets. Une étagère. Un chapeau. Des appareils de téléphone. Les deux hommes étaient debout de chaque côté de la petite table. Une forte ampoule électrique au bout d'un long fil qui se déroulait du plus haut des combles pendait entre eux et les éblouissait. Le chef se saisit d'un journal du soir qui traînait sur un escabeau, en arracha une double page, l'entortilla en forme de cornet et en munit l'ampoule comme d'un mauvais abat-jour qu'il fixa à l'aide d'une épingle qu'il retira du revers de son veston, où la rosette de la Légion d'honneur faisait office de pelote.

Parabole des arrivistes : encore un, qui prenant pour parole d'évangile l'anecdote du baron Laffitte, le banquier de la révolution de 1830 qui a fait école, s'imaginait que de ramasser des épingles rouillées vous rendait infailliblement millionnaire.

— Asseyez-vous, dit le chef à Félix Juin en tirant

sur l'ampoule pour la faire descendre au niveau du
grand pistolet noir et tout reluisant.

— Naturellement, aucune empreinte, fit-il encore en
s'asseyant à son tour sur un tabouret et en essuyant
l'arme distraitement avec la petite mitaine de laine qu'il
tenait toujours à la main.

— Un index et un pouce tricotés. Une main gauche.
Une mitaine d'écolier. Peut-être de femme...

Et le chef porta la mitaine à son nez et la renifla
longtemps comme pour y déceler une odeur *sui generis*,
un parfum révélateur...

Mystère.

Il s'absorbait dans ses réflexions.

Félix Juin s'impatientait. Plusieurs fois déjà, mettant
ses mains bien en évidence sous la lampe, il avait fait
le signe maçonnique d'assistance, d'aide réciproques,
de désespérance selon le code secret écossais qui consiste
à se pincer les phalanges de l'une ou l'autre main dans
un certain ordre de succession et à une certaine cadence.
S. O. S., S. O. S. tambourinaient ses doigts sur la table.
Et il se tirait le lobe de l'oreille droite avec la main
gauche pour marquer l'extrême urgence et le danger.

— Mon cher ami, finit-il par dire. Le temps passe.
Je devrais être au théâtre. Nous répétons. Nous passons dans huit jours. La location est déjà ouverte. Tu
n'as pas lu la presse du soir? Les journaux annoncent
un triomphe certain et consacrent des colonnes à Teresa
Espinosa après les extravagances auxquelles elle s'est
livrée tantôt, à la répétition. Tiens, regarde ses photos
sur la feuille dont tu as encapuchonné ta satanée ampoule
qui fait mal aux yeux. C'est d'une excellente publicité.
Mais je ne voudrais pas voir tous nos efforts compromis
par une histoire imbécile qui risque de nous faire perdre
du temps et de l'argent. Tu me fais peur. Je ne sais
pas si tu te rends compte. J'ai engagé des millions dans

Madame l'Arsouille, sans rien dire du plateau qui va me coûter des mille et des cent. Je donne cinquante mille francs par soir rien qu'à la Teresa, plus un pourcentage. Il n'y a pas une minute à perdre. En ce qui nous concerne, tu dois clore ton enquête et nous relâcher séance tenante. Sinon, c'est la catastrophe! Je ne comprends pas. Que s'est-il passé et pourquoi sommes-nous là? Écoute-moi. Nous étions en train de répéter. Il s'est produit une panne de courant. J'ai proposé à tout le monde d'aller dîner. A peine à table chez la mère Magne, tes hommes ont fait irruption dans la poissonnerie et nous ont tous embarqués pour nous mener ici, pêle-mêle. Il était à peine sept heures du soir et depuis nous sommes à ta merci. Mais maintenant que le courant est revenu, tu dois nous relâcher. La plaisanterie a assez duré. Je ne comprends pas. Il y a maldonne. Et en quoi sommes-nous mêlés au mystère qui te préoccupe? Si les idiots de la presse ont eu vent de l'incident, cela va faire du vilain, je ne te dis que ça. Il y aura des larmes et des grincements de dents, des ruines et de la casse, et nous risquons l'interdiction. Tu parles alors d'un raffut dans les syndicats! J'emploie plus de deux cents personnes au théâtre, sans compter ni les artistes ni les musiciens. Il faut éviter la fermeture à tout prix. Et pas de scandale! Dis-moi, de quoi s'agit-il?

— Du sang à la une! Ciel, encore un mystère! Oui, j'en ai horreur. Risquer sa peau tous les jours, cela m'est égal car le jeu en vaut la chandelle, le dangereux métier de chien de police est passionnant comme une chasse à courre et me convient à moi, homme d'action, chef de meute, le limier qui empaume. Mais défendre sa tête tous les matins dans les journaux, cela me rend malade. Ce n'est plus une vie! Et c'est ce qui m'arrive chaque fois que les journaux s'emparent d'une enquête qui n'est pas bouclée dans les vingt-quatre heures. Ils en profitent, truquent l'affaire, la montent, la poussent, la font mousser en des placards sensationnels pleins de suppositions et d'insinuations gratuites et de fausses informations, lancent leurs reporters sur des pistes qui ne mènent à rien, brouillent tout, vont jusqu'à publier l'interview supposée du criminel, me coupent l'herbe sous les pieds, inventent un mystère, le forgent de toutes pièces, le titrent, m'injurient, me vilipendent, me calomnient sans égard pour ma vie privée, se moquent de moi sans vergogne et je dois répondre illico et défendre ma tête devant mon préfet, devant mon ministre, sous peine de sauter. Le mystère. Rien que d'y penser j'en perds mes moyens. C'est sûrement la plus sale affaire de ma carrière qui me tombe dessus, je le devine. Mon nom y restera attaché.

— Comment cela et pourquoi? Expliquez-vous.

— Monsieur le Directeur de théâtre, vous pensez bien qu'on n'arrive pas au poste plein de responsabilité que j'occupe, je dirai même le plus chargé de responsabilité inattendue, imprévisible, inimaginable dans la hiérarchie administrative, sans une longue pratique du métier et une connaissance intime du monde parisien. Le code, les règlements qui régissent la police, les usages qui règnent dans notre maison, les habitudes de notre personnel, l'esprit de corps, un sens inné de la discipline, une tolérance générale et bienveillante à l'égard des citoyens me sont toujours présents à l'esprit et sont ma sauvegarde d'honneur contre les emballements, les partis pris, les mouvements d'humeur, la colère, l'entêtement et l'application sans distinction de mesures extrêmes, sauf parfois, et je vous l'avoue, à vous l'ami et le frère initié, avec honte, je ne suis pas un ange et l'on ne fait pas la police avec des archevêques *(en disant cela le Chef faisait le signe maçonnique de la demande*

d'aide, de l'appel au secours, de la désespérance absolue
que dans son désarroi il n'osait esquisser jusqu'au bout,
tant cet aveu lui coûtait), sauf parfois une exception
qui confirme la règle de sang-froid et d'impassibilité
que je me suis imposée et que j'ai su faire observer
jusqu'ici par tous mes collaborateurs, envers et contre
tous. Diantre! ça n'est pas toujours facile de ne pas
perdre patience et de ne pas bondir de rage avec les
satanés bougres que nous voyons défiler dans nos
bureaux tous les matins, des butors qui se foutent de
tout, des assassins sournois qui jouissent de leur igno-
minie et se vautrent jusqu'à la dernière goutte dans
leurs lugubres imaginations, d'orgueilleux menteurs qui
ont un rendez-vous urgent avec la Veuve et qui, par
défi ou coquetterie, ne sont pas pressés d'y aller. Il
faudrait leur arracher la langue. Ils vous font tourner
en bourrique et c'est moi qui dois les confondre. Que le
diable m'emporte!... Mais les pires ce sont les gens du
monde qui me tombent entre les pattes et dont je ne
sais que faire, avant tout les fils de famille ou de poli-
ticien, dont le stupre, la drogue et les relations suspectes
et empoisonnées se répandent à travers toutes les couches
de la société comme la lèpre dans un pays chaud. Je vous
assure que j'apprends la géographie!... Quant aux
femmes, du monde ou non, c'est un chichi à vous faire
damner. Rien que des histoires de pot de chambre.
Quelle scie!...
— Bon, bon, l'interrompit Félix Juin, et moi, monsieur le Directeur de police, croyez-vous que je m'amuse
au théâtre? Mais dites-moi donc quelle est la raison
qui vous a fait nous faire figurer, ma troupe et moi-
même, dans ce burlesque auquel nous sommes étrangers?
Nous sommes une troupe de théâtre en plein travail,
à la veille de sa générale. De grands intérêts sont en
jeu, je vous le répète. Si par hasard vous aviez l'intention

de passer outre, de nous détenir plus longtemps sous
prétexte d'interrogatoires prolongés pour enjoliver votre
enquête et lui donner je ne sais quelle importance ou
tournure bien parisienne propre à amuser les journaux, je proteste dès maintenant au nom de tous mes
collaborateurs, quels qu'ils soient : auteur, acteurs,
artistes, administrateurs, musiciens, machinistes, électriciens, décorateurs, peintre, costumiers, artisans, répé-
titeurs, régisseur, souffleur, directeur de scène, maquilleur, coiffeurs, couturières, ouvreuses, dames du ves-
tiaire ou des loges, les habilleuses, la caissière. Le temps
presse. Je vous promets de faire intervenir en haut lieu
qui de droit pour mettre fin à votre procédé intolérable
que je qualifierai d'abus de pouvoir. Je compatis à vos
ennuis. Jamais je n'aurais pu croire que les fonctions
de chef de police étaient si délicates et aussi compli-
quées. Je ne voudrais rien exagérer, vous avez reconnu
avoir commis une gaffe en nous faisant conduire quai
des Orfèvres. Mais je me méfie de vos subtilités. Croyez-
moi, je saurai donner une suite légale à cette affaire et
obtenir les sanctions qu'elle comporte si vous vous
entêtez au rebours de toute logique. Permettez-moi,
je voudrais téléphoner à mon avocat pour l'alerter immédiatement. De quel appareil puis-je disposer parmi
tous vos téléphones?

— Désolé. Personne ne peut disposer ici du téléphone
tant qu'il n'est pas lavé de tout soupçon ou de toute
charge...

— Alors?... fit Félix Juin avec un frisson.

— Permettez. Les trois piliers de la police sont la
sagesse, la patience, la prudence. Il ne peut jamais être
question d'abus de pouvoir entre nous car je connais
très exactement la limite de mes droits qui sont loin
d'être absolus. Je voulais tout simplement vous faire
comprendre...

— Mais...

— Je voulais tout simplement vous faire comprendre que ma longue expérience m'a enseigné de faire confiance, malgré toutes les apparences contraires, à ma première impression.

— Alors?...

— Alors, voilà. Flair et intuition. Ça ne me trompe jamais. Mais il y faut du temps. C'est le temps qui me manque.

— Et avec ça?...

— De la méthode. C'est efficace, la méthode, très efficace. Jugez-en. Ce soir, je reçois un coup de téléphone m'annonçant qu'un homme venait d'être tué au *Radar*. Une cave du faubourg Saint-Martin. Un nommé Émile. Vous connaissez?

— Mes machinistes ont l'habitude d'y aller boire le pastis. C'est porte à porte. Je connais.

— Je ne vous le fais pas dire!

— Mais nous n'étions pas là! A la suite d'une panne de courant, j'avais emmené tout mon monde dîner chez la mère Magne. Il n'était pas tout à fait 7 heures.

— Il était très exactement 7 h 2, je l'ai noté. A 7 h 5 une voiture de Police-Secours stoppait devant *Le Radar*. La porte était ouverte, la vitre enfoncée. Le local était vide, déserté. Trois becs d'acétylène, dont un râlait, éclairaient la cave à giorno. Derrière le comptoir, le dénommé Émile était étendu. Il était tombé à la renverse parmi des débris de verres, la tête dans une flaque de sang qui puait l'alcool et où nageaient des fragments de cervelle. Il était encore chaud. Il n'y avait plus rien à faire. Il avait reçu une balle entre les deux yeux. Un chien hurlait à la mort derrière une cloison. Mes hommes sont encore sur place et se livrent à une enquête méticuleuse. Ils prélèvent les empreintes sur les verres de pastis qui en pullulent. Bientôt nous en aurons la liste complète et ils seront tous identifiés, car ce bar était le rendez-vous de tous les chenapans du quartier. On me tient au courant minute par minute. Nous avons les empreintes des deux femmes que mon correspondant m'avait signalées comme ayant assisté au meurtre. Une seule balle a été tirée. Elle était dans le canon car le chargeur est encore plein. Vous l'avez entendu, on ne retrouve pas la douille percutée. Le pistolet a été ramassé derrière la porte de la rue. Naturellement aucune empreinte. Et voici la mitaine de l'assassin. Elle paraît bien innocente et c'est pourtant là que gît le mystère. Un homme? Une femme? Qu'en pensez-vous?

— Et que voulez-vous que cela me foute? Je n'en pense rien. Tout ce que je puis vous dire c'est que nous n'y étions pas. Trop de précipitation nuit. Un peu avant 7 heures nous étions tous à table chez la mère Magne. Mathilde m'apportait des papiers à signer...

— A 7 h 9 deux cars de police étaient chez la mère Magne et, sur mon ordre, l'on embarquait tout le monde qui était là, la voix au bout du fil m'ayant annoncé qu'on avait vu les deux femmes sortir en se bousculant du *Radar* pour se rendre en courant à la poissonnerie, à moins de cent mètres, passage Brady. Ces femmes sont connues. Nous avons leurs empreintes et moi leur nom. Vous voyez que la méthode a du bon. Il s'agit de vitesse et non de précipitation. Cela ne vous dit toujours rien?

— Diantre! fit Félix Juin en blêmissant. Vous avez l'air d'avoir raison, mais c'est impossible! Je vous jure que personne de la troupe n'a participé à ce meurtre et, quant à moi, j'ignorais tout de l'affaire!...

— C'est la voix même de l'innocence qui sort de votre bouche. J'en ai l'habitude. Je la reconnais du premier coup. En ai-je entendu de ces cris qui viennent du cœur! C'est généralement par là que tout coupable débute, puis viennent les indignations, les protestations, les discussions, les chicanes de détails, les poses, la grandiloquence, les déclarations de principes, l'appel aux témoins de moralité et pour finir l'effondrement, les aveux, le brouillamini, la honte, la confusion, les cris, les pleurs. Ce n'est pas votre cas, cher ami, vous ne protestez pas. La chose vous suffoque. Mais avouez que vous avez entrevu ces femmes, que vous avez pensé à quelqu'un. Voulez-vous que je vous donne quelques précisions pour vous aider? C'est un cas de conscience. L'une est une très vieille femme qui, d'après mon informateur, porte ce soir pour quatre cent millions de bijoux dans son sac à main; l'autre est une belle intrigante, jeune, accorte et prête à tout pour arriver, une femme de trente ans, une femme dangereuse, une étrangère qui veut conquérir Paris à n'importe quel prix. Pour l'instant, elle est encore en meublé. Est-ce juste? Vous avez deviné? C'est dur à accepter, hein?

— C'est difficile à croire, dit Félix Juin en portant la main à la gorge et en passant deux doigts entre le faux col et le cou. Mais cela ne prouve rien. Teresa et la Papayanis ont très bien pu aller boire au *Radar*. En effet, elles sont arrivées un peu après nous chez la mère Magne. Nous étions déjà à table. Elles avaient bu et paraissaient fort excitées. Elles riaient beaucoup. Elles étaient exubérantes. Je crois que tu te goures, Toison d'Or! Elles n'avaient pas du tout l'air de venir d'un assassinat mais d'une bonne partie de rigolade, nous ne sommes pas à Chicago. Teresa a même cassé la vitre en entrant, histoire de faire une blague. Je la connais, il faut toujours qu'elle se fasse remarquer. Ce n'est pas l'attitude d'un assassin. Tu te goures, mon vieux.

— Je ne t'ai pas fait dire les noms, Ménélas, ils te sont venus d'eux-mêmes aux lèvres! Ce sont ceux que j'avais pris en note sur l'indication de mon informateur au téléphone.

— Tu le connais, ce type? Qui est-ce? Il me semble qu'il en sait beaucoup trop long pour être honnête.

— C'est mon meilleur indic, l'Araignée. Il travaille exclusivement pour moi. Je ne vais pas le brûler.

— Tu l'as vu?

— Non. Il a une voix inimitable. Je la reconnaîtrais entre mille. Ce n'est ni une voix d'homme ni une voix de femme. C'est plutôt celle d'un adolescent en pleine mue.

— Tiens, tiens. Ça me dit quelque chose, mais je ne vois pas qui c'est.

— Ne cherche pas. Tu ne le connais pas.

— Peut-être. J'ai la mémoire des voix. Si je l'entendais, je le reconnaîtrais. C'est le métier qui veut ça et j'en ai fait des auditions dans ma vie, des milliers et des milliers... S'il me téléphonait?...

— Je te dis que tu ne le connais pas.

Félix Juin regarda le chef d'un air pointu, ironique. Il sentait qu'il reprenait du poil de la bête :

— Et où se tenait-il quand il t'a téléphoné?

— La première fois, il m'a téléphoné de la cabine du *Radar* et la deuxième, de chez la mère Magne.

— C'est malin, ça.

— Il est fin comme une anguille.

— Alors, il a tout vu. Malheureux, mais c'est lui qu'il faut coffrer. Qui te dit que ce n'est pas lui qui a fait le coup? Il n'a pas l'accent gitan?...

— Tiens, je n'y avais pas pensé, dit le chef, hagard.

Et, machinalement, il porta la petite mitaine noire à son nez.

— Mais c'est impossible! s'écria-t-il au bout d'un moment. J'en reste à ma première impression. C'est une femme. Mon intuition ne me trompe pas.

— Ton intuition ou ton flair, Toison d'Or?

— Ménélas, ne te moque pas de moi! hurla le chef en assenant un formidable coup de poing sur la table. Cette affaire est bien assez compliquée comme ça. J'y perds mon latin.

— *Cloche-Merde!* murmura du bout des lèvres Félix Juin sardonique.

— Quoi? vous savez cela aussi, s'écria le chef, hors de lui. Monsieur le Directeur de théâtre, prenez garde et ne me poussez pas à bout!

Fils de quincaillier, parti de rien et immensément fier et orgueilleux de la situation unique au monde qu'il s'était acquise au théâtre — n'avait-il pas rang d'ambassadeur de France quand il partait avec sa troupe en tournées officielles à l'étranger? — décoré de tous les ordres de l'univers, riche à millions, jouissant d'un prestige exorbitant aux yeux des femmes envers lesquelles il se montrait rogue et plat comme un valet, amant de cœur de Lady Alice qui s'était entichée de lui et le couvrait de cadeaux princiers, fatigué de tant de grandeur, Félix Juin aimait bien se détendre de temps à autre en se moquant des gens en place et son humble extraction lui faisait viser de préférence des courtisans de la fortune ou des arrivistes arrivés, comme lui. On mettait ses impairs sur le compte d'un manque d'éducation ou d'un bon-garçonnisme un peu bohème inhérent à son métier de comédien, alors que le comédien était perfidement jaloux, revendicateur, accapareur, et cachait son jeu en se daubant de ses victimes occasionnelles. Jusqu'à présent cela lui avait toujours réussi et il en jouissait intensément, mais n'avait-il pas exagéré avec son ami Jean de Haulte-Chambre? Le premier fonctionnaire de police n'avait de son côté qu'une seule crainte au monde c'est que le surnom flétrissant que la pègre lui avait accolé ne vînt à la connaissance de ses supérieurs hiérarchiques, le préfet, le ministre, ou de sa femme et de ses enfants. Il écumait de rage.

— Du calme, monsieur le Directeur de police, du calme, dit Félix Juin. Ne nous chamaillons pas. Nous ne sommes pas là pour ça. Au contraire. Je vous jure que je ne vous parlerai jamais plus de votre indic dont le nom me monte aux lèvres car il me semble entendre sa voix patibulaire... *(ne put-il s'empêcher de dire à voix basse pour laisser une menace en suspension entre eux et déguster d'avance son triomphe).* Mais le temps passe. Il est bientôt minuit. Encore une répétition de fichue. Zut! Moi aussi je suis exaspéré. Excusez-moi. Examinons plutôt de sang-froid ce que nous avons à faire pour nous tirer de cette situation où nous sommes fort compromis, j'en conviens, vous et moi.

— Et que proposez-vous?

— Aussi bien, puisque nous les avons sous la main, ces filles, nous pourrions les faire venir dans votre bureau et vous les interrogeriez à fond pour voir ce qu'elles ont dans le ventre.

— Si vous voulez.

— Est-ce que le règlement m'autorise d'assister à cette petite séance opératoire ou y voyez-vous un inconvénient?

— Je vous en prie. Laquelle désirez-vous en premier?

— Ne pourraient-elles pas venir ensemble? Elles ne se sont pas quittées de la soirée et je doute qu'elles aient eu le temps de forger un alibi.

— Je n'y vois pas d'inconvénient.

— C'est que je voudrais vous aider! Méfiez-vous, malgré son âge, elle va sur ses quatre-vingts ans, Teresa Espinosa est un être fougueux qui n'a pas la langue dans sa poche et qui a un tempérament de folle, mais je sais comment la mater. Il y a plus de trente ans que je la connais. D'autre part, soyez prudent dans vos

paroles car tout sera rapporté. Elle est la maîtresse
du vieux prince de Sauternes, qui l'entretient. Vous
savez, il est le président du Comité des aciéries du bassin
de Briey et la puissance politique occulte de ce vieil
Orléaniste est notoire. Même Clemenceau l'a craint.
C'est un poussah, toujours debout, toujours alerte, ma
parole, il doit être centenaire.

— Je ne la connaissais pas, cette vieille. Je l'ai aperçue
tout à l'heure à côté. C'est une pie-grièche désagréable.
Elle peut toujours jacasser. J'ai compulsé son dossier.
Je sais tout sur elle.

— Rien de grave?

— Non, rien. Mais beaucoup de frasques déshono-
rantes. Elle a épousé à Londres *in extremis* le fameux
Maurice Strauss, qui lui a laissé toute sa fortune par
testament. Beaucoup d'argent.

— Teresa, mais elle n'a jamais le sou! Les hommes
ont dû tout lui croquer. Elle a eu des passions.

— Je sais. Et l'autre?

— L'autre, répondit Félix Juin, l'autre je la connais
beaucoup moins, mais elle est belle, non? Je ne sais
pas si elle a beaucoup, beaucoup de talent, mais je l'ai
engagée ce soir même. Je viens de lui signer son contrat
car elle a du sex-appeal. Je lui donne sa chance.

— Du sex-appeal, dites-vous, laissez-moi rire, dit
le chef détendu. J'ai également compulsé son dossier.
Il n'y a pas grand-chose, sauf l'énumération des hommes
avec qui elle est montée. Cela n'en finit pas et il y a de
tout dans cette liste, du bougnat au banquier et du men-
digot au garagiste et au couturier. Mes félicitations, c'est
un joli monde que vous employez au théâtre! Mais il
n'y a pas d'amant de cœur. C'est un bon point.

— Ragots de concierge! On sait comment ses rap-
ports sont faits...

— En tout cas, elle a été bien durant l'occupation

la Papayanis. Elle a eu du cran. Autre bon point.

— Vous voyez bien!

— Oh! vous savez, il ne faut jurer de rien. Avec les femmes...

— Parlons-en. Quand vous en aurez eu autant que moi... Par exemple, rien qu'au Conservatoire, les élèves que j'ai vu défiler depuis dix ans que je suis membre du jury, font plus de cent cinquante...

— Sacré Ménélas, va!

— Sacré idiot! Pas plus que tu ne peux faire de la police avec des archevêques, je ne puis faire du théâtre avec des vierges. Et, dame, je ne suis pas le gardien du sérail!

— Attention, je vais les chercher, vos deux pensionnaires, la jeune et la vieille. Elle est bien, la jeune!

— A votre choix!

— Elle est bien roulée!

— A votre guise!

— Cela dépend d'elle, je n'ai pas le temps! Mais avant, je vais faire un tour dans mes services voir s'il y a du nouveau. Patientez un peu, ce ne sera pas long.

Le chef se leva, remonta l'ampoule à hauteur d'homme, sortit en emportant le 22 L. R. et sans oublier la petite mitaine de laine noire qui contenait tout le mystère, la clé de la situation.

Un homme? une femme?

Il la porta à son nez...

Félix Juin le rappela et entrouvrit la porte vitrée:

— Chef, dit-il, je ne pourrais pas avoir mon dossier personnel en attendant? Je serais curieux d'en prendre connaissance. Je serai bien sage.

— Mais tu n'en as pas, Don Juan!... la loge épure les dossiers, fit le chef en repoussant la porte. Va t'asseoir. Je reviens tout de suite...

Félix Juin retourna s'asseoir.

Par habitude le chef donna un tour de clé.

Quelle sombre et sotte histoire! Félix Juin en était empoisonné mais, au fond, il n'était pas mécontent de soi et la tournure inattendue qu'avait pu prendre ce dialogue de dupes, par moments truqué et cocasse au possible, et dans les nœuds duquel chacun des interlocuteurs avait failli perdre pied à tour de rôle, le faisait maintenant sourire.

— C'est de la tartuferie, se disait Félix Juin. Mais nous sommes deux. C'est à celui qui mangera l'autre. Quelle situation! Molière lui-même n'aurait pu imaginer cela. Deux Tartufe en tête à tête qui cherchent à se rouler l'un l'autre et qui seront peut-être contraints de s'associer pour se tirer d'affaire stupidement. Qui? Quoi? Qu'est-ce? Comment? Pourquoi? Où en sommes-nous? De quoi s'agit-il?...

La conversation qu'il avait eue avec le chef de police avait convaincu Félix Juin : l'issue immédiate de cette idiotie et de ses complications policières dépendait exclusivement du chef, de sa plus ou moins bonne volonté. La suite n'avait pas beaucoup d'importance. On verrait plus tard. On aurait le temps de se retourner, de prendre conseil, de voir venir. La seule chose urgente à faire, c'était de se tirer de là, tout de suite, séance tenante et à n'importe quel prix.

Le long entretien qu'ils avaient tenu avait été tout le temps interrompu par des coups de téléphone, des heurts à la porte, des va-et-vient, des allées et venues d'intrus demandant discrètement des renseignements ou en rapportant des nouveaux chuchotés à l'oreille. Il semblait bien que rien ne se faisait dans cette immense maison sans en référer au chef. Toison d'Or décidait de tout. Il ne tolérait aucune espèce d'initiative de la part de son personnel. Il indiquait minutieusement la marche à suivre même aux moutons mêlés aux suspects que l'on amenait pour les faire parler. Il contrôlait tous les interrogatoires que ses commis lui résumaient sur des bouts de papier passés de la main à la main et auxquels il répondait, donnant son avis d'un mot gribouillé au crayon bleu ou au crayon rouge et, imperturbablement, il ne délivrait des exeat qu'à bon escient et après avoir pesé le pour et le contre et fait contrôler le domicile de l'impétrant. L'évacuation des gens était très lente. Le tri sévère. Les membres de la troupe de la Scala s'en tiraient un à un...

— Il connaît son affaire, le bougre, mais il n'est pas aussi intelligent que j'aurais cru, pensait Félix Juin. Sa plus grande faiblesse est son obsession, cette hantise ridicule du mystère. On peut en jouer derrière son dos. Rien ne m'empêche de faire pression sur les journaux, de les faire marcher à fond, de le traquer, de le foutre dedans. Une chose est certaine et même déjà acquise, c'est qu'en tant que Tartufe, il ne m'aura pas. Je suis plus fort que lui!...

Tartufe! Il y avait dix ans que Félix Juin se préparait à monter le *Tartuffe* de Molière. Dans son esprit cela devait être le couronnement de sa carrière de comédien. Un collège de professeurs, d'érudits, de chartistes, d'historiens, de spécialistes des choses du théâtre, d'amateurs, de collectionneurs travaillaient pour lui fournir un texte, les costumes, les décors, les jeux de scène, les intonations, l'éclairage selon les documents de l'époque et lui dévoiler les intentions de Molière et ses pensées les plus secrètes, l'orientation de ses tirades à longue portée, de ses idées de derrière la tête, les échos de la politique du temps et, par transparence, les allusions au bon plaisir de S. M. le Roi qui s'amusait des coups de batte distribués à profusion aux jansénistes et aux cagots, laissait critiquer les mœurs de la Cour, flétrir l'intolérance et les abus des courtisans, militaires, nobles, financiers, fermiers généraux, robins, magistrats et grands bourgeois, n'était dupe de l'intrusion de la religion dans les affaires d'État, la ruse, la flibusterie, le mensonge, les escroqueries, l'hypocrisie, la souplesse d'échine, le cynisme, la flatterie, la fausse humilité et les autres grimaces de l'arriviste voué au bagne s'il ne réussissait pas par la séduction et par la force à se hisser et à se maintenir à la hauteur de son rôle faisant rire Louis XIV de son protégé.

Contrairement à Coco, par exemple, qui était toute improvisation, ou à Teresa, qui était toute spontanéité, Félix Juin n'avait pas de génie. C'était un bûcheur. Il n'avait pas de don et aucune espèce de générosité. Pas de flamme, peu de goût, pas de passion. Des moyens très incertains. Un physique ingrat. Taille longue. Un faux maigre portant ceinture hernière. Une belle voix, mais de l'asthme. Et l'on peut dire que s'il avait réussi à tromper le public sur sa véritable personnalité c'était à force de travail, d'application, de volonté, d'entêtement, de détermination et d'une inaltérable patience qui n'était pas dans sa nature mais qu'il s'évertuait d'exercer, ce qui parfois lui donnait la fièvre et l'énervait ou le portait hors de lui. Quand cela lui arrivait en scène, alors il était sublime. Mais c'était rare, car il était trop jaloux de lui-même et ne se donnait pas. A la ville, c'était un triste. Il s'en défendait et voulait être drôle. Mais cela sonnait faux, sauf quand il s'en prenait à quelqu'un qui ne pouvait lui répondre et qu'il asticotait. Alors, cela était méchant. Il avait beaucoup de flatteurs qui l'entouraient, mais pas un ami. Il en souffrait et devenait injuste. Quant à ses pairs, il les haïssait. Il menait sa troupe à la férule, obtenait d'elle le maximum, mais empêchait un acteur de talent de sortir. Aucun de ceux qui sont allés à son école ne s'est jamais fait un

nom. On peut prévoir que sa gloire posthume, si jamais
elle se maintient quelques lustres dans les annales du
théâtre, sera jonchée de cadavres comme le renom de
sa ville natale. Il était Ardennais, originaire de Rocroi,
lugubre cité qui porte le deuil espagnol.

— Merde, ça manque un peu de confort ici, fit Félix
Juin en se raidissant sur son tabouret. Le copain exa-
gère. C'est un fonctionnaire. Il a peur du qu'en-dira-t-on.
Ma vulgarité et mon tutoiement lui fichent la frousse.
Il a honte de ce terrible surnom que la pègre lui a donné
et qui est en somme un hommage. Sa profession n'est
peut-être pas assez honorable pour lui! Hé! que le
diable l'emporte! A Paris, il n'y a que les putains, les
généraux et les journalistes qui se tutoient confrater-
nellement sur le terrain et dans toutes les autres circonstances de la vie. Il y faut du cran...

Et Félix Juin se leva et se mit à tourner autour du
bureau du chef de police, les mains dans le dos, enjam-
bant les fils téléphoniques, passant de l'ombre dans la
lumière, stationnant sous l'abat-jour, contemplant sans
les voir les photos de sa principale interprète imprimées
dans le journal du soir, nue et habillée, avec des titres
et des sous-titres et des commentaires relatant les inci-
dents de la répétition de l'après-midi accrochés sous
l'ampoule de cinq cents bougies et qu'il ne lisait pas,
le jeu n'en valant pas la chandelle, cette garce de Thérèse
devant être à l'origine de tout ce micmac. Il était soudainement las, très las. Et, tout à coup, il se rendit compte
que de là-haut, par un effet d'acoustique et la disposition
des cours et des murs du Dépôt ou par un mystérieux
canal du Moyen Age qui glouglouttait dans les sous-sols,
on entendait couler la Seine.

Une oubliette aérienne.

Un *in pace*.

C'était assez mystérieux.

Félix Juin retourna s'asseoir sur son tabouret et, la main sur les yeux, il se mit à écouter couler l'eau dans les profondeurs.

— Il doit être très tard, fit-il.

VIII

LE CUL N'A PAS D'AME

— ... Comme disait mon épicière de la rue Fabrot, à Aix-en-Provence, en flanquant une rouste à sa petite fille, sept ans : « Ne crie pas! Tais-toi! Le cul n'a pas d'âme!... » Ce n'était pas une méchante femme mais, que veux-tu, ce matin-là elle était à bout de nerfs, la veille au soir on avait interné son homme pour trafic et marché noir et elle ne savait plus à quel saint se vouer. Tenir une épicerie n'était pas son fort, elle ne savait pas compter, c'est sa petite fille qui l'aidait et, maintenant, elle avait peur. Ne l'avait-on pas menacée de fermer sa boutique? La gosse braillait à tue-tête. « Tais-toi! criait la mère hors de soi. Je te dis de te taire! » Et elle appliqua une motte de beurre sur la bouche de l'enfant pour la faire taire. La petite fille étouffait et commençait à vomir. Justement, j'étais entrée dans la boutique pour acheter du beurre. Je n'en avais plus envie. La scène était trop pénible. « Vous désirez, Madame? » me demanda l'épicière. Mais je sortis en claquant la porte avec une telle violence que la vitre vola en éclats. Pour une fois je ne l'avais pas fait exprès. Je me mis à courir. L'épicière était venue sur le pas de la porte. Des passants se retournaient, s'arrêtaient. C'était pendant l'Occupation. Les gens avaient pris l'habitude d'assister à des drôles de scènes dans la rue...

C'était Thérèse qui racontait. Les deux femmes étaient allongées sur la grande table noire du corridor, sur le ventre, étroitement enlacées. Thérèse avait passé un bras autour du cou de la Papayanis et elle lui faisait des confidences à l'oreille.

— Ne bouge pas, lui dit-elle. Voici l'homme-chien!...

Le chef parut sur le seuil de son bureau. L'antichambre était quasi déserte. On avait liquidé tout le monde après avoir contrôlé les domiciles. Il ne restait plus un homme, sauf Kramer, à l'autre bout du corridor, les bras croisés, le dos au mur, et qui se morfondait perdu dans ses pensées. Assises sur un banc la mère Magne et Victorine étaient en grande conversation. Dès qu'elles virent le policier avancer dans la salle, elles se précipitèrent d'une façon véhémente à sa rencontre, mais déjà le chef s'était esquivé par une porte latérale donnant sur un autre bureau.

— Oh! firent-elles.

Les deux femmes poussèrent leur banc devant cette porte et se mirent à monter la garde, dépitées.

— Vous croyez, Madame, qu'il reviendra? demanda Victorine.

— Sûr et certain, rétorqua la mère Magne. Il était sans chapeau et par où voulez-vous qu'il passe, Madame, pour rentrer dans son bureau où M. Juin reste enfermé? Ce coup-ci, je ne le raterai pas. Je l'étrangle quand il repassera, le monstre. C'est une honte! Faire poser des femmes jusqu'après minuit...

En quoi la poissonnière se trompait car les coulisses de la P. J. sont un labyrinthe et les employés qui y circulent sont les maîtres, invulnérables, insensibles, impitoyables comme les suppôts de l'enfer, oui. Des rats. Des rats d'égout. Leur cheminement est secret.

— Pauvres de nous! gémit Victorine.

— Ne bouge pas, chuchotait Thérèse. Cela ne doit

pas gazer avec le patron, car le chef n'avait pas l'air content. Les hommes sont des salauds. Ils ne savent qu'inventer! Mais ne t'en fais pas, mon chou. Je t'ai déjà dit que tu m'as et maintenant, après cette sale affaire d'idiots, j'ajouterai que je t'ai à la bonne. Tu peux compter sur moi. Je t'aiderai. A propos, où en étais-je? Ah oui, je te parlais de mon épicière de la rue Fabrot...

Thérèse baisa la Papayanis dans les cheveux, derrière l'oreille, et reprit ses confidences :

— Ma mère était comme cette épicière, ce n'était pas une méchante femme, mais elle me battait. Cela ne me déplaisait pas. Aujourd'hui, je paie des hommes pour me faire battre. Tout mon argent y passe car les hommes se découragent vite, mais pas moi. Probablement que ma mère calmait ses nerfs sur mon derrière. La *jubilata*, qu'elle appelait ça. En ai-je reçu des fessées! Ma mère était Espagnole. Elle avait la main leste, mais dure et elle s'appliquait. Elle y mettait de la bravoure. C'était une femme déçue qui avait été plaquée. Je n'ai pas connu mon père. Je n'en ai jamais entendu parler. Je ne sais pas qui il était. Ma mère était sage-femme square d'Anvers. La première fois qu'elle recevait une nouvelle cliente, elle commençait par engueuler la dame pour s'être laissée mettre dans cet état, puis elle soignait sa pensionnaire avec un dévouement exagéré pour lui faire honte. Il faut croire qu'elle connaissait bien son métier car la maison ne désemplissait pas. Mais peux-tu imaginer ce que cela était pour une petite fille, précoce et curieuse comme moi, d'errer dans une grande maison dont tous les étages étaient occupés par des femmes à la grossesse plus ou moins avancée et où, dans chaque chambre, ces victimes des hommes hurlaient, geignaient, se trémoussaient à faire craquer leur lit, poussaient des plaintes, appelaient la Sainte Vierge à leur secours, chantaient, priaient, riaient, sanglotaient, sacraient, grinçaient des dents, serraient les mâchoires et, dans un ultime cri qui ressemblait fort à un râle, mettaient bas un enfant qui ricanait, un petit monstre mal foutu, à tête de vieillard, mouillé, sale, drôlement poilu, noué et qui se détendait d'une secousse et qui se mettait à son tour à braire comme si lui aussi allait se mettre en travail et accoucher. On se serait cru plutôt aux abattoirs que dans une maternité. Les mystères de l'amour. Le sang coulait. Écoutant derrière les portes, penchée sur le trou de la serrure, je me masturbe. Le môme Onan, c'est encore un drôle. Je le fréquente encore aujourd'hui. On a l'impression d'étreindre et d'être chatouillée par un fantôme. Mais c'est pour rire. Avec ma sœur de lait, qui comme beaucoup de petites filles du quartier avait été initiée par le gardien du square d'Anvers, un invalide de la guerre de 70, nous nous livrions à toutes espèces de joyeusetés. C'est ainsi que l'esprit vient aux filles. Mais Victorine, qui ne réagit pas comme tout le monde et qui a un sale caractère, incompréhensible et désobligeant, en est restée un peu fada. Enfin, tu l'as vue. Tantôt, elle m'enfonçait des épingles dans les reins. Qu'est-ce qu'elle fout ici? Elle est en train de bavarder avec la mère Magne. Je me demande ce qu'elle peut bien lui raconter? Elle a des lubies. Je me méfie d'elle. Depuis que j'ai quitté la maison à l'âge de quatorze ans pour aller vivre ma vie, je sais qu'elle me déteste. Elle est jalouse. Elle m'en a fait des histoires! Elle est venue vivre à mes crochets quand ma mère est morte, l'autre année, presque centenaire. Cela faisait plus de soixante ans que je ne l'avais vue et la garce s'est amenée un beau matin dans ma garçonnière, rue Cognacq-Jay. Pendant tout ce temps-là, elle m'avait pistée. « Pourquoi es-tu venue? lui demandais-je. — Comme ça, disait-elle. Pour savoir... — Pour savoir quoi? — Tout. — Tout quoi? — Ta vie... » Comme elle faisait la mijaurée, je lui

dis : « Non, mon petit, ces jeux-là c'est fini. Installe-toi,
je m'en vais. Adieu. — Tu vas chez le Prince? » me
demanda-t-elle imperturbable. Je restai muette de stupeur. « Tu en as de la chance! ajouta-t-elle. Rue de
Rivoli, c'est bath, c'est un beau quartier... » Je m'en
allai sans rien dire. Tu vois bien qu'elle est fadade, non?
Depuis elle est venue me relancer au théâtre et je la fais
bricoler. Mais je la vomis...

Thérèse alluma une cigarette, aspira trois longues
bouffées et enchaîna :

— La malheureuse! Le Prince, je vais te dire ce que
c'est que mon prince, ce n'est pas de la rigolade, mais
peut-être que cela plairait à Victorine, elle est tellement vicieuse! Les gens moches sont moches sans
rémission; quant aux filles moches, elles sont tocardes.
Il a cent un ans, mon prince. Il est adipeux. Il est tout
ratatiné sur lui-même. On dirait une petite boule, une
boule de suif. Il y a vingt ans, il était tout en vif-argent
et bondissait comme une balle de tennis. Aujourd'hui,
il est retombé en enfance. Il est gâteux. Pis que ça,
il est complètement ramolli, mais il a trois heures de
lucidité par jour, de onze à quatorze heures, où il fait
trembler la Bourse. C'est l'homme le plus riche de
France et, un pied dans la tombe, l'homme le plus
élégant. Il s'habille méticuleusement. Le matin, il bredouille entre les mains de ses médecins, masseurs et
infirmières qui le maintiennent sur le pot. Ses valets de
chambre l'habillent et c'est l'heure de la Bourse où il
bat le monde entier. L'après-midi, il est généralement
de mauvaise humeur, bougon, rechigné, capricieux. Il
a des envies et pique des quintes de rage comme un
enfant. S'il veut monter à cheval, on lui amène un cheval
de bois. « A dada, à dada! » crie-t-il pendant que ses
larbins l'habillent en conséquence, lui enfilent ses bottes,
lui passent sa redingote et le coiffent d'un tube noir et

blanc. Suit une prostration complète. Il n'a plus envie
de rien. On m'envoie chercher. C'est généralement
entre cinq et six. Mais si sa dépression de dément le
paralyse, sa Rolls-Royce vient me reprendre à la sortie
du théâtre, vers minuit. Le chauffeur, un grand et bel
homme, décoratif et obséquieux, un ancien cocher du
Tsar que le Prince a ramené de Russie où il avait d'immenses intérêts, me dépose rue de Rivoli, roulant des
yeux de loup affamé et s'incline profondément comme
pour un baisemain, prêt à mordre. Il est fringant. Je lui
ferais faire tout ce que je voudrais avec un simple clin
d'œil ou un froncement des sourcils. O mon Paris! Il
n'y a pas d'autre ville au monde qui soit comme toi
exclusivement vouée à l'amour. Je connais tous tes quartiers. Dans tous les quartiers l'amour fait tourner les
têtes. Victorine a raison, la rue de Rivoli est un beau
quartier. Tu vois ces sobres, ces majestueuses, ces
antiques façades grises sur les Tuileries. Je pourrais
t'en raconter jusqu'à demain matin. Il y a des fous à tous
les étages, des fous d'amour, au 246, au 232, au 226,
au 202. J'arrive rue de Rivoli. J'entre. Le majordome
me reçoit et m'accompagne au premier au-dessus de
l'entresol. Sur chaque marche, il y a un valet en culotte
de satin, bas de soie, escarpins vernis, perruque, qui
tient une torchère au bout du bras. C'est très solennel,
mais je ne suis nullement impressionnée. On s'arrête à
l'entrée du grand salon. On entend à travers la porte la
voix du prince qui s'évertue, cravache son cheval de
bois dont les ressorts grincent. Le Prince est relancé.
Il m'attend. On entre. Le Prince n'a pas le temps de sauter
de cheval et de me saluer que déjà ses valets se sont
emparé de lui et l'ont déshabillé. Et voici mon prince
tout nu qui fait le coq dans le grand salon éclairé à
giorno. Il s'est planté une plume dans le derrière et tient
un ballon d'enfant au bout d'un fil. Il glousse, il se

pavane, fait semblant de picorer du grain sous les fauteuils, gratte les tapis avec les pieds, se balade à travers
la pièce au pas cadencé, se bat les côtes avec les coudes,
bombe le torse, fait le fier, s'arrête, pousse un cocorico
sonore et, tout à coup, il se rue sur moi pour me trousser.
Hélas! déjà son pauvre petit machin baveux s'est vidé
et le ballon en baudruche monte au plafond et éclate
dans un des lustres. Alors, le Prince se met à pleurer.
C'est l'anéantissement. Je sonne. On vient le chercher et
on le met au lit. C'est tout. Cette scène se renouvelle
deux, trois fois par semaine. Tu crois que j'ai honte?
Pas du tout, mais je ne suis pas non plus apitoyée.
C'est mon métier, mon rôle. Je joue cela comme au
théâtre. Quand donc ouvrira-t-on à Paris ce fameux
théâtre érotique dont Blaise Cendrars m'a souvent
entretenue? Mais les gens sont moches et mesquins et
au lieu de vivre dans la joie et de s'adonner franchement
à leurs penchants amoureux, ils ont honte et se tour-
mentent secrètement. Ce sont des refoulés. Une qui
ne l'est pas, c'est la Princesse. Après chaque séance,
elle vient me voir. Bien sûr, elle me remet mon cachet
comme elle ferait à une chanteuse ou à un virtuose après
un concert de bienfaisance, mais depuis quelque temps
elle me fait de somptueux cadeaux, robes, fourrures,
bijoux, car nous sommes devenues de véritables amies.
Bien entendu, nous ne parlons jamais de son mari car
il ne faut pas que l'ombre d'un homme s'insinue dans
l'amitié entre deux femmes, sinon cela tourne court.
Elle est d'une vingtaine d'années plus jeune que moi et
je l'aime beaucoup. Ce que je lui raconte du théâtre
l'amuse, la fait rire mais ma vie de bohème l'horripile
un peu et l'inquiète vu mon âge. C'est une femme de
cœur. Elle a de la branche. Dans un visage d'un bel
ovale, elle a des yeux immenses que voile, je ne dirai
pas une énigme ou de la tristesse, mais un mystérieux

sourire, un peu battu et par moments presque effacé.
Je suppose qu'elle a trop vécu et qu'elle en a de la
répulsion. Il ne sied pas à une noble de faire deviner un
besoin. Je la devine insatisfaite. Qui va contre ses désirs
va à sa perte. Elle a dû souvent trébucher. Je l'aime, je
l'admire et je la plains parce qu'elle n'est pas affranchie.
Trop de richesse et une trop grande éducation. Par
exemple, elle ne touche jamais à l'alcool. Elle perd ainsi
un royaume où l'on ne recule devant aucune audace.
Elle a besoin de moi. C'est avec un tact infini qu'elle
m'a fait aménager un petit appartement délicieux dans
son hôtel. Pour lui faire plaisir et aussi par faiblesse, je
m'y suis installée une fois ou deux pour une quinzaine,
mais j'ai définitivement déménagé. Il y a trop de larbins
dans cette maison. J'avais l'impression d'être espionnée
et même suivie dans la rue. Tous ces laquais s'imaginaient
que puisque je plaisais à Madame et que je réussissais
par ma simple présence à apaiser les loufoqueries du
Prince, ils pouvaient se permettre sans trop risquer
d'avoir des vues sur moi. Je crois même que l'un d'eux,
par calcul et pensant se rapprocher de moi et avoir ainsi
l'occasion de me surprendre, a été l'amant de ma sœur
de lait, rue Cognacq-Jay. Son premier amant. Et peut-
être que ça dure encore. Pauvre nigaud et pauvre sotte.
Pouah!... Tu permets?... J'ai la crampe...

Et Thérèse sauta au sol pour se dérouiller.

La Papayanis en fit autant. Elle avait un pauvre petit
visage.

Thérèse lui planta une cigarette dans le bec.

— Tiens, fume, lui dit-elle. Cela va t'égayer. Tu sais
que j'ai confiance en toi. Avec ta gymnastique tu iras
loin. Mais il faut te refaire une beauté. Ne te montre
pas avec ces yeux pleins de fripe qu'on dirait une
tartine. Allons, souris, arrange-toi, les cheveux aussi.
Tu veux mon rouge, il est plus foncé que le tien...

Après avoir allumé la cigarette de la Papayanis et avoir rallumé son propre mégot, Thérèse se tenait debout devant sa nouvelle amie, lui tendant le petit miroir de son sac à main, quand elle vit arriver sa sœur de lait.

— Qu'est-ce que tu viens faire ici, toi? Allez, ouste, barre-toi, on t'a assez vue...

— Tu ne voudrais pas me donner une cigarette, dis? mendigota Victorine.

— Tiens.

— Et une pour la mère Magne, qui n'en a pas non plus?

— Tiens.

— Et me donner du feu? Je n'ai pas d'allumettes...

— Et qu'est-ce qu'il te faut encore? Tu ne veux pas ma bouche, non, pour fumer? Allez, va-t'en, tu n'as rien à faire ici, sale espionne!...

Victorine s'éloigna, fit trois pas et, faisant la nique à Thérèse, elle cria :

— Tu sais, j'ai téléphoné au Prince cet après-midi!...

— Quoi, qu'est-ce que tu dis, salope?...

— Je lui ai dit que tu avais disparu, qu'on te recherchait partout et que tu étais en train de faire l'amour dans cet hôtel borgne, près des Halles, où tu montes souvent avec des inconnus. Je lui ai dit que tu étais avec un zouave, mais c'était avec ton légionnaire... Ça t'en bouche un coin, hein?... Hi, hi, hi!... C'est Gégène qui me raconte tout!... Tu le connais Gégène? C'est un beau gosse. Un mâle. Et il est bien outillé!...

Et Victorine s'éloigna en sautant à cloche-pied, chantant :

> *Pain, panis, crasse,*
> *Le roi des papillons,*
> *Se faisant la barbe*
> *Se coupa le menton.*

Une, deux, trois,
De bois!
Quatre, cinq, six,
De buis!
Sept, huit, neuf,
De bœuf!
Dix, onze, douze,
Elles sont tout rouge...
Pouce!

— Tu l'as entendue, chérie, j'en apprends de belles. La malheureuse! Je croyais que c'était un larbin qui l'avait forcée, peut-être le chauffeur du Prince, et voilà qu'elle découvre les marlous, pis que ça, un indicateur comme le sont tous les garçons d'hôtel de cette catégorie. Je te dis qu'elle a perdu la tête, méfions-nous, dit Thérèse. Je me demande ce qu'elle peut bien manigancer dans sa pauvre caboche. Elle a toujours été jalouse de moi. Imagine-toi qu'elle veut faire du théâtre, un comble! et qu'elle espère pouvoir prendre ma place en mettant debout Dieu sait quelle intrigue. L'imbécile. Que je t'embrouille. La perfide. Mais jamais je n'aurais cru que la mère Magne était comme ça et qu'elle entrerait dans des combinaisons de cet ordre. Parlons d'autre chose, veux-tu? Je vais te raconter comment j'ai perdu mon pucelage, ce qui compte le plus pour une fille car toute sa vie en dépend. Les hommes n'ont aucune idée de ça. Moi, j'ai été prise et ratée...

Les deux femmes s'assirent sur la table, s'épaulant tendrement, chacune ayant passé un bras autour de la taille de l'autre, les pieds ballants.

— J'ai les pieds de ma mère, dit Thérèse, des pieds espagnols, petits, petits, spirituels... Toi, on voit bien qu'enfant tu courais pieds nus. C'est vrai?

— Oui, dit la Papayanis. Chez nous, tout le monde

va nu-pieds. Nous avons tous des grands pieds.
— Par contre, tu as des belles jambes, longues et
effilées, peut-être les plus belles jambes de Paris. Je ne
puis plus en dire autant car je ne suis pas Mistinguett.
Seuls les bas de soie sont restés les mêmes, les jambes
sont d'une vieille femme. C'est horrible. Deux tibias.
Mais je te l'ai déjà dit et je ne vais pas te réciter encore
une fois la ballade de Villon. Donc, j'avais treize ou
quatorze ans et j'en avais marre. J'en avais assez d'entendre mugir comme des vaches les pensionnaires de
ma mère, qui léchant son veau et qui désirant son
taureau. *Au commencement était le sexe...*, devait m'en-
seigner plus tard mon mari, l'illustre Maurice Strauss,
citant je ne sais quel philosophe pré-socratique, Anaxa-
gore, je suppose. C'était encore un fou, mais je te parlerai de mon mari tout à l'heure. Il y a quelques années,
j'ai vendu toutes les lettres qu'il m'avait adressées à
son meilleur ami, un éditeur, qui les a publiées, ce que
Kramer, qui est en train de bouder au fond du corridor
et qui fait une drôle de bobine, ne m'a jamais pardonné.
Je me demande pourquoi? J'adore connaître la vérité
sur les gens et je comprends très bien qu'il y ait un
public pour ce genre d'ouvrages. Bien sûr, la famille
du mort n'est pas contente à cause des indiscrétions et
ses amis les plus intimes crient au scandale. Alors, pourquoi le fréquentaient-ils de son vivant? On sait bien
qu'on n'est pas des saints sur terre et je préfère un président de la République qui passe de vie à trépas dans
les bras d'une gourgandine à un général qui meurt
dans son lit. Un beau jour, donc, je quittai la maison de
ma mère et pris l'omnibus. Je fis tout le tour de Paris
et descendis de l'impériale place Saint-Michel. Je remon-
tai hardiment le Boul' Mich' en zyeutant les hommes.
A peine installée à la terrasse d'un café, au coin de la rue
Soufflot, qu'un homme vint s'asseoir à mon guéridon.

Il m'offrit à boire. J'avais commandé un café crème
et des croissants car j'avais la dent — tiens, c'était
l'émotion! — qu'il me fit servir des breuvages compli-
qués qui se buvaient à l'aide d'une paille. Il avait du
bagout. Il savait me faire parler et tout ce que je lui
racontais le faisait rire. Il m'avait mis la main sur les
genoux. C'était un monsieur avec un faux col rabattu
et un gilet fantaisie. Une chaîne d'or se croisait plusieurs
fois sur sa poitrine et reliait toutes les poches de son
gilet. Il portait une belle cravate piquée d'une épingle
de corail. Des souliers très pointus, des guêtres grises,
une chevalière au doigt, un chapeau melon, une redingote
noire, des pantalons rayés, des poils sur les phalanges,
une barbe épaisse qui lui encerclait les yeux comme
un masque, ce qui me faisait un peu peur, des yeux
ardents. Il m'emmena chez lui, à deux pas. Cela sentait
la pharmacie. C'était un jeune médecin. Il me fit absorber
une drogue dans une cupule et immédiatement il me
renversa sur un divan et me prit. Je ne sentis rien.
C'était une petite brute méridionale, brune, râblée
comme les joueurs de rugby d'Auch ou de Carcassonne.
Il était imbu de sa personne, sûr de soi et se croyait
irrésistible comme les ténors de Toulouse. Il faisait
l'amour toute la journée. Il était jaloux. Il m'enfermait
à clé quand il partait le matin à l'hôpital et dans la
journée, quand il faisait ses visites chez les malades du
quartier, en passant il remontait l'escalier quatre à quatre,
tournait la clé et venait niquer. Tiens, chaque fois que le
Prince se précipite sur moi pour me trousser, je pense à
cet homme dont je ne sais pas le nom. Il s'appelait
Rodolphe ou Rodrigue ou quelque chose comme ça,
je ne sais plus. Mais le nom ne fait rien à l'affaire. Lui
non plus ne savait rien de moi. Je lui avais raconté des
bobards et des tas de menteries. Je ne sais pas comment
il s'y est pris, en trois ans il m'a fait trois gosses sans

que je m'en aperçoive. « Petite garce, avait-il coutume de
dire, te voilà défigurée, tu ne courras plus! » Et voilà
que j'étais comme les pensionnaires de ma mère avec
des berceaux, des layettes et une armée de biberons
trempant au bain-marie. J'enrageais. Un matin, je cro-
chetai sa porte et j'allai me présenter à dix heures au
Conservatoire. Je dois te dire que le soi-disant Rodolphe
avait la passion du théâtre, où il ne m'a d'ailleurs jamais
menée. Mais il avait une bibliothèque théâtrale bien
achalandée. Pendant qu'il n'était pas là, je lisais, j'ap-
prenais les pièces par cœur, je choisissais un rôle, je le
répétais devant la glace, toute seule, sans indications,
m'imaginant être en scène, moi qui n'avais jamais vu
les planches et où je n'avais encore jamais mis les pieds.
Je jouais pour moi. Je n'avais aucune idée de la diction, des intonations, des gestes, de la mesure, ni de la
portée de la voix ni de son rôle essentiel dans la liaison
avec le public et qui fait palpiter les cœurs, ce qui est
la consécration. J'ignorais que le théâtre est une commu-
nion. J'étais aux anges. On ne joue pas pour soi seule.
Je le faisais avec entêtement. Une vraie gniaf. Merde
alors, quelle dinde! Tu vois si j'étais innocente! Un
petit con, pechère!

— Et vos enfants? demanda la Papayanis.

— Quels enfants? « Ses » sales gosses, ils étaient aussi
moches et velus que lui.

— Vous aviez des garçons, des filles?

— Je ne sais pas. Je ne les ai jamais regardés. Probablement que les deux sexes étaient représentés. C'est
tellement vieux. J'ai tout oublié.

— Et vous ne les avez jamais revus?

— Non, à quoi bon? Tout cela est derrière moi.
Souvent je me suis dit qu'il m'a peut-être vue en scène,
féru comme il l'était de théâtre, et qu'il ne m'a pas
reconnue. Tu ne trouves pas que c'est farce?

— Ils sont peut-être morts, ces pauvres mioches?

— C'est possible. C'est la vie. Ce qui est certain, c'est que j'ai damé le pion à l'affreux toubib qui croyait me tenir. Il a dû en faire une tête en ne me trouvant pas à domicile et ne pouvant me faire rechercher. Je rigole. Mais que veux-tu, ma bonne, moi, j'aime ma liberté.

— Oh! Madame Thérèse, ce n'est pas bien.

— Peut-être dans votre île, ma chère, où vous menez une vie de chrétiens. Mais une femme de théâtre! Il y a bien des princesses, des reines, des impératrices qui ont tout quitté, les pompes, la famille, leur époux couronné pour entrer au couvent. Alors une comédienne, tu parles, elle se met en boîte! Sache que je ne regrette rien.

— Madame Thérèse...

— Et pourquoi m'appelles-tu Madame Thérèse? Est-ce que je ne te tutoie pas, moi? Appelle-moi...

— Oui, Madame...

— Non, dis : oui, mon amour. Nous sommes dans les mêmes draps, tu sais. C'est rare de s'aimer sans être coupables. Dis-le...

— Oui, mon cœur, balbutia la Papayanis.

— C'est déjà mieux, fit Thérèse en allumant une nouvelle cigarette.

Les deux femmes s'embrassèrent longuement.

— Hi, hi, hi!... faisait Victorine qui ne les quittait pas des yeux. Madame Magne, regardez, elles se bécotent comme des tourterelles. Ah! mon doux Jésus!...

Mais la mère Magne détourna la tête.

— Tu ne peux pas te taire, cria Thérèse à sa sœur de lait. Tu ferais mieux de penser à ce que tu vas dire tout à l'heure pour te tirer de là.

— Oh! moi, c'est tout réfléchi. Je sais très bien ce que je vais leur dire et je serais déjà libre si l'on m'avait interrogée. Tiens, je ne vais pas me gêner et j'espère bien que l'on me donnera une prime de dénonciation.

— Et qu'est-ce que tu vas dégoiser, pauvre fille?

— Pas si bête, cela ne te regarde pas, tu serais capable de me pousser dans le trou, à ta place. Je dirai tout, tu sais, et en ta présence. Je vais te mettre dans le bain. Rira bien qui rira le dernier...

La mère Magne s'était levée.

— Tu l'entends, elle déconne, dit Thérèse à la Papayanis.

Thérèse qui en était descendue, fit claquer ses doigts, esquissa un pas de *jota*, remonta sur la table et s'étendit sur le dos, continuant à faire claquer ses doigts comme des castagnettes et d'agiter ses pieds en l'air tout en sifflant deux, trois mesures de la *jota*.

— Zut! je suis crevée, fit-elle. C'est un vendredi et un 13! On s'en souviendra. Quelle journée et quelle nuit! Cela n'en finit pas. Sans rien dire de la nuit précédente où je suis tombée raide d'amour. Ah! mon légionnaire! Il m'a comblée, il m'a eue jusqu'au trognon, je suis morte... C'est pourquoi je voyais avec plaisir que tu en repinçais pour le beau Capitaine... Oh! pardon, ma chatte, je ne voulais pas te faire de la peine... Des hommes, on en a tant qu'on en veut. A mon âge, je les paie; mais toi, tu n'as qu'à choisir, ils te doivent tout. Dis-moi, qui l'a tué et comment cela s'est-il fait? Moi, je ne me suis aperçue de rien. Et toi?...

— Madame Thérèse...

C'était la mère Magne.

— ...vous croyez qu'ils vont nous garder encore long-temps?

— Je n'en sais rien, ma fille, lui répondit Thérèse. Quand ces gens-là vous tiennent, ils ne vous lâchent plus. Cela peut durer des jours et des nuits. On ne sait pas.

— Mais cela est un scandale, s'écria la mère Magne. Je paie patente...

— Alors, adresse-toi aux prud'hommes.

— Ils m'ont arrachée à mes fourneaux, ils m'ont brutalisée, ils m'ont fait monter de force dans une fourgonnette qui a aussitôt démarré. On a laissé mon restaurant ouvert...

— Alors, adresse-toi à ton syndicat...

— Dans quel état vais-je retrouver ma poissonnerie? Je n'ai même pas eu le temps de vider mon tiroir-caisse! Et mon beau poisson, et mes coquillages, on aura tout pillé! Dites, qui paiera la casse?...

— Prends un avocat.

— Mais ce n'est pas pour cela que je suis venue, je voulais vous dire... Je voulais vous dire que je ne fais pas cause commune avec votre sœur...

— Ma sœur de lait.

— Ah! Victorine n'est pas votre sœur, je le croyais... Pensez, vous êtes une trop bonne cliente et M. Juin aussi... Votre sœur, ...Madame votre sœur de lait veut vous mettre dans le bain...

— Je sais... Ayez de la famille, c'est charmant.

— ...et elle sollicite mon témoignage...

— C'est de plus en plus charmant. Alors?...

— Alors, je voulais justement vous faire savoir, à vous qui êtes une grande artiste et une bonne cliente, que je ne mange pas de ce pain-là et que je ne marche pas.

— Merci, ma belle, je n'en attendais pas moins de toi. Mais qu'est-ce qu'elle s'imagine?

— Des tas de choses lui passent par la tête. Je ne sais pas quoi. Mais elle compte absolument sur moi pour confirmer ses dires. Elle prétend...

— Quoi, au juste?

— ...elle prétend que c'est vous qui avez tué... ou alors cette gentille demoiselle...

— Écoutez, madame Magne, ma sœur de lait est une folle, mais elle ne manque pas d'astuce ni de méchanceté. Sachez que le patron du *Radar* s'est suicidé.

— C'est aussi ce que j'ai entendu dire par les gens du quartier que la police a ramenés ici et a déjà relâchés.

— Ils veulent nous avoir à la fatigue. Au revoir, madame Magne. J'ai un mot à dire à mon amie, vous permettez? Nous serons sûrement confrontées cette nuit. A tout à l'heure, donc. Dites à Victorine qu'elle m'ennuie, que j'en ai plein le dos...

— Moi? Jamais plus je n'adresserai la parole à cette mauvaise langue...

Et la mère Magne fit demi-tour pour aller s'asseoir seule dans un coin.

— Sale rapporteuse! la houspillait Victorine qui devenait enragée. Fumier!... bourrique!... espèce de vendue!... criait-elle hystériquement.

— Tu as entendu la mère Magne, chérie? Le grand chef de la Police doit penser la même chose que Victorine. Cela se complique. Nous aurons à prouver notre innocence. Ça ne sera pas commode avec l'homme-chien qui doit tenir à ses idées comme un bouledogue à un os. C'est un constipé. As-tu le moindre soupçon? Sais-tu comment cela s'est fait? Moi, je ne me suis aperçue de rien.

— Moi non plus. Je n'ai rien vu. Je ne sais même pas s'il est mort, ce pauvre Émile. Personne ne m'a rien dit et j'ai peine à le croire. S'il est vraiment mort, je suis certaine qu'il ne s'est pas suicidé comme tu veux le faire croire. C'est impossible. Il était trop vivant. Il me pressait et j'allais lui céder quand...

— ...quand, comme une gourde, je suis intervenue pour te faire signer ton engagement. Ah! si j'avais su!...

— On me l'a tué! dit la Papayanis en éclatant en sanglots.

— Du calme, du calme, ma biche, du calme, ma belle petite fille, ne te mets pas dans tous tes états, dit Thérèse en essuyant les larmes. Tu as le cœur lourd, bien sûr. Pardonne-moi, j'ai cru bien faire. Moi aussi j'ai eu des traverses avec les hommes et j'en ai vu des dures dans la vie. Attends, ne pleure pas, je vais te raconter ce qui m'est arrivé avec mon mari, tu vas voir, ce n'est pas une farce, et pendant ce temps tu vas refaire ton *make-up*, il en a besoin, fichtre! Une femme doit toujours être sous les armes. Ne pleure pas. Il ne faut pas s'abandonner. Il ne faut jamais désespérer. C'est de mon premier mari que je te parle, de l'illustre Maurice Strauss, celui qui m'a reçue au Conservatoire, fait entrer à la Comédie-Française et, plus tard, casée chez Sarah Bernhardt, d'où Sarah, qui comme Mistinguett ne tolérait personne à côté de soi dont elle eût pu prendre ombrage, fût-ce un souillon — alors tu parles d'une jolie fille de talent! — m'a flanquée à la porte. Maurice, je lui dois tout, ma carrière et mon métier. C'est lui qui m'a posé la voix sur les lèvres. C'est lui qui m'a appris à marcher, à me mouvoir, à savoir tenir ma place. Il m'a même appris à lire car je ne savais rien de rien, même pas m'habiller! Il m'a fait répéter tous mes rôles, scène par scène, avec une patience inégalable et c'est lui qui m'a révélé les arcanes du théâtre, la présence, le tonus, l'irréalité, la survie, l'immortalité des personnages et comment un comédien vivant peut y participer sans jamais déchoir s'il sait respirer d'une façon naturelle dans ce climat surnaturel qu'est la création continue en scène qui vous porte à franchir la rampe dans les feux des projecteurs et dans le brouhaha des changements de décors et sous les yeux du public, cette bête énorme intimidante que l'émotion étreint ou fait s'esclaffer. Au début, j'avais le

trac et serais restée en panne, hypnotisée et prête à me
laisser engloutir comme la sœur du Petit Poucet devant
l'Ogre si, contrairement aux théories que devait m'exposer Kramer plus tard, lequel tire tout du mythe pour
expliquer le théâtre grec et en faire une révolte de l'individu contre les dieux, la lutte de l'homme avec son
destin, un refus orgueilleux, un art nihiliste, Maurice ne
m'avait auparavant démontré sur le vif, en choisissant
ses exemples dans Shakespeare, que la tragédie, le drame,
la comédie, la farce sont les manifestations de la vie
populaire, que les règles ne sont rien, que chez tous les
peuples à tous les temps, toutes les formes d'art sont
permises, que le théâtre est une acceptation, une soumis-
sion commune des hommes et des étoiles aux lois obs-
cures de la création, une participation à la joie de vivre,
un jeu du sort bon ou mauvais, que la destinée de l'individu isolé n'a aucun sens, sinon comique, caricatural, et
que tous ensemble, acteurs et public, nous sommes liés
dans le délire universel ou féerie qui nous emporte.
Comme je suis peuple, j'étais beaucoup plus sensible
à ses arguments plus proches de ma véritable nature,
moi qui n'ai aucune méchanceté mais suis, je parle de
la comédienne et de la femme, plutôt une espèce de
Chat Botté malicieux, espiègle, moqueur, irrespectueux,
vindicatif, certes, à l'esprit assassin, mais, au fond, une
bonne âme et un brave type. Je dois tout à Maurice,
même ces considérations sur moi-même, je ne vais donc
pas t'en dire du mal. Sans lui je ne serais jamais arrivée.
Nous sommes restés une dizaine d'années ensemble. Il
est mort à trente-huit ans. C'était un génie. Mais voilà,
mon petit radis rose — non, écoute, stoppe, tu t'es mis
trop de rouge, on dirait une carotte printanière! — on
ne peut pas vivre avec un génie. Et pourtant Maurice
m'adorait. Trop. Il me demandait des choses impossibles.
C'était un idéaliste. L'idéal pour lui eût été que je l'émas-

culasse. Une belle jambe! Comme je ne pouvais pas le
faire avec mes quenottes, ma complaisance n'allant pas
jusque-là, il me présenta un jour dans un écrin six
petits couteaux en vermeil et à manche de nacre comme
on en voit chez les confiseurs, mais bien affûtés pour
le dénucléer et, un autre jour, un autre écrin contenant
des petites fourchettes à escargots à deux dents. De quoi
l'opérer, bref. Mais s'imaginait-il réellement que j'allais
déguster son bout? J'en avais horreur. Il était jeune et
beau, très dandy et un peu snob comme on s'imagine
en Angleterre que les poètes sont et n'est-ce pas justement en Angleterre qu'un Oscar Wilde, snob et sophis-
tiqué, se mettait délicatement un morceau de sucre
entre les dents quand il se faisait polluer par un bel
adolescent? Il avalait tout et s'en vantait. Je connais
beaucoup d'histoires anglaises. Nulle part on ne fait
mieux. C'est du fini. Le snobisme mène à tout à condi-
tion d'en sortir, ce qu'Oscar Wilde n'a jamais pu.
N'est-ce pas d'ailleurs en Angleterre que l'on commet
le plus de crimes crapuleux dont beaucoup sont restés
célèbres et la plupart d'une complication impénétrable
et dégueulasse? Maurice avait rapporté du régiment une
maladie putride du pylore ou de l'anus. Ses intestins
étaient pourris, duodénum, cæcum, côlon, rectum. Littéralement, il puait. Ah! ces poètes! Je ne sais pas dans
quel ciel il m'avait placée. Il avait une véritable adoration
pour moi et me vouait un culte comme à une déesse
sombre et mystérieuse. Encore une fois, la belle jambe!
Il en était jaune. A la fin, il s'est tout de même fait opérer
par un chirurgien des mains duquel il est sorti infirme et
impotent pour mourir quelques années plus tard dans
des souffrances atroces. Je l'ai épousé *in extremis*, à
Londres, à cause de sa famille qui lui faisait des difficultés avant et qui, après, a attaqué son testament dans
lequel j'étais couchée, c'est-à-dire que je me suis vue

traînée devant les tribunaux comme récompense de mes soins assidus. Je ne me suis pas défendue. Obéissant à je ne sais quel absurde sentiment d'honnêteté ou réflexe de pudeur, j'ai donné la plus grosse part de l'héritage qui me revenait de droit à un neveu de Maurice que Maurice aimait beaucoup et qui, paraît-il, était méritant. Mais la famille voulant tout, l'argent, les meubles, les livres, sa précieuse bibliothèque et même ses papiers intimes, je me tirai de cette galère en plaquant tout. Maurice est mort inapaisé. Avant moi, il avait connu une petite ouvrière qu'il avait ramassée rue Dauphine où elle se prostituait sous la voûte des portes cochères pour ne pas s'exposer aux intempéries et se mettre à l'abri les soirs de pluie. C'était une pauvrette, misérable, malade, qui est morte chez lui d'une phtisie galopante. Maurice en était resté inconsolable et il a « sublimisé » Mauricette en des sonnets toujours inédits et qu'il n'a jamais voulu publier par amour de son Amour. Quel être compliqué! Quand je l'ai connu, il était déjà triste et malade. Rien ne pouvait le distraire de son tourment. C'était déjà trop tard. La vie est vache...

— Ne me parlez plus de Maurice, sinon vous allez me faire encore pleurer, l'interrompit la Papayanis. Et vos autres maris, vous en avez bien eu deux ou trois, à ce que l'on dit, comment étaient-ils?

— Et que devient notre tutoiement, joli cœur? Tu l'as oublié?

— Oh! mon amour, c'est que tu m'avais retournée... Ton histoire est horrible et belle. Pauvre Maurice!...

— N'est-ce pas?... Je ne pourrai jamais l'oublier. Chaque fois que j'entre en scène je lui fais non pas une petite prière, ce n'est pas mon genre, mais un signe d'amitié avec un sourire complice comme s'il était là, au fond d'une loge. C'est lui qui m'a faite. Je suis devenue ce qu'il aurait voulu me voir être, une femme qui...

une femme que... Enfin, peut-être qu'aujourd'hui je serais capable de... de... Tu me comprends. Ne nous attendrissons pas... Mes autres maris ne comptent pas. Je me suis mariée une première fois après avoir donné ma démission au Français au lendemain de mes débuts dans *Phèdre*, et l'on m'avait trouvée trop jeune, trop maigre, etc., et ce fut un four retentissant... Je m'étais mariée un peu par dépit et beaucoup parce que j'étais en froid avec Maurice qui n'approuvait pas ma décision et dont j'avais justement le plus grand dégoût, toujours pour la même chose, sa mutilation éventuelle qu'il n'avait pas le courage d'exécuter lui-même et dont il parlait d'une façon de plus en plus pressante en étalant tout un attirail, des trousses, des bistouris, des couteaux aux lames contournées, grandes et petites, et jusqu'à des canifs pour tailler les plumes, des tranchets de cordonnier et cette lancette tirée de l'arsenal rituel des rabbins avec laquelle ils pratiquent la circoncision, dont Maurice possédait toute une collection qu'il tenait de famille. Je m'étais mariée avec un camarade de théâtre, Paul Échinard, qui n'était ni jeune ni beau et n'avait pas plus de talent que d'argent. Avec ça, il était bête, mais bête. Comme je voulais fuir Paris, nous partîmes en tournée. Il est mort à Madrid d'un chaud et froid. C'est par trop bête! L'idylle n'avait pas duré six mois. Ainsi Maurice n'est en réalité que mon deuxième époux, notre mariage de Londres n'ayant eu lieu que neuf ans plus tard. Tu vois comme tout est compliqué dans ma vie. Je m'y perds. Et j'ai oublié des tas de choses! Ce n'est pas que j'aie une mémoire défaillante ou sénile, mais j'ai toujours joui de l'heureuse faculté de pouvoir oublier instantanément tout ce qui ne me passionnait pas. Ainsi pour mes maris. Mon troisième mari, le célèbre Esquirol, le grand ténor de Toulouse, qui avait un contrat pour la saison en Argentine, m'emmena à Buenos Aires après la mort de Maurice. Comme le bruit en avait couru, il pensait que j'avais hérité et il me croyait riche. C'était une espèce de Barbe-Bleue. J'avoue qu'il faisait très bien l'amour et qu'il me donnait satisfaction, mais il était rapiat. La fin de saison arrivée, voyant que je ne faisais mine de sortir mon argent et que je continuais à vivre à ses dépens, Esquirol me somma de lui remettre l'héritage de Maurice Strauss et apprenant que je m'étais désistée de tout, il me traita de mule, de charogne, d'imbécile, de niaise et se transforma en une brute épaisse. Comme le toubib du Boul' Mich' qui remontait quatre à quatre mon escalier pour venir niquer, le fameux ténor, coqueluche des femmes de La Plata, qui se jetaient à son cou et qui se bagarraient en public à son sujet, comme il est coutume à Buenos Aires, revenait dix fois par jour chez moi pour me boxer. Je t'ai déjà dit que j'aime les coups et que je me paie des hommes pour ça, en souvenir de la *jubilata* de ma mère qui, me faisant jouir, a déplacé mon centre de sensibilité en l'éveillant prématurément, ce qui a eu une influence morbide sur toute ma vie sexuelle. Mais il y a une limite à tout et il y faut de la mesure. Pour vivre, il inaugura un Conservatoire où nous donnions, lui et moi, des cours de maintien, de danse, de diction, de chant, de conversation française, de littérature; cela eut un succès prodigieux à Buenos Aires où les gens, surtout les femmes du monde, sont avides d'apprendre et de se tenir à la page des modes intellectuelles de Paris. Mais Esquirol eût été bien mieux inspiré d'ouvrir une académie de boxe où j'eusse figuré comme *pushing-ball*. Littéralement, il m'a assommée cent fois. Il faut croire que j'ai le crâne solide, dur et bien construit. Aucune marque, ni les oreilles décollées, ni les lèvres fendues, ni le nez cassé. C'est une chance. Le jour où j'ai plaqué cet homme sans crier gare, j'avais la tête en sang en montant à bord du paquebot qui me

ramenait en Europe et le médecin du bord m'a fait
porter un pansement jusqu'à Cherbourg.

— Et vous avez divorcé? demanda la Papayanis émue.

— Non, mon cœur, je n'en ai pas eu le temps, j'étais
groggy, répondit Thérèse. Je me suis remariée avec...
Mais avec qui?... Je ne sais plus... Cela n'avait aucune
espèce d'importance... Ah! ce que je suis bête!... Pardine
avec Espinosa, l'homme dont je porte le nom actuellement... Un Espagnol qui s'est perdu à Paris... C'était
le médecin du bord... Je ne sais pas ce qu'il est devenu...
C'était un esthéticien... Je lui dois mon visage qu'il a
sauvé... Regarde, pas une trace... L'œil au beurre noir
est de mon légionnaire. C'est un gnon. Je l'ai repeint
et je vais l'entretenir et le maintenir à vif aussi longtemps
que je jouerai *Madame l'Arsouille*. Tu ne trouves pas
que c'est bœuf?... Ainsi je suis bigame selon la loi
française, mais en réalité je n'ai jamais été aussi seule.

— Pauvre Thérèse! s'écria la Papayanis, apitoyée.

— Non, dit Thérèse. Il ne faut pas me plaindre. J'ai
vécu et j'ai rencontré l'autre nuit mon légionnaire. Je
crois que je vais être heureuse. Enfin, un mec.

— Oh! dites, racontez..., demanda la Papayanis impatiente d'en savoir plus.

— Non, dit Thérèse. J'ai rancart cette nuit. Quelle
heure as-tu? Il doit être très tard...

Les deux femmes se levèrent.

— Tiens, dit Thérèse. Je te donne ma montre. C'est
un cadeau de la Princesse...

Et en battant le briquet pour déchiffrer l'heure sur
le cadran minuscule du bijou serti de perles fines, elle
ajouta :

— Je n'y vois plus. Je suis aussi myope qu'une chauve-
souris, tu sais, chérie, ces charmantes bestioles qui
volettent la nuit, qui ont des seins et aussi leurs affaires
comme les femmes, qui n'y voient goutte et sont munies

d'un radar pour ne pas se casser le nez dans le noir...
Zut! encore le radar!... Excuse-moi... Je ne sais pas où
j'ai la tête cette nuit... Je crois qu'à la fin Esquirol a
tout de même réussi à m'ébranler le cerveau. Un con
pareil...

— Ne t'excuse pas, mon amour, tu m'as emballée.
Maintenant, tout ce qui m'est arrivé est derrière moi et
ne compte plus. Je t'aime! dit la Papayanis avec exaltation.

— Moi aussi je t'aime d'une façon extraordinaire, tu
es une chic petite fille, dit Thérèse. Tu as du courage.
Allons faire les cent pas, cela nous fera du bien...

Bras dessus bras dessous les deux amies se mirent à
arpenter l'antichambre en fumant des cigarettes, faisant
demi-tour devant Kramer à un bout du corridor, devant
la mère Magne à l'autre bout, découvrant en passant la
Kamarinskaïa endormie derrière un guichet dans un
petit bureau abandonné, faisant un crochet au passage
pour ne pas entendre les sarcasmes de Victorine, pour
ne pas céder à la tentation d'y répondre, n'adressant la
parole à personne, tout à leur passion naissante qu'elles
sentaient les envahir tendrement. Leurs hanches se frô-
laient à chaque pas. C'était merveilleux.

— Ne crois pas, dit Thérèse à la Papayanis en la
reconduisant vers la grande table noire où les deux
femmes s'assirent derechef tout en continuant de fumer,
ne crois pas que je suis une de ces vieilles qui sautent
au cou de n'importe qui pour raconter leur vie. Au
contraire, c'est pour la première fois et jamais encore
je n'en ai tant dit. Je ne sais à quel sentiment j'ai obéi,
sinon à cette sympathie soudaine qui m'entraîne vers
toi. N'oublie pas que les femmes qui se confessent sont
les plus menteuses. Ne crois donc pas à mes paroles.
Je suis fatiguée, indiciblement, et brouillée depuis toujours avec la chronologie des événements. Rien ne

prouve rien. Je ne crois pas que mon expérience puisse te servir. A la vérité, je ne pensais pas te distraire de ton chagrin. Le roman de ma vie, qui a déjà été débité en tranches dans les journaux à chacune de mes réapparitions sur les planches ou à chacun de mes avatars claironnés par la publicité, a passionné ou a fait faire des gorges chaudes à tout Paris. Je pensais tout simplement à te redonner confiance en toi-même car, vaille que vaille, ma vie chahutée démontre bien que l'oubli vaut mieux que le pardon des injures qu'on ne sait jamais par quel bout entamer et dont il reste toujours quelque chose, des démangeaisons à vif, un remords cuisant, des regrets comme une poignée d'épines au cœur ou piquées dans la plante des pieds, si bien, qu'à chaque pas, qu'à chaque souffle, l'on ne peut plus vivre sans se plaindre. Dis-moi, toi qui es des Iles, tu avais bien un amoureux au pays?

— Oui, dit la Papayanis en rougissant. Nicolas...

— Tu l'as oublié?

— Non, c'est lui qui a eu mon pucelage...

— Alors, tu l'as trompé?

— Jamais!...

— Mais tu lui as été infidèle?

— A Paris...

— Je comprends. Paris est une ville dangereuse et il faut des sous pour percer. Tu as eu des remords, des regrets?

— Non...

— Tu y penses encore?

— Des fois...

— Hé bien! maintenant c'est fini, maintenant que tu es vedette. Tu ne vas pas le faire venir à Paris, non? C'est un mari qu'il te faut.

— Oh! par exemple! s'écria la Papayanis effrayée.

— Oui, mon petit, maintenant il te faut un mari

comme moi j'ai eu Maurice dans la vie, un homme qui m'a faite à son image et qui m'a sorti ce que j'avais dans le ventre. L'artiste et la femme. L'impudicité et la gloire. Et je crois plus aux ignominies qu'il m'a fait commettre qu'aux honneurs que les autres m'ont rendus. Seule l'action libère et les idées que l'on peut se faire sont de l'action avortée. A toi, il te faut un homme qui soit aux petits soins, qui ne te brusque pas, qui te dorlote, qui t'accompagne chez la couturière, qui te conseille pour ton maquillage, qui te fasse répéter, travailler, recommencer et recommencer, qui te forme au métier, qui s'occupe de tes affaires, t'évite les impairs, te mette à l'abri des entreprises des agents et des directeurs de théâtre, vienne t'applaudir tous les soirs et pour lequel seul tu joueras, sache éloigner les imposteurs et les adulateurs trop enthousiastes et mettre à la porte de ta loge les jeunes idiots qui se faufilent tout embarrassés avec des gerbes de fleurs ou un bijou, te porte et t'emmitoufle dans ta fourrure, fasse avancer ta voiture, t'adorera. Il te faut un homme riche et qui soit déjà d'un certain âge pour que tu puisses te payer toutes tes fantaisies et le tromper sans esclandre et sans lendemain à l'heure que tu en auras envie, sans le faire souffrir trop car il aura déjà vécu et qu'il sera plein d'indulgence, tout sourire et armé de sérénité.

— Dieu, Thérèse, tu me fais peur. Maurice t'a rendue si malheureuse!...

— Tais-toi. Tu ne sais pas ce que tu dis. Je dois tout à Maurice et sans lui je n'aurais jamais pu tenir. C'est une vie atroce, éreintante, tu n'en as aucune idée. Sans mari, une vedette est vraiment une femme perdue.

— Et vous avez quelqu'un pour moi? murmura la Papayanis anxieuse.

— Tutoie-moi!

— O mon amour! soupira la Papayanis en se pâmant.

Tu as quelqu'un? Quel rêve! C'est un voyage dans le bleu...

Elle était pâle.

Elle porta sa main au cœur.

Puis elle s'empara des deux mains de Thérèse et les couvrit de baisers.

— Je t'écoute, dit-elle en relevant la tête et en faisant un sourire adorable. Je m'abandonne. Mon sort est décidé.

— Je te donne Chauveau, mon meilleur et mon plus ancien ami, dit Thérèse sans une seconde d'hésitation. Le premier de mes adorateurs...

— Mais tu ne m'en avais pas parlé!... Chauveau?... Qui est-ce?

— Le président du Club des vaches.

— Le Club des vaches?... Qu'est-ce?...

— C'est presque une image d'Épinal..., répondit Thérèse.

Elle se tut un bon moment. Elle regardait dans le vide d'un air absent. Et, brusquement, elle enchaîna d'une voix rauque :

— J'avais d'abord pensé pour toi à Max Hyène, l'ingénieur. Mais il est trop vieux. Quatre-vingt-seize ans. Il va crever un de ces quatre matins, richissime, richissime. J'aime mieux te donner à Chauveau, qui est presque aussi riche que le vieux et qui est un peu plus jeune. Soixante-douze ans. Ils sont associés dans la même entreprise de construction de chemins de fer dans le monde entier, mais c'est Max qui mène l'affaire, et, non seulement ils sont associés pour lancer des locomotives mais ils vivent ensemble et il n'y a pas très longtemps de ça qu'on a célébré leurs noces d'or, oui, cinquante ans de ménage. C'est un bail et un beau certificat de constance et de loyauté. Tous les deux sont des amis et d'anciens amoureux à moi. Je leur riais au nez, mais je suis sûre

que jamais je n'ai raté une aussi belle occasion de me
caser. Que veux-tu, j'ai trop hésité entre eux deux, je ne
savais lequel choisir, pas plus que je n'ai su choisir entre
tant d'autres adorateurs qui se pressaient dans ma loge
et qui m'offraient leur main et que j'ai tous déçus à la
dernière minute, mais qui me sont tous restés fidèles
durant plus de cinquante ans, depuis que j'ai débuté
sur les planches, et qui aujourd'hui encore sont là les
soirs de première, occupant les fauteuils d'orchestre,
applaudissant, manifestant, me jetant des fleurs, puis
envahissant ma loge, m'accablant de compliments et de
baisers, renouvelant leur déclaration et chacun réitérant
en catimini, m'offrant une fois de plus et une dernière
fois sa main. C'est ainsi qu'est né le Club des vaches, le
club de mes anciens amoureux dont aucun n'a jamais
reçu une faveur de moi et dont tous les membres me
sont reconnaissants de n'avoir jamais su choisir ni distinguer l'un d'entre eux. Aujourd'hui, ils sont encore
une bonne demi-douzaine et se réunissent une fois par
mois chez Paillard, le troisième mardi du mois, et chaque
membre a le droit d'inviter sa protégée qui se produit
après déjeuner, rien que des chanteuses et des canta-
trices des concerts et de l'Opéra à qui l'on attribue des
bourses pour aider les débutantes, des robes, des chapeaux, des chaussures, des gants, mille accessoires de
luxe pour parfaire leur élégance à celles qui sont déjà
arrivées et l'on se cotise pour assurer les frais d'une
tournée sur la côte et l'on donne toute assistance morale
et financière à une vedette qui va faire ses débuts dans
une ville d'art célèbre en Europe ou en Amérique. Spa,
Monte-Carlo, Salzbourg, Milan, Miami, New York,
Chicago, San Francisco, Londres, Édimbourg. En plus
du vieil Hyène, qui est le fondateur de ce club singulier,
et l'ami Chauveau, à qui Max a passé tout dernièrement
la présidence, il y a Chaumette, le couturier, Princet,

le chemisier, Chalupt, l'ex-commanditaire de la salle Évrard, Trinque, l'armurier, Bousquet, le roi de la publicité, Hoqueteau, l'agent de change, Brousse, qui aujourd'hui s'occupe d'aviation après avoir engagé le tennis français dans les compétitions internationales, Moreau, administrateur de journaux, comme tu le vois rien que des négociants et des hommes d'affaires, pas un militaire, pas un député. Mais ce qui me touche d'une façon que je ne saurais exprimer c'est que ces vieux messieurs de Paris ont trouvé ce faux prétexte du *bel canto* pour camoufler l'hommage qu'ils me rendaient et ne pas m'exposer aux potins des rivales du boulevard et des autres théâtres et comédies. J'en suis restée émue et je les aime tous. On ne peut avoir plus de tact.

— C'est merveilleux! s'écria la Papayanis admirative. Cela sonne comme un conte de fées. Oh! vous pouvez le dire, vous avez été aimée, vous, adulée...

— Et je ne le méritais pas puisque ma méchante petite fille ne veut pas me tutoyer. Vilaine!...

— O Thérèse! Je ne peux pas, tu es trop grande...

— Ta, ta, ta. On dit ça. Mais on n'est jamais trop grande pour soi, surtout en scène, où il faut oser pour paraître et dominer.

— J'essayerai, chérie, dit la Papayanis. Mais ce Club des vaches! c'est tout de même une chose étonnante et très chic. Dis-moi pourquoi ce nom?

— Peut-être par fanfaronnade ou par cachotterie, et peut-être aussi pour rire ou par moquerie. C'est de l'autocritique et une aimable mystification, mes amis ne se prenant pas trop au sérieux. Ce sont des bons vivants, tu sais, et n'engendrent pas la mélancolie. Max mange comme quatre, s'empiffre, boit comme un trou et finira par crever à table comme Charles Quint à force de gibier, de venaison, de foie gras et de pâtés en croûte épicés à la diable.

— Tes amis sont des hommes épatants, dit la Papayanis. Ils me plaisent...

— Tu l'as dit, mon chou, répondit Thérèse, épatants.
Mais le plus épatant et le plus cher, c'est Chauveau.
Chauveau a été le premier. Chauveau est resté à ma
dévotion depuis mes débuts malheureux dans *Phèdre*.
Chauveau n'a jamais aimé personne d'autre que moi et
est toujours prêt à me combler et à faire tout ce que je
désire. Un mot de moi et il se jette à mes pieds. Si je
lui demande de t'épouser, il le fera, mon cœur. Tu veux
bien, dis? C'est un garçon très distingué qui s'occupe
en dilettante des festivals, des concerts et, durant la
guerre, du Théâtre aux Armées. Je crois qu'il peut te
rendre heureuse. J'en ai même la conviction. Je...

— Mais pourquoi ne l'as-tu pas épousé ce doux ami
Chauveau qui t'est si dévoué? demanda la Papayanis
intriguée.

— Parce que... parce que je me suis adonnée au démon
de la sexualité! répondit Thérèse tout à trac. Les pédé-
rastes sont trop galants avec les femmes, sont trop gentils,
ils ont trop de petites manières, ils en sont ridicules et
ne sont pas assez entreprenants. Une femme fait bien
mieux l'affaire. Jamais je n'aurais pu m'y habituer. Je
suis de Montmartre après tout. D'ailleurs, je leur ai ri
au nez à tous ces grands bourgeois. Je n'ai, paraît-il,
pas de cœur. Jean me l'a répété mille et mille fois. Jean
est trop respectueux. Jean...

— Jean?...

— Jean Chauveau, oui, ton promis. Je voudrais que tu...

Thérèse fut interrompue par une sonnette qui déclen-
cha un petit disque blanc dans un cadre accroché
au-dessus de la porte du bureau du chef.

— Tiens, cela fonctionne comme en cabinets par-
ticuliers. On est de service. C'est notre tour. « Ces
dames au salon! » Viens..., dit Thérèse.

Un employé en casquette aux armes de la Ville de Paris, le même qui, tout à l'heure, avait soufflé les veilleuses avec une longue perche creuse ressemblant à une canne à pêche, vint arrêter la sonnerie, fit disparaître le disque, entrouvrit la porte du bureau, reçut un ordre, fit demi-tour avec conviction et revint d'un air sévère chercher Thérèse et la Papayanis.

— C'est votre tour, Mesdames. Suivez-moi! Le chef vous demande...

— Eh bien, allons-y!... rétorqua Thérèse.

Et, empoignant la Papayanis par le poignet, elle l'entraîna dans son sillage, lui disant :

— Tu es en forme, mon petit? Ne t'émeus pas. Fais comme moi. On n'a pas fini de rire. Ça ne sera pas long. Tu sais sauter à la corde, j'espère? Alors chiche! *Poivre... poivre... poivre... et encore poivre!...*

Et elle sautait à cloche-pied comme tout à l'heure sa sœur de lait avait fait.

Les mœurs du square d'Anvers...

La Papayanis n'en pouvait mais.

Thérèse défonça d'un coup de coude la vitre de la porte du bureau du chef de la P. J.

— Jamais deux sans trois!... cria-t-elle en entrant. Encore un carreau de cassé!... C'est moi!...

IX

LES TRIBUNAUX COMIQUES

— Vous l'avez vu?... C'est moi qui ai fait le coup!...
Dès mon entrée je tenais à vous donner la preuve de
mon savoir-faire... C'est épatant, non, qu'en dites-vous?...
Il y a longtemps que je me suis fait la main. Toute
gosse, c'est moi qui démolissais les fenêtres du square
d'Anvers, sans rien dire du massacre des réverbères ni
rien des premiers globes électriques qui venaient s'écraser sur le trottoir. Je tirais aussi les sonnettes. Les
autres filles, qui n'étaient pas à la page, s'ensauvaient en
poussant des hurlements de frayeur et de joie et couraient se grouper aux abords du kiosque du gardien chez
qui elles pouvaient se réfugier en cas de danger ou de
presse, le vieux bafouilleur les défendant envers et
contre tous et pas toujours en des termes honnêtes,
brandissant sa canne d'invalide, menaçant, colère, chas-
sant les gens, après quoi il assouvissait ses sales passions
de vieillard sur l'une ou l'autre, poussant la porte, prenant sur ses genoux les plus innocentes des petites
morveuses pour les branler sans en avoir l'air; mais les
garçons, dont j'étais le chef de bande et le boute-en-train,
savez-vous comment ils m'avaient surnommée justement parce que je ne me sauvais jamais et faisais la
goulue et l'hypocrite et glissais entre les mains des
bourgeois et des boutiquiers ameutés et soupirais et

larmoyais d'un œil, feignant m'évanouir d'émotion, les
garçons m'avaient surnommée la *Fille de l'Air* (voyez,
j'aurais pu devenir souris d'hôtel!) et, postés aux quatre
coins du square, les chenapans assistaient à mon aventure, la commentant, manifestant, m'escortant de loin
quand poussée, traînée, bousculée par les plus enragées
des commères accourues on me menait chez la sage-
femme sinon au commissariat, ils bloquaient la porte
de la rue ou la porte du poste de police pour protester
contre la volée que ma mère me flanquait sous les yeux
de tous ou houspiller ma vieille quand elle venait me
reconnaître au commissariat et me ramenait à la maison
en me tirant par les cheveux et en m'envoyant des
grandes secousses dans le dos. J'avançais, tirant la
langue, faisant des grimaces, versant des larmes de
crocodile, geignant, reniflant, butant de l'un ou l'autre
pied, faisant exprès un faux pas pour me laisser choir
dans la position du grand écart ce qui surexcitait le rire
des petits gars émoustillés, mais arrivée au coin de la
place, je cavalais en avant, la vieille courant derrière moi
à toutes jambes et la marmaille du quartier à ses trousses,
la huant, la bombardant de crottin, la sifflant. C'était un
beau charivari. Un grand jour. Pétard et jubilation.
Après ça, je pouvais être enfermée pour une bonne
huitaine, tenue au pain sec et à l'eau, punie, battue
jusqu'au sang, à la main nue, avec des baguettes, avec
une lanière mouillée, salée, la peau arrachée enduite de
moutarde anglaise ou saupoudrée de poivre de Cayenne,
avec une poignée d'ortie que ma mère se procurait Dieu
sait où et à quel prix dans ce bon dieu de Paris asphalté,
pavé, cimenté, parqueté du noir des petits cubes de bois
goudronnés qui se multipliaient à l'infini des rues où
fleurissent les pâles couleurs de l'anémie, de la chlorose
à l'influenza, mais où il ne pousse pas un brin d'herbe
et en tout cas pas dans le pot de fuchsia de l'herboriste

de la rue Crétet qui fournissait la sage-femme en emmé-
nagogues mais ne tenait pas cet article grand sport cher
à ma sainte femme de mère expatriée et combien, combien
démodée. Je rigolais. Je regardais si la *jubilata* ne m'avait
pas fait venir mes menstrues. J'avais le derrière rouge
de la fessée mais ce n'était pas encore l'apparition des
règles, ma majorité. A la première occasion, je remettais
ça aux applaudissements des garçons de ma bande.
Que voulez-vous? Noblesse oblige. Déjà, je les bluffais.
C'était de la provocation. Je n'avais pas dix ans. J'étais
impatiente. Et depuis, les hommes, je les tiens. J'en fais
ce que je veux. Et je leur en ai joué des tours, ah, les
cochons! Et aujourd'hui je les paie et je me rebiffe.
C'est le triomphe de ma vieillesse. Je vais sur mes
quatre-vingts ans... Mais je me demande pourquoi je
vous raconte tout ça?... Est-ce que vous me suivez
seulement?... Je voudrais éclairer votre lanterne car
vous ne comprenez rien aux femmes... Le sexe c'est de
la chimie... C'est la môme Papayanis qui m'a attendrie...
La belle biche!... Mais revenons au fait... Vous vous
êtes chargés d'une enquête... De quoi s'agit-il?... De la
mort d'un homme... Je parie que vous avez des idées
arrêtées d'avance et que vous pensez à une histoire de
poules... Qu'en dites-vous?... C'est absurde d'avoir des
soupçons sur nous... Vous ne voulez pas répondre, mes
colons?... Nous avions toutes deux un verre dans le nez.
Je dis « suicide » et la Papayanis répond « assassinat ».
L'alcool rend lucide et prépare à toutes les audaces. Il
est trop tard. C'est fait. On ne recule pas. En vérité,
nous ne savons rien. Nous n'avons rien vu, rien fait.
Nous en avons discuté toute la nuit. La Grecque se
laissait conter fleurette par le dénommé Émile. Je crois
qu'elle était prête à marcher avec le beau mec. C'était
peut-être une canaille mais si je l'avais eu dans la peau,
je l'aurais adopté. C'est pourquoi je ne puis donner tort

à ma douce amie. J'ai moi-même un type dans la peau
depuis vingt-quatre heures et il me fera claquer, mais
ne vous inquiétez pas de lui, il n'était pas au *Radar* hier
soir et, moi-même, je n'y suis venue qu'une demi-
douzaine de fois boire le pastis depuis que je suis en
répétition à la Scala, c'est dire que je connaissais à peine
le barman, sauf par son boniment, qui était drôle;
quant à la petite, c'est pour la première fois qu'elle
entrait dans la boîte et c'est moi qui l'y ai menée. Alors?
Le patron m'est témoin, c'est lui qui a convoqué la
Papayanis au théâtre en fin d'après-midi et encore pour
me faire une crasse! Ce n'est pas vrai, dis?... Et, en fin
de répétition, c'est moi qui ai arraché à l'indécision bien
connue du patron une promesse de contrat, déclarant
que je ne voulais pas d'autre doublure que cette fille
inconnue mais qui me bottait. Dis voir que ce n'est pas
vrai, Félix?... Même que le contrat a été signé à la poissonnerie et que c'est la mère Magne qui a prêté son
stylo. C'est une chance. A cause de la coupure du courant le salaud voulait remettre la signature au lendemain
et peut-être se serait-il ravisé, il est tellement grippe-sou.
Il n'y en a que pour lui et s'il a l'air de nous choyer,
voire de vouloir céder à nos caprices, c'est pour mieux
encaisser et nous tondre à zéro-zéro, Coco, le petit
Guy et moi-même, pas, *carissimo*, ineffable *carissimo?*...
Tu ne réponds pas?... Regardez-le, figé sur son tabouret,
les doigts croisés, les yeux mi-clos, c'est la pose illustre
qu'il prend chaque fois qu'il s'agit de ses intérêts, qu'on
parle gros sous et qu'il calcule, calcule, calcule, verti-
gineusement... Une caisse enregistreuse... Un robot...
Incapable d'un sentiment... Et avec ça, il se croit artiste!...
On aura tout vu... Tu ne dis rien, non?... Faites entrer
la mère Magne puisque vous l'avez sous la main... Vous
ne voulez pas?... Pourquoi?... Vous ne répondez pas?...
On est muet?... Est-ce une nouvelle méthode d'aveux

spontanés ou pensez-vous m'avoir à l'usure ou à la fatigue en me laissant parler dans le vague et dans le vide, escomptant que je finirai par me couper, par « me mettre à table » comme vous dites dans votre jargon policier?... Moi, je veux bien. C'est une bonne blague. Je vous ferai remarquer que je ne suis pas née de la dernière pluie. Je suis même une vieille roulure si vous voulez. Notre Sérénissime Directeur le sait bien, mais M. le grand Chef de la Police de Paris m'a tout l'air d'avoir encore beaucoup d'illusions. Nous ne sommes pas des gonzesses mais des comédiennes. La bonne humeur du public, qui tous les soirs éclate de rire à chaque réplique, est notre recharge. C'est un billet de santé. Votre truc est enfantin. J'ai la langue bien pendue. Je suis entraînée. Justement, depuis trois mois, je participe à la Radio à une émission intitulée *Les Tribunaux comiques*. C'est à mourir de rire. La nouveauté du jeu consiste en ce que l'on ne nous fournit pas de texte. Au contraire. Sur un thème donné, un thème élémentaire qui s'expose en justice de paix, en correctionnel ou aux assises, chaque artiste doit s'emparer d'un personnage, improviser un état civil séance tenante, inventer un crime ou des méfaits, s'y tenir, s'en expliquer, souligner la note comique qui entre dans la fatalité qui enchaîne les actes aux velléités, aux regrets, aux remords, et, le plus drôle, c'est que neuf fois sur dix le délinquant ou le criminel est beaucoup plus sympathique que la victime et que toujours la justice, l'article du code, la cour, les juges, la police sont ridiculisés à chaque échelon. C'est un peu la morale traditionnelle de Guignol. Il y a de quoi se tordre et cette émission nouvelle a beaucoup de succès auprès du grand public. Bon. Je pourrais donc vous parler durant des heures et des heures de tout ce que vous voudrez et improviser à jet continu sans jamais m'écarter de la réalité ni des faits précis qui me seront fournis par la chronique des journaux en abondance et en détail par les romans circonstanciés et analytiques de la Série Noire. Après cela, je me demande comment les policiers peuvent encore se prendre au sérieux et croire à tant de balivernes. C'est l'*Olympe* de Daumier, un Marseillais. N'est-ce pas vrai? Il en faut une couche. Mais on ne discute pas les articles de la foi. On l'a ou on ne l'a pas. Vous avez dû vous apercevoir que je ne l'ai pas. Bon. Revenons à notre affaire. Que cherchez-vous? Le tueur. Non?... Il vous faut une preuve... Malheureusement je ne l'ai pas. J'avais hâte de m'en aller. La Papayanis avait enfin une chance de percer et de faire carrière. Le contrat n'était pas encore signé. Je lui avais promis un rôle. Je lui avais promis ma robe. Je lui avais juré de m'occuper d'elle. J'avais le béguin. Je sentais qu'elle faiblissait, je devinais qu'elle allait se laisser aller ou alors c'est le dénommé Émile qui se montrait plus pressant, plus chaud. Pour l'arracher à son envoûtement et pour faire damner l'homme, je sortis la jeune femme de la cave, comme je l'y avais poussée en entrant, et je démolis d'un coup de coude le carreau de la porte vitrée en passant, toujours pour faire damner l'homme. C'est alors qu'un coup de feu retentit à ce que l'on dit. Seul l'homme avait pu tirer, fou de rage, voyant sa proie lui échapper et nous entendant rire et filer comme une fusée. Mais nous n'avons rien perçu. Nous riions. Nous nous sommes bousculées à la porte. Nous nous sommes mises à courir jusque chez la mère Magne. C'est pourquoi je dis qu'il s'est suicidé. A quoi la Papayanis répond qu'il a été assassiné. Après tout, est-ce qu'il est mort, vrai? Nous n'en savons rien. Nous en avons discuté toute la nuit. Naturellement, prête à se laisser entraîner par la passion, la Papayanis a peine à y croire et ne peut admettre un pareil choc en retour; mais moi, connaissant bien les réflexes des mauvais

garçons, j'y crois. Mais, en réalité, nous n'avons pas
entendu le coup de feu ni elle ni moi, nous poussant
pour passer l'étroite petite porte en vitesse, sous les
éclats de verre qui dégringolaient avec un grand bruit,
dans les éclats de rire qui crépitaient et prenant notre
course comme deux folles. Voilà. N'est-ce pas convain-
cant?... Vous ne bronchez pas?... Vous ne dites toujours
rien?... C'est bien... Qu'est-ce qu'il vous faut?... On
s'en fout... Tout cela est déjà loin derrière nous. J'ai
pu téléphoner. Je l'ai fait en douce d'un petit bureau
où la Kamarinskaïa s'était endormie. On l'avait oubliée.
La grande-duchesse n'y est pour rien. Je ne l'ai même
pas réveillée. Renvoyez-la donc chez elle. Merci. Elle
doit faire ma robe. C'est urgent. Elle a à coudre tous
mes diamants... Et maintenant, permettez-moi de vous
annoncer les fiançailles de ma protégée avec mon ami
Jean Chauveau, oui, l'ingénieur, l'associé de Max Hyène.
On vous invitera au mariage, soyez-en certains. Cela
fera un grand tralala, le monde du théâtre, le monde du
grand négoce parisien, le monde tout court en la personne
de LL. AA. le prince de Sauternes en chair et en os et
de la Princesse, et à défaut des militaires et des députés
dont je ne veux à aucun prix car ce sont des lâches, le
Président du Conseil lui-même, l'illustre Horace Loupiot,
qui est un grand copain de mon ancienne bande du
square d'Anvers. Coco aura l'occasion de bâtir une robe
de ville, une robe de reine, une robe de reine de jeu de
cartes, pas, ma belle?... Viens que je t'embrasse!...
C'est une surprise, même pour toi... Je ne t'avais rien
dit... Jean est d'accord... « D'accord, je tire la dame de
Carreau », m'a-t-il répondu au téléphone... Et comment
disait-il, le beau Capitaine du *Radar*?... *A la Belle Dame
sans Merci*... Ce devait être sa nouvelle enseigne... Tu le
regrettes?... Jean va venir te chercher avec la voiture...
    Les deux femmes s'enlacèrent.

— On ne pleure pas, chuchotait Thérèse. Retiens-toi. Fixe!...

Et après un moment d'émotion, voyant que les deux hommes ne bronchaient toujours pas, la vieille bougresse reprit comme si de rien n'était :

— A propos de Coco, je n'aurais qu'un mot à dire pour vous faire rougir de honte, monsieur le Chef de Police, et obtenir mon exeat, notre exeat à tous séance tenante, mais j'ai promis à votre neveu de ne pas froisser l'honnête homme que vous êtes et de ne pas employer des gros mots. Vous ne pouvez savoir combien cela me coûte. Mettre de l'ordure dans son vocabulaire est la seule grâce qui reste à une très vieille femme qui se sent déjà abandonnée de Dieu depuis la ménopause et le sera bientôt et définitivement des hommes, mais qui ne veut pas abdiquer. J'aime mieux mourir que de me mordre la langue. Je puis encore vous bluffer. Tâchons de le faire décemment. Avec mon cher patron, ce n'est pas la même chose. Nous nous disons nos quatre vérités et depuis le temps que nous nous chamaillons, nous nous aimons bien et nous nous estimons. C'est affaire de métier. Le théâtre est hors de question quels que soient nos différends. Nos pires injures viennent du cœur. Après c'est de la rigolade... féroce! Cela aussi fait partie du métier qui n'exclut pas le genre bénisseur très répandu au théâtre, ainsi que l'entraide, la compréhension mutuelle, l'altruisme, la fraternité et l'oubli de toutes les défaillances physiques ou amoureuses, hi hi! Mais les affaires sont les affaires. Ainsi je sais très bien que je ne dois pas pouvoir compter sur Juin pour sortir cette nuit d'ici si mon directeur n'y voit pas son intérêt immédiat. Un homme comme Félix ne se compromet jamais ni dans un sens ni dans l'autre. Sait-on jamais? Son intérêt est peut-être d'arrêter la pièce avant d'engager de plus grands frais. Par ailleurs, je suis certaine que Juin

ne va pas rater l'opportunité de réaliser un grand coup
grâce à cette affaire idiote d'un suicide ou d'un assassinat qui loin de nuire à la pièce peut la faire rebondir
d'une façon inespérée à la dernière heure. Je m'en porte
garant, un homme à la page comme lui a déjà dû miser
sur les journaux. Il s'est déjà mis en rapport avec les
salles de rédaction. Sa publicité est admirablement agen-
cée. Reporters, photographes, échotiers sont à sa dévotion. Il peut étouffer le scandale sans nom ou le faire
mousser. N'en doutez pas. Juin se réjouit. Il m'admire
et m'applaudit en son for intérieur. Il doit trouver le
numéro que je suis en train d'exécuter en ce moment
devant vous plus fort et encore plus inattendu que le
numéro désespéré que j'ai improvisé de toutes pièces
cet après-midi en fin de répétition devant lui et qui a
porté et a si bien réussi que cela va chambouler toute la
mise en scène de *Madame l'Arsouille*. Et que voulez-
vous que j'y fasse?... Déjà Montauriol est en train de
remanier des scènes et d'ajouter des tableaux. Le nouveau rôle de la Papayanis est assuré. Coco est en train
de brosser ses décors. Et bien d'accord avec moi, le
rideau tombera sur l'apothéose horrible et pathétique du
NU à la manière de François Villon, le clou du spectacle.
Que voulez-vous que j'y fasse?... Tout cela s'est décidé
tout seul... C'est comme ma déposition... Un autre
spectacle plein de trous... Et par l'un de ces trous passe
un bras d'homme, un bras gauche, une main gantée,
une main gauche à ce que l'on dit, et qui tient un lourd
pistolet braqué, ce long rifle qui pèse de tout son poids
devant nous sur cette table, tout reluisant d'électricité
et comme astiqué... neuf... neutre... énigmatique... innocent... n'ayant jamais servi ou pour la première fois...
Que voulez-vous que je vous dise?... De par les dimensions de la mitaine gauche soi-disant ramassée par terre,
et je me demande pourquoi on l'aurait abandonnée et

comment le type qui s'est éclipsé en vitesse aurait eu le temps de s'en défaire, de la retirer sans la retourner car de toute façon elle me paraît un peu juste, un peu étroite, on peut croire que c'est une femme qui l'a agi... une femme... ou même un enfant... Mystère... Mais il n'y a pas de mystère... Ce que je dis est peut-être absurde, j'affirme qu'il n'y a pas de mystère... Il n'y a que la matérialité des faits... A ce propos, je pense que le Chef et ses experts et ses spécialistes de police sont bien d'accord avec moi, il n'y a que la matérialité des faits qui compte... Alors, que concluez-vous?... Comme Jean Lorrain et Marcel Proust j'ai le bréchet très développé, ce qui me donne une allure de force, surtout avec la voussure de l'âge qui me pousse les épaules en avant, ce qui me fait un thorax de lutteur de foire sur le tard, alors que je ne suis qu'une pauvre vieille sans force. Regardez ces bras! Jamais ils n'ont été bien solides, sinon je ne me serais pas laissé boxer en Amérique du Sud par mon mari Esquirol, le ténor, sans lui rendre ses coups. D'ailleurs, si j'aime les coups, jamais je ne saurais les rendre faute de muscle. Ce qui a mieux valu, d'une part, pour sauver l'esthétique de mon visage qui n'en a pas trop souffert — sauf le gnon de l'autre nuit que je porte et que je porterai avec honneur jusqu'à la fin, quoi qu'on en dira! — et, d'autre part, pour mon comportement général dans la vie qui m'a fait passer pour une femme non vindicative alors que je suis brutale et pas douce pour un sou, mais sur un autre plan que la force physique et avec cruauté. Monselet rencontrant un soir Charles Baudelaire à la terrasse d'un café sur les boulevards, lui demande : « Qu'est-ce que vous faites là, cher ami? » Et Baudelaire de lui répondre avec férocité : « Mon cher, je regarde passer les têtes de mort... » Sortant avec la Présidente du casino de Monte-Carlo, je dis à Jean Lorrain, qui était un petit costaud, corseté,

dur, arrogant et que je trouve dégonflé sur un banc,
avec une migraine, n'ayant même plus envie de boire
une chartreuse verte : « Vous avez pris la veste, beau
mâle? — Je ne savais pas que les portes des cimetières
sont ouvertes la nuit. C'est déconcertant... », me répondit-il en me désignant la foule des décavés, des décalvés,
des jeunes crevés et des ex-grandes dames décaties sortant des salons. Il était passé minuit, et de beaucoup.
L'heure du crime. Le crime des riches. On portait la
Présidente à son hôtel dans une chaise à bras. Je traversai
la chaussée pour lui faire escorte jusque dans sa chambre.
Elle n'avait pas encore Sam. C'était bien avant la guerre.
Nous nous aimions. Quand je me mis au balcon pour
griller une cigarette, je vis Jean Lorrain s'éloigner,
escortant à trois pas un vieux beau qui plastronnait
dans la journée dans les jardins, le photographe de la
plage, au sourire professionnel, à qui le poète avait refilé
un collier que Sarah Bernhardt lui avait donné en souvenir, des fausses perles. Idylle au clair de lune. Sous les
palmiers. Une loque. C'était la risée de la principauté.
Quant à Marcel Proust, jamais je n'ai pu croire qu'il
s'était laissé mourir de faim, son œuvre accompli, ainsi
qu'a voulu me le démontrer Blaise Cendrars au lendemain
de sa mort, me disant : « *Le temps retrouvé* paru en
librairie, Marcel n'avait qu'à disparaître, il n'avait plus
rien à dire. Ne pouvant se suicider, pour ne pas attirer
l'attention sur sa personne le sodomiste s'est laissé mourir
de faim, abusant de la maladie. C'est sa dernière élégance de snob et la conclusion logique de sa vie et de
son œuvre d'athée... » car la seule fois que je suis montée
chez lui, boulevard Haussmann vers les trois heures du
matin, j'ai cru avoir affaire à un véritable taureau. Je
ne l'ai pas vu, vu de mes yeux. Il prenait ses fumigations
dans sa chambre de liège. Mais sa vieille bonne, Françoise, après m'avoir flairée sur toutes les coutures durant

une grande demi-heure pour se rendre compte que je ne portais pas sur moi un subtil parfum capable de faire tomber son auguste patron dans les pommes et lui donner des convulsions (l'Allemand Schiller, le dramaturge, ne supportait pas, lui non plus, le parfum suret des pommes qui l'écœurait comme l'odeur spécifique des menstrues, devait m'exposer un jour mon mari Maurice Strauss, très ferré sur ses questions de courts-circuits sexuels qui le passionnaient et qui collectionnait les clés de la chose littéraire, création et subconscient chez les gens de lettres), Françoise entrouvrant la porte du maître me laissa voir une silhouette énorme, toute déformée par les vapeurs d'eucalyptus et hurlant comme une ombre inconsistante dans les volutes d'une étuve, Hercule se débattant dans une buanderie, glissant sous une lampe à pétrole, secouant les nœuds de serpents gluants, baveux, éructant des glaires, la voix explosive, s'étranglant, fusant : « Partez! partez! mon gros rat, ma belle ange! Et excusez-moi. J'ai ma crise... » Jamais je n'ai eu une telle impression de force physique. Il était taillé pour vivre mille ans. Un athlète. Et regardez-moi, pauvrette... Comment voulez-vous, même des deux mains, avec ces faibles bras de vieillarde, que je tienne un aboyeur?... Je n'ai pas de biceps... C'est idiot... Peut-être que la Papayanis, grâce à ses exercices, son entraînement, le maniement quotidien des massues de gymnastique est devenue ambidextre et saurait manier de la main gauche un aussi gros pistolet; mais je me porte garante : pas plus que les autres habitants de son île natale, elle ne se doute pas des possibilités ni a la moindre idée de ce que peut être une arme à feu moderne. Jamais elle n'y a pensé. Elle n'est pas méchante. Elle a les armes de sa beauté. Elle paraît. Elle séduit. Elle blesse. On peut en mourir à son insu. C'est tout naturel. Et s'ils sont très costauds, les pêcheurs, et si toute la population de son pays rocheux a les mains comme les pieds, c'est-à-dire déformées et noueuses, jamais cette belle jeune femme n'aurait pu enfiler la mitaine d'écolière ou de première communiante! Alors, quoi?... Vous n'avez pas de chance... Et si l'on admet que j'aurais pu tuer cet homme pour m'amuser, depuis vingt-quatre heures j'étais amoureuse d'un autre voyou, ce n'était vraiment pas le jour... Avouez que ce n'est pas sérieux, non?... C'est pourquoi je crois au suicide... Nous avons discuté toute la nuit. Nous avons mimé la scène. La Papayanis ne se souvient pas avoir frôlé quelqu'un. Moi non plus, même pas un Nègre dans le noir. L'escalier de la cave était étroit. On ne pouvait s'y engager à deux de front. Nous avons tout envisagé. Il ne pouvait se tenir derrière la porte. Pour tirer de l'extérieur, le type devait être long comme un fil de fer, souple et adroit. Du trottoir, il devait se pencher en avant, s'appuyer d'une main sur le chambranle de la porte pour pouvoir viser de l'autre main soigneusement entre les deux yeux. Votre inconnu est un acrobate. Même s'il a tiré à la volée, c'est un as. A la rigueur, moi qui suis petite, j'aurais pu passer sous ses bras sans le heurter, mais jamais la Papayanis n'aurait réussi, elle qui est grande et bien faite. De toute façon, le coup aurait dû partir à notre oreille et nous aveugler et nous n'avons rien entendu, rien vu. C'est bizarre. Et la balle aurait dû pénétrer du haut en bas, selon l'angle de tir. Mais si elle a pénétré de bas en haut, c'est que le barman s'est suicidé, même si l'angle est obtus... Laissez-moi téléphoner au docteur Paul... Mais peut-être que vous possédez déjà le renseignement et que vous êtes fixés sur ce détail... Je n'ai pas vu le cadavre, je n'ai donc pas de théorie. Je ne puis rien dire. Je n'ai rien vu. Je ne sais rien. L'absence de pigmentation de la peau n'est pas une preuve d'assassinat. Il y a des armes ultra-modernes sans poudre comme il y en a munies

d'un silencieux. Vos spécialistes et vos experts sont là
pour trancher la question... S'il y a eu crime, c'est un
crime parfait... Les journaux vont le crier sur les toits,
mais je demande à voir et à toucher du doigt comme
Thomas... Je n'ai pas de système... Picasso fait de la
peinture au pistolet, ce qui est à la mode, et Helena
Rubinstein annonce qu'elle va lancer à Hollywood un
pistolet à maquillage que toute femme élégante voudra
avoir dans son sac à main à côté de son bâton de rouge
à lèvres et de son briquet... Que voulez-vous que je
vous dise de plus?... Le coup n'est pas parti tout seul...
Se baser sur la dextérité d'un gaucher de naissance,
c'est se moquer du monde. Pourquoi arrêter Kramer?
C'est absurde. Et je ferai tout ce qui est en mon pouvoir
pour le tirer de là. Je m'adresserai à mon chenapan de
Loupiot que j'ai rencontré l'autre jour à la première de
Cocteau, le prierai d'intervenir et il sera ravi de jouer
un dernier mauvais tour aux flics. Les enfants terribles
ont bonne mémoire, vous ne croyez pas?... Kramer,
mais c'est mon frère!... Je ne dirai pas mon frère de
lait comme cette Victorine qui est réellement ma sœur
de lait, mon aînée, mais qui déraille et ne sait plus ce
qu'elle dit. Kramer c'est mon grand frère spirituel,
comme qui dirait ès muses françaises. C'est lui qui m'a
dirigée sur les planches ces vingt dernières années et je
lui dois presque tous mes derniers succès, ma métamorphose. M'ayant vue dans un boui-boui à Barcelone et
fait jouer des pannes au cinéma, où j'étais pendable,
c'est lui qui m'a conseillée et fait travailler mon comique,
composer ma propre caricature en soulignant cruelle-
ment les marques du temps, les ravages des soucis et
des peines de ma vie aventureuse, les stigmates de mes
vices pour me faire une gueule plus outrée qu'un
masque de tragédie antique, Méduse, Euryale, Sthéno,
me maquiller la voix, être canaille, avoir l'air de vouloir

me moquer de moi-même en m'exhibant, montrer son
cul, ce qu'aucune femme n'avait encore osé faire à la
scène, grâce à quoi je puis mourir tranquille et plus
célèbre que l'illustre Sarah Bernhardt, cette mauvaise
actrice sucrée qui disait si mal les vers avec sa voix d'or
et que j'ai fini par pousser dans l'oubli, l'enterrant
sous mon réalisme de vieille sorcière à la Goya et la
poésie cynique d'aujourd'hui qui ne recule devant rien
et sait tout dire, ce dont je suis profondément reconnaissante à Kramer. N'est-ce pas, Félix, qu'on peut l'écouter
et qu'il est souvent de bon conseil dans les questions de
métier?... Il est vrai qu'il est aussi emmerdant que son
érudition est savante et indiscutable. Je parle du théâtre
car à la ville c'est un niais. Il est contre le mal. Il n'entend
rien à l'amour. Moi, il voulait toujours « m'élaguer ».
Vous entendez? C'est le terme dont il se servait. C'est
un âne. J'ai un faible pour lui. J'en fais ce que je veux.
Je saurai bien intéresser le Président du Conseil à ce
grand innocent. Vous me faites rire en prenant P'tite
Maman pour un tueur!... C'est curieux comme Jean-
Baptiste me rappelle mon mari Maurice Strauss, mais
en plus pédant, bohème et autoritaire, alors que l'autre
était plus sceptique et doutait de tout, tout en se fusti-
geant pour se punir d'avoir l'air d'en avoir l'air et voulait
se couper les roupignolles pour ne pas paraître être
amoureux de moi. Ah, les hommes!... Malgré ses rodo-
montades et ses caracoles de fier-à-bras ce Don Quichotte
ne ferait pas de mal à une puce. Il y a de quoi se tordre.
Pensez, un géant. Mais sorti de ses livres et de ses journaux, il n'existe pas. C'est un foireux. Dieu, ce que la
vie peut être mal faite!... Déjà mon mari était comme ça.
De quoi est-il mort Maurice Strauss? Le médecin trai-
tant parlait de dispepsie nauséabonde, *Dispepsis putrida*...
Ah! ma fleur, ne te marie pas!... Je flanche... Je suis à
bout... J'en ai marre... Viens, que je t'embrasse!...

Et les deux femmes s'enlacèrent.

— Ne fais pas attention, fais pouce! chuchotait Thérèse. C'est du chiqué. Je les possède. Le vieux marche. Jean est en bas qui t'attend avec la voiture. La ferme! C'est fini. Il n'y en a plus pour longtemps... J'ai rancart...

Voyant que les deux hommes ne réagissaient toujours pas, la vieillarde enchaîna tout à coup d'une voix rauque et en éclatant de rire :

— Ha! ha! ha! l'ai-je bien descendu?... Je vous ai fait marcher, hein?... Vous croyiez que j'étais finie... Que j'étais à bout... Que votre nouvelle technique de faire subir la question sans bourreau ni aide-bourreau est psychologiquement infaillible et qu'en laissant parler, parler une vieille femme qui se détraque comme un rouet qui se dévide tout seul, elle finirait par s'embrouiller, par s'emmêler, par se confondre elle-même, par bafouiller, ha! ha! ha!... par « se mettre à table », hein?... et pour parfaire ses aveux spontanés, qu'il ne reste plus qu'à la pousser, qu'à la tremper dans la baignoire pour lui faire répondre en écho à des ultimes questions très précises, très astucieuses et contradictoires... Que c'est drôle!... Vous n'entendez rien, vous?... La baignoire se remplit derrière la cloison... Ce n'est pas la Seine qui coule... C'est comme quand on descend le rideau de fer au théâtre. Tu n'entends rien, Félix?... Pour percevoir aussi nettement le bâillement de la machinerie dans les fonds et le renversement des vannes dans les profondeurs du sous-sol et ce grand écoulement d'eau étouffé, il doit être au moins quatre heures du matin, l'heure creuse, l'heure de la fermeture de nos répétitions depuis un mois, et vous n'avez pas honte, vous, Chef, et vous n'avez pas pitié, pitié de la fatigue de deux femmes qui triment jour et nuit sur leurs jambes et qui vont encore s'avachir sur les planches durant les huit derniers jours éreintants, durant les

huit dernières nuits fiévreuses qui nous séparent de la
générale que tout Paris attend avec impatience pour
nous faire subir avec frénésie et sadisme le martyre
de saint Sébastien... Vous ne trouvez pas la carrière
assez dure comme ça pour des fières et frêles et dolentes
créatures que le public va cribler de bravos, d'applaudissements, d'ovations assourdissantes mais aussi exténuantes que les coups de sifflet hystériques qui les
sacreront vedettes pour la saison ou panouillardes à vie,
ou l'épuisement fait-il également partie de vos nouvelles
méthodes psychologiques?... Cela paie-t-il au rendement
ou êtes-vous encore au stade de l'expérience, des tests?...
Vous n'avez pas l'air trop sûr de vous... Pourtant, je
vous ai fourni un beau scénario pour les journaux et
qui aurait pu vous tirer d'embarras; mais vous man-
quez de fantaisie et que vont-ils dire de vous maintenant si, en sortant d'ici, je leur rapporte que vous
nous avez tenues pendant douze heures debout dans votre
bureau, Chef, sans même nous offrir une chaise, la
Papayanis, cette belle jeune femme dont vous avez envie,
cela se voit, et que tout Paris va s'arracher, avec la
chance qu'elle a, à son âge, de débuter dans le rôle
d'une tueuse, un premier rôle improvisé pour elle, et
moi, une roulure, c'est entendu, une momie d'art,
déjà exposée et exploitée dans tous les spectacles, mais
qui vais, à quatre-vingts ans et après avoir brûlé le
cierge par les deux bouts, montrer mon nu de vieille
en apothéose consternante, et cela fera un effet bœuf,
j'en suis certaine, et même si cela ne dure que quelques
minutes, cela demeurera inoubliable et marquera une
grande date dans l'histoire du théâtre et de la civili-
sation. J'ai besoin de toutes mes forces et de dépenser
tous mes moyens pour percer une dernière fois et
gagner, mériter, occuper de haute lutte ma place dans
la mémoire des hommes, et, en vérité, la vieille ne l'aura

pas volé! D'autant plus que je vous réserve une surprise
à tous. Mon nu sera signé. Ça ne s'est encore jamais vu!
Je vais me faire tatouer dans le haut de la cuisse : *A
Vérole pour la vie!* Ça vous en bouche un coin?... Na,
cherchez... et j'arborerai tous les bijoux de la Présidente, elle m'en a donné plein un sac, cela ne vous dit
rien?... Ça bisque, hein!... Attention, si ce n'est pas la
Seine qui coule ou la baignoire qui s'emplit à déborder,
c'est un magnétophone derrière la cloison... Enregistrez,
enregistrez tout, enregistrez... C'est marrant. J'ai l'habitude du studio. Cela finit toujours mal pour la Police,
d'où le succès toujours renouvelé de nos *Tribunaux
comiques*... Mais écoutez-moi bien. Moi, la vieille catin
au bec dur comme ma tortue fétiche, je croyais être
revenue de tout depuis longtemps et avoir déjà tout
vu, j'avoue n'avoir encore jamais été témoin d'une
pareille muflerie, Monsieur!... Écoutez, nous sommes à
Paris, que diantre!... Votre manquement aux usages
de la capitale peut vous coûter votre situation si je
raconte ça aux journaux. «Paris appartient aux artistes,
aux seuls artistes!» m'affirmait Max Jacob, un poète.
Qu'on vivait loin de la Police, alors! Il n'était pas question de la baignoire ni de l'homme à la phalange d'ivoire.
Ni des camps ni des fours. Ni des baraquements de la
proche banlieue où l'on a laissé Max Jacob crever de
froid comme un sale Juif au milieu des siens, à Drancy.
Il n'était pas question de laisser régir la France par un
consortium de Police. Sale politique. C'est une honte...
Écoutez, écoutez-moi... Dire que Coco, votre neveu,
s'était porté garant de la parfaite galanterie de son oncle,
Toison d'Or, en foi de quoi je lui avais promis de respecter
l'honnête homme et de ne pas mentionner l'effroyable
surnom de Cloche-Merde que la pègre lui a donné pour le
fader et lui faire avoir le frognon, ce dont je me fous
éperdument aujourd'hui si tout Paris doit s'en gausser,

après moi... Permettez, permettez... ne dites rien...
Faites avancer la garde, ce n'est pas votre tour... Je veux
aller jusqu'au bout... C'est ma dernière récréation...
Je veux rire... Vous êtes natif du Taureau... Moi de la
Vierge... Vous voyez rouge... La Vierge est habillée
de bleu... Il y a erreur sur la personne... Je ne vous
crains pas... Vous ne comprendrez jamais rien à rien,
mais vous êtes bel homme... Hi, hi, hi!... Tu viens, ma
belle?... On va faire dodo... Nous filons, c'est l'heure...
Tu auras encore cent fois l'occasion de revoir l'homme-
chien et lui, de te tourner autour en reniflant et de lever
la patte... Viens, partons... Bonsoir, Messieurs, ou plutôt
bonjour, bien le bonjour, il fait matin... A la prochaine!...
Par exemple, à l'heure de la reconstitution du crime si
vous n'avez pas changé d'avis d'ici là... A propos, Félix,
on répète quand?... J'ai rancart... Je ne serai pas libre
avant ce soir... Et cette garde, elle ne vient pas?... Bien
le bonjour... A la revoyure!...

Heureusement que la vitre du bureau avait déjà sauté
en morceaux, sinon elle en aurait encore pris un bon
coup tellement la porte se referma avec violence derrière les deux femmes.

Thérèse n'était nullement effarouchée, mais elle jubilait, descendant l'escalier de la grande maison quatre à
quatre, kickant la sabretache de feu le colonel Oscar
de Pontmartin, les bijoux d'Antoinette faisant boule
comme un ballon de football dans un filet portatif.

En bas, debout sur le pas de la porte cochère du
quai des Orfèvres, cherchant des yeux la voiture de
Jean Chauveau rangée derrière les 4 CV Renault et les
motocyclettes noires de la Police, lui faisant signe
d'avancer :

— Ha! ha! ha!... tu as vu, ma fille? Voilà comment il
faut les traiter, les hommes, à l'esbroufe, je les ai eus,
hein!... Prends-en de la graine, mon cœur, et tâche de

ne pas te faire empapaouter par ton tout dévoué Jean. Il ne faut pas qu'une femme se laisse mettre le grappin dessus...

En haut, dans le bureau du chef, les deux hommes étaient restés sans bouger, le cul vissé à leur tabouret, M. Jean de la Haulte-Chambre manifestement colère, congestionné et honteux, Félix Juin, les jambes croisées, les mains nouées autour du genou haut, se balançant légèrement en arrière, la tête renversée, tenant le Directeur de la P. J. au bout de ses yeux froids comme un entomologiste un insecte venimeux au bout de ses pincettes, prenant ses distances et susurrant avec ironie :

— Qu'en dites-vous? Je vous avais prévenu, Toison d'Or. Thérèse est une fine mouche. Elle a de l'entregent, mais il y a beaucoup à retenir pour en tirer profit dans tout ce qu'elle a pu nous raconter. Qu'allez-vous faire?...

En bas, une longue Bentley silencieuse vint se ranger devant le porche officiel où flottait un drapeau.

La portière s'ouvrit automatiquement.

Les présentations faites, Thérèse se défendit de monter en voiture et de se faire raccompagner.

— Non, mon Jean, non. Je ne peux pas. Je ne suis pas libre. Mon homme est jaloux. Je te confie ce que j'ai de plus précieux au monde. Mon cœur. Emmène-la avenue du Bois et une bise au vieux Max Hyène. Comment va-t-il? Dis-lui que je viendrai pour le mariage. Au revoir. A bientôt.

Et frottant son museau dans le cou de la Papayanis déjà installée sur la banquette avant, à côté de Jean, elle lui chuchota vite à l'oreille :

— Tu as vu, c'est un chic type, hein?... Mais trompe-le quand tu en auras envie. Ce ne sont pas les amateurs qui manquent, ne serait-ce que le Chef, là-haut, qui est un bel homme... et aussi cette sacrée petite fripouille de Guy, qui a du génie et qui te guette... et qui peut

encore nous être utile, sait-on jamais? Mais attention!... *Bye-bye, Baby!...*

— J'ai été joué comme un enfant, tonnerre! Mais
ce que je regrette le plus, c'est de l'avoir laissée filer
avec les bijoux, répondit le chef de Police à Félix Juin.
C'était bon à prendre...

— Pensez-vous, l'interrompit le directeur de théâtre.
Je les ai vus. C'était du toc. Ils sont tous faux...

En bas, la Bentley démarrait...

Thérèse se mit à courir jusqu'au bout du quai, tourna
le coin, traversa le pont et s'engagea prestement dans le
dédale des rues encombrées qui mènent aux Halles.
Elle se retournait fréquemment pour voir si elle n'était
pas filée, suivie. Les traversières et les ruelles étroites
et sales dans lesquelles elle se faufilait pour brouiller sa
piste la menèrent à la pointe Saint-Eustache, d'où elle
se laissa glisser par la rue de la Réale (où elle avala un
glasse au zinc, chez Monteil) jusqu'aux Innocents.

Il s'était mis à pleuvoir, une fine pluie d'hiver.

La place populacière était éclaboussée par les feux
d'une enseigne lumineuse dont les lettres roulant du
toit couraient en zigzags sur la façade d'un restaurant,
faisant une traînée en queue de comète derrière des
mots qui éclataient en rouge, en bleu, cerclés et désignés
d'une flèche *Soupe à l'Oignon, Bal, Ouvert toute la nuit*,
une traînée verte intermittente... *Au Père tranquille...*
Au Père tranquille... Au Père tranquille... Au Père tr...

— A moi la Légion! hurla Thérèse en se ruant dans la
porte-tambour.

Un homme enjamba la balustrade et se laissa choir de
la mezzanine parmi les danseurs de l'établissement.

Thérèse lui sauta au cou avant que ne se déclenchât
la bagarre.

— Emmène-moi au bout du monde, Vérole! Je suis
pistée. Foutons le camp...

L'homme prit Thérèse dans ses bras, fonça, la fit voltiger pour se frayer la voie jusqu'à la porte, sortit de l'établissement sans payer, jeta la vieille femme dans un taxi, sauta derrière elle, disant :

— Tu vois, je suis déjà en civelot. J'ai choisi. Je déserte. Je te planque, vérole! C'est à la vie. Foutons le camp...

— Ce que les femmes sont emmerdantes, disait le Directeur de la P. J. à Félix Juin. Tu piges, Ménélas?... C'est un poison... Qu'allons-nous faire?...

LA SIESTE

— Vérole, où me mènes-tu?

— Suis-moi, j'ai ma planque, vérole!

— Je les laisse tomber?

— J'ai choisi. Je déserte, vérole!

— A la vie et à la mort! dit la vieille.

— Ça s'arrose. On fera l'échange du sang chez le père Owen, mignonne, un englandé. C'est un ancien clergy qui a jeté son froc aux orties. Il était clairon à la Légion. C'est un frère. Ah, quelle équipe, vérole! Tiens, entre là-dedans. Glisse-toi, hé! Avance un peu. On ferme. Pas vus, pas pris. Je boucle tout. Attention, je fixe la planche...

Ils avaient changé trois, quatre fois de taxi pour brouiller leur piste en ville. Maintenant, ils remontaient à pied la rue des Amandiers, la rue de la Paix de la pègre. Ménilmontant est un quartier tout en ruelles tordues, venelles, terrains vagues, cabanons, cours, jardinets, fermes, locatis de rapport, usines à louer, ateliers, bistroquets, distilleries clandestines comme à la Petite Italie à Chicago, places et placettes, rues qui montent et qui descendent, escaliers à pic, impasses qui n'aboutissent pas, glissières, vieux murs, treillages et palissades, caves à fromage. Ça schlingue et ça tape. Et l'on était en hiver!...

Au fond d'une impasse, ils venaient de forcer la palissade d'un équarrisseur, dont le soldat remettait la planche mobile en place.

— Vas-y! Et maintenant je passe devant pour te guider, tu n'as qu'à me suivre. On va chez l'Angliche. Ne glisse pas, bon dieu! Ça grimpe dur. C'est raide. Ne te fous pas par terre. Fais pas de pet. Le frérot n'est pas commode. Je te mène chez le tatoueur. C'est rigolo, hein? Il y en a encore pour dix bonnes minutes. Il n'aime pas les femmes, tu sais. On va rire...

L'homme y mettait de la passion comme un gosse qui vous explique le plus beau jeu du monde qu'il vient d'inventer.

Comme une môme amoureuse, Thérèse suivait son partenaire sans rien dire, trébuchant dans la sente qui contournait des barrières détériorées et des touffes de lilas et de sureaux maigrichonnes et mal venues au flanc de la butte qui s'élevait peu à peu comme la motte d'un château fort en ruine, catacombes, puits, anciennes carrières, plâtrières, tuileries, galeries de mine, grottes, marches, escaliers, cavernes, flaques d'eau et flaques de boue, empreintes profondes autour des murs de soutènement, dominant Paris dont les fenêtres, les toits, les fumées, les lumières, le brouhaha tragique et menaçant, les sifflets des locomotives dans le lointain s'estompaient dans la brume et dans la bruine.

Il faisait encore nuit.

Il faisait froid.

Il pleuvait sans discontinuer.

L'eau était glacée.

On était à la mi-décembre.

A l'est, un semblant d'aube se noyait dans une glaire.

— J'ai pris par le plus long, c'est plus sûr, fit le légionnaire. Il y a d'autres entrées, vérole! C'est pépère, hein? Tu es la première moukère à venir chez nous. C'est notre palace...

On venait de descendre deux cents marches et d'en remonter cent cinquante, l'homme donnant la main à Thérèse pour qu'elle ne se torde pas les pieds et ne restât pas en panne dans les fascines dégoulinantes.

La terre s'éboulait.

— Entre, dit-il.

On était dans une excavation pas plus grande qu'une cagna creusée dans de la glaise.

Le légionnaire éteignit sa lampe de poche.

— Sais-tu où nous sommes ici? Vérole, à vingt-cinq mètres sous le plancher des studios de la Radio-Télévision Française, comme qui dirait aux premières loges. Ils peuvent faire tout le boucan qu'ils veulent, on n'entend rien. C'est bath, hein! La voix du monde s'arrête à notre gourbi. Il y a de l'électricité partout. Durant l'occupation, le vieux frère avait branché sur la colonne *Gaumont* et c'est les Allemands qui payaient le jus; aujourd'hui, ce sont les Américains qui le coupent. C'est rien farce, mais c'est chouette. C'est ce que la Légion a construit de mieux. De la belle ouvrage, à la main et pour les copains. De la cellule des condamnés à mort de Sidi-bel-Abbès les chemins secrets de la liberté débouchent ici. C'est comme qui dirait notre salon de beauté. Le père Owen nous refait une virginité. Détatouage et faux papiers. Vive la Légion, tu vas voir...

Et le tankiste donna trois coups de sifflet lugubres entre ses doigts.

On était dans le noir.

On attendait comme dans une prison.

Et au bout d'un long moment on entendit comme dans une prison une clé forniquer dans une serrure. Des verrous furent poussés. La porte s'ouvrit et un flot d'électricité inonda les deux visiteurs.

— C'est toi?... fit une voix languissante. Je t'attendais. Je te savais à Paris. Je te croyais déserteur...

— Je le suis, sans l'être, tout en l'étant. Je le suis depuis minuit. Cela ne paraîtra que demain matin au rapport, répondit le légionnaire.

— Et pourquoi t'amènes-tu par ici? demanda encore la voix dolente. Tu ne pouvais pas faire le tour et entrer par le tunnel comme tout le monde?...

— On était pressé. Nous sommes traqués...

— Entrez, l'interrompit l'homme. Mais qui est-ce? Tu sais bien que je ne veux pas de femme. Ça sent...

— *All right*, fit le soldat. Nous ne nous éterniserons pas, nous décamperons. On venait pour l'échange du sang. C'est urgent...

Son compagnon poussa Thérèse devant lui. Ils entrèrent dans une carrée méticuleusement propre.

Il y avait des projecteurs et tout un matériel électrique de cinéma et des accessoires de prise de vues, mais ce qui surprenait le plus était une cuisinette en matière plastique, frigidaire émaillé, vaisselle de couleurs, le tout bien astiqué. Chaque appareil de ciné portait la marque Gaumont; les ustensiles de cuisine une marque allemande, Jupiter.

— Ne fais pas attention à lui, mignonne. Il ne sait pas. C'est un braque. Depuis cinq ans qu'il n'est pas sorti! C'est un bagnard évadé...

— D'Allemagne? demanda naïvement Thérèse.

— Mais non, mignonne, du Sud, de l'extrême Sud, lui répondit son homme.

Et il se mit à faire bouillir de l'eau et à préparer des grogs. Une dame-jeanne de rhum était sur la table. Il apporta des verres, trancha un citron, sucra fort, mit un clou de girofle, râpa une noix de muscade, ajouta du poivre, un piment, des raisins de Corinthe, un dé

de pain grillé imbibé de fine champagne. Il y avait de
tout sous la main.

— Ah, fit Thérèse, je connais le Maroc...

— Ah, fit l'Angliche qui venait de refermer la porte
de la chambrée et de repousser les verrous à fond,
Ma-dame connaît le Maroc. Il y a de quoi se tordre!...
Tu l'entends, Jeannot, elle me fait rire, mais ta vieille
est une riche môme!... Qu'est-ce que vous foutez dans
la vie, vous?

— Je suis actrice.

— Ah, elle est bien bonne! fit le bagnard en grinçant
des dents.

C'était sa façon à lui de rire de bon cœur. Un cœur
malade, un rire détraqué. Un drôle de glouglotement
qu'il ravalait et qui fusait soudain comme un cri de
pintade sauvage.

Ça ne lui arrivait pas souvent. Il se tenait les côtes.
Étouffait. Se tordait. On voyait qu'il n'en avait pas l'habitude. Mais peut-être que cela lui faisait mal...

Il poussa un dernier râle.

— Tu l'entends, Jeannot? fit-il en dévisageant Thérèse. Une actrice et qui connaît le Maroc, qu'elle dit!
On aura tout vu...

L'interpellé servit les verres sur un plateau jaune.
Le trio se mit à boire.

Thérèse se sentait mal à l'aise. Celui qui la dévisageait n'était pas un être normal.

C'était un maigriot qui ne prenait pas de place. Ses
vêtements paraissaient trop grands pour lui. Assis de
travers sur sa chaise, il n'en occupait pas le rond. Il
n'avait pas un cheveu sur le crâne et il n'avait plus de
dents, la bouche en suçoir. Ses traits étaient asymétriques
et tout le visage semblait avoir été recollé comme une
vieille faïence dont il avait le teint de terre de pipe, le
réseau des fêlures, des craquelures, rides, cicatrices,

veines apparentes. Les tempes fragiles. Le front ravagé.
Et ses yeux... ses yeux... mais comment dire?... ses
yeux sans aucune espèce de pudeur ou de honte,... ses
yeux inexpressifs qui adhéraient à vous comme une
ventouse,... ses yeux neutres qui auraient pu vous
réfléchir comme deux rondelles de glace sans tain, ses
yeux passifs dont le regard sans curiosité, provocation,
intérêt, appétit ou pénétration, pas agressif ou hypno-
tiseur comme on aurait pu s'y attendre chez un bagnard,
un oiseau de proie, ses yeux fixes... Peut-être que l'homme
ne vous voyait pas en plein jour, comme les albinos,
ou que la lumière des lampes le blessait et que ses yeux
rougeâtres qui vous regardaient par en dessous d'une
frange de sourcils déteints se fatiguaient à suivre les
mouvements de votre visage dont ils ne pouvaient se
détacher et qui pouvait les éblouir, et quand, de temps
en temps, l'ancien clairon battait des paupières, au lieu
de vous soulager, cette courte détente vous donnait du
vague à l'âme. C'était plutôt Thérèse qui dévisageait
l'Angliche intensément et avec une certaine appréhension et ne pouvait s'en détacher. Elle se mettait du rouge
aux lèvres pour se donner une contenance en face du
faussaire...

Contrairement à son autre compagnon qui ne tenait
pas en place, ne s'était pas encore assis, s'agitait, s'occupait de la boisson, buvait, trinquait, insistait, s'en-
voyait des lampées de rhum pur entre deux tournées
raffinées, maniait la dame-jeanne avec aisance, l'élevait
en l'air (50 litres) pour boire à la régalade, la tête renversée, la taille cambrée, carré des épaules piquées de poils
blonds, la poitrine énorme, velue, des biceps d'une
force irrésistible et consciencieusement tatoués (l'homme
avait tombé la veste et jonglait avec les plateaux multicolores, le torse moulé dans un maillot de combat
comme un marin), le boute-en-train n'arrêtait pas de

fourrager dans tous les coins de la cambuse, bougon-
nant, râlant, parlant de soi, s'interpellant lui-même
pour honnir les autres, ponctuant ses soliloques de
jurons, d'imprécations, de vantardises, mettant à défi
le monde entier, lançant des brocards, et le mot « vérole »
de retentir dans l'abri comme les coups de pied d'un
fou répétés dans le même bidon (et, d'un furieux, il
avait l'œil éveillé, étincelant, instable, torve, fourbe,
rapide, arrogant, fouineur, inquisiteur, cavaleur, mobile,
faisant le tour et le retour des choses, ne laissant rien
échapper, ayant l'air de s'en foutre mais passionné et
gourmand, prêt à la colère et sur le point de la laisser
fulgurer mais qu'un éclair d'ironie stoppait irrémédia-
blement, et bien que jetant des flammes, des étincelles
et envahi d'une eau noire et bouillonnante, pas farouche
pour un sou et plutôt goguenard, amusé, voire souriant
et d'un bleu de lavande bien français qui avait séduit
Thérèse), l'homme assis ne disait rien, ne bougeait pas.
Installé inconfortablement sur le fin bord de sa chaise
qui lui sciait les fesses, se torturant les doigts qu'il avait
longs et délicats, des doigts d'étrangleur (*La Serre*
l'avait-on appelé jadis au Bataillon), et se les tirant à
les faire craquer ou se frictionnant machinalement les
chevilles comme s'il portait encore les fers des condamnés
à mort, l'ex-clergyman ne détournait pas ses yeux
étranges du visage de l'actrice et, à chaque clin d'œil,
Thérèse en avait froid dans le dos...

On aurait pu la croire intimidée.

Elle ne savait pas quel parti prendre.

Elle absorbait des grogs en frissonnant.

Elle avalait hâtivement des grogs bouillants.

Elle buvait de compagnie avec deux inconnus, un
légionnaire déserteur et un bagnard évadé, une brute
épaisse et un vautour, se demandant si on n'allait pas
l'assommer dans ce repaire souterrain, la saigner, la

déchiqueter, la couper en morceaux afin de la fourrer dans un sac ou dans un panier et de la jeter dans la Seine ou de la déposer à la consigne d'une gare comme cela se lit avec complaisance et beaucoup de sadisme dans les journaux, aussi était-elle infiniment reconnaissante à son amant de rencontre de l'avoir menée finir la nuit dans cet antre insolite.

Elle frissonnait délicieusement.

Elle buvait.

Non, elle n'avait pas peur.

Elle buvait.

Elle était par trop fataliste pour ne pas s'abandonner.

Elle buvait.

Elle s'abandonnait à l'euphorie des grogs et à l'ivresse du danger, du danger qu'elle avait déjà pressenti la nuit précédente quand le soldat lui avait envoyé un maître coup de savate dans la figure et qu'elle avait failli avaler son dentier.

Maintenant, elle souriait de toutes ses fausses dents.

Et elle se mit à minauder et à se refaire une beauté, sortant son poudrier, sa houppe, son rouge, ses crayons, la peau de daim que Coco lui avait offerte chez Hermès, travaillant, retravaillant son œil poché, le gauche.

Cela devenait une manie.

Déjà elle n'avait presque plus de rouge.

Le bâton s'amenuisait...

Quel ignoble amant elle avait choisi!...

Déjà elle en avait assez...

Elle n'allait pas plaquer le théâtre pour cet homme...

Ce sont de ces choses que l'on dit pour faire enrager son directeur...

Il pouvait bien déserter pour elle...

Je m'en fiche...

Elle buvait.

L'ivresse de l'alcool la gagnait.

La déraison.

Une grande force.

Elle se mit à sourire sérieusement comme si elle avait été en scène.

Prise de vertige :

— Fais voir, dit-elle à Owen, fais voir tes yeux. Tu te maquilles?

Elle braquait son face-à-main.

— Tu sais, rien ne m'échappe. C'est le métier. C'est un nouveau truc? Qu'est-ce que tu te mets sur les paupières? Ça m'intéresse.

— Mignonne, hurla le tankiste, tu me trompes?...

Et elle reçut une bègne sur l'œil.

— C'est toi qui te trompes, Vérole, lui répondit doucement, doucement, Thérèse. C'est l'autre œil que tu dois entretenir, je te prie, si tu veux que ton gnon dure jusqu'à la millième et produise tout son effet au théâtre. Tu sais, ça sera bœuf. Tu verras...

— Mignonne écoute...

Thérèse était en pâmoison.

— Je déserte pour toi, mignonne...

— Zut!...

L'Angliche vida son verre d'un trait.

Il ne disait rien.

Il avait toujours les yeux rivés au visage de Thérèse et ne semblait pas apercevoir quelques gouttes de sang sourdre du coin de l'œil droit, coulant le long de la joue jusqu'à la pointe du menton.

Ses paupières s'abaissèrent lentement l'une après l'autre.

Il avait comme une taie sur l'œil.

Un dessin.

— Tu as mal visé, Vérole. Un suffit. Les deux, ça la fout mal. Trop c'est trop. Tu n'as pas le sens de l'optique du théâtre. Un élève du Conservatoire aurait fait mieux. Mais tu es mon pote, pas? Mon petit maquilleur... Je t'apprendrai, murmura Thérèse doucettement. Il ne s'agit pas de m'estourbir...

Et se retournant, s'adressant derechef à l'Angliche, rebraquant son face-à-main, allumant une autre cigarette, elle dit :

— Fais voir, Owen. Tu as de drôles de z'yeux. Fais voir...

Le clergy ferma les yeux.

Thérèse prit la tête entre ses mains et se mit à palper délicatement les paupières avec ses doigts.

L'autre avait la peau du visage rétractile, en chair de poule partout où passaient ces doigts de femme.

Il avait horreur de la sensation.

— Oh!... fit Thérèse.

— J'm'en fous, fit l'épaisse brute qui avait tout à l'heure déchaîné. Malbouk! ça vaut l'os...

Des tendres colombes bleues se bécotaient sur les paupières closes.

— Qu'est-ce que c'est? demanda l'actrice.

— Rien, dit l'homme. C'est le seul tatouage que je n'ai jamais pu effacer...

— Il est marle, hein? fit le candidat déserteur. Ça lui a pris quatre-vingt-dix siestes...

— Non, cent vingt, dit l'homme. Quatre mois. Je travaillais avec les aiguilles les plus fines. C'est l'encre qui m'a donné le plus de mal. C'est indélébile. Je ne puis pourtant pas me couper les paupières avec des ciseaux comme on émèche une lampe, ni garder les yeux perpétuellement ouverts pour que ça ne se voie pas. J'ai pourtant essayé avec des petits bouts de bois. J'ai taillé des cure-dents. Je voulais me les clouer. Mais ça fait par trop souffrir. Et puis, les étais pourrissaient. J'avais plein d'abcès autour des yeux. J'ai aussi essayé avec des bouts de fil de fer galvanisé mais ça piquait. Et puis, basta!...

— Mais encore, qu'est-ce que cela signifie?..., demanda l'actrice.

— Rien, répondit Owen en ouvrant les yeux.

Thérèse le regardait.

Elle ralluma une cigarette.

Le déserteur s'affairait.

Les trois se remirent à boire.

— Je te croyais Irlandais, mais je vois bien que tu es un véritable Anglais, dit l'actrice au clergyman. Je me suis mariée à Londres. Il n'y a que l'Église anglicane pour ne pas sacrifier à la Colombe. Ce sont des jusqu'au-boutistes. Ils ne pardonnent pas. Jamais. Maurice Strauss, mon premier mari, me disait que les rois d'Angleterre étaient les seuls souverains chrétiens qui recevaient l'onction et montaient sur le trône sans avoir prononcé aucun serment au nom du Saint-Esprit. C'est vrai?

— Va te faire foutre, je n'en sais rien, répondit Owen d'une voix futée comme s'il avait été battu.

— Étais-tu homme d'église, oui ou non? Tu devrais le savoir...

— Oh! quelle sacrée bourrique vous faites, gémit Owen. Non, *Ma-dame*, je n'en sais rien...

« ... Tiens, pensait la comédienne, il prononce *Ma-dame* comme Rachilde disait qu'Alfred Jarry, qui n'était pas Anglais, faisait, détachant la première syllabe sur un ton grave et laissant fuser la deuxième dans les notes hautes, criardes, sifflantes, flûtées, ironisant, gémissant. Rachilde, encore une vieille pas commode, un bas bleu, mais quelle excellente amie, fine et intelligente quand elle vous gobait, ne se lassant pas de vous faire rire au détriment des hommes, mais elle était aussi rosse envers les femmes. Elle doit être morte. C'est idiot la vie que l'on mène à Paris. Il y a une éternité que je ne l'ai vue.

Je vais me renseigner. Quant à Jarry, il en était. Comme l'Angliche. Un type... »

— Ce n'est pas tout ça, dit le gros qui passait les verres sur un plateau vert, cette fois, et qu'il faisait tourbillonner sur un doigt.

Il poussa une chaise du pied, la chevaucha lourdement, les bras au dossier et balançant son verre vide derrière lui, le fichant en l'air :

— Non! Ce n'est pas tout ça. J'ai trente campagnes, vérole, on ne me la fait pas! Vérole, j'ai vécu chez les Peuhls et, de là, le général Marchand nous a conduits au pays des lacs, chez les Malinkès, Vérole. Ces gens pratiquent l'échange du sang. Bon Dieu, quand vas-tu t'y mettre, vieux frère, espèce de salop? Il est grand temps qu'on déguerpisse, je suis rond. Attends, je vais te chercher ton fourbi.

Le légionnaire se leva péniblement et revint s'asseoir avec une trousse.

— J'aime pas les femmes, dit le tatoueur, ça sent mauvais...

— Tu ne sais pas ce que tu dis, attends, je vais t'expliquer, dit le tankiste en défaisant avec ses gros doigts calleux l'élastique qui entourait la trousse en peau de serpent et en répandant tout un attirail sur la table.

Il choisit un mince scalpel qu'il essaya en se taillant l'ongle du pouce.

— Je n'aime pas qu'on tripatouille mes affaires! cria l'Angliche.

— La ferme! fit son copain. Tu n'y comprends rien. L'échange du sang est un signe d'alliance. C'est ainsi qu'on les baisait toutes. Une incision et tu mélanges le sang de l'un et de l'autre dans une calebasse. Ils en boivent un bon coup. Tu parles d'un cocktail! Ils en avalent une sacrée giclée et s'il en reste, tu badigeonnes la plaie avec. Je saurais le faire. Ce n'est pas plus malin

que la vaccination contre la typhoïde. Mais c'est farce
parce qu'il s'agit d'amour et sans l'alliance, il n'y a pas
de tromperie possible entre eux, pense, un couple uni
pour toujours et dont chacun jure qu'il a l'autre dans la
peau! Voilà comment l'expliquent les négresses qui
puent toutes. Ne te plains donc pas de nos mignonnes
qui ont la bonne odeur comme dans la chanson des
garçons coiffeurs, *Les Merlans*, dont le refrain dit :

> *C'est mon trou du cul,*
> *Qui sent la charogne.*
> *N'y-a qu'le p'tit Jésus,*
> *Qui sent l'eau d'Cologne.*
> *Ha, ha, ha, mon doux Seigneur,*
> *T'as la bonn' odeur!...*
> *T'as la bonn' odeur!...*
> *T'as la bonn' odeur!...*

— Ne l'écoute pas, fit Owen, il est rond. C'est ainsi
qu'il fait, Jeannot, chaque fois qu'il est plus que schlass.
Il chante, ça le berce et il s'endort, tout à trac. C'est un
bon bougre.

— Mais pourquoi l'appelles-tu Jeannot? demanda la
comédienne. C'est mon homme. Vérole, que je l'appelle
parce que je le croyais...

— Jean? Mais c'est son nom, répondit l'ancien clairon. C'est ainsi qu'il figure sur le registre de l'Assistance.
Jean-Jean. C'est un enfant trouvé. C'est un enfant perdu.
Aussi l'appelait-on au Bataillon : Jean de France. C'est
un ancien joyeux...

— Pas possible! fit Thérèse.

— Si! dit Owen. C'est un Français. 100 %. Ce n'est
pas comme moi qui suis un étranger, mais j'avais un
standing avant d'être pégriot. C'est pourquoi j'ai été

nommé clairon à la Légion, où l'on a l'occase de se
refaire une vie...

— N'écoute pas ce qu'il dit, mignonne, c'est un menteur, reprit le soûlot en bredouillant. Merde, je m'en-
dors! Mais ce n'est pas un rêve. Je l'ai entendu de mes
oreilles, vérole! Les Négresses, elles chantent, elles aussi...
Et elles dansaient. Le grand tam-tam les faisait entrer
dans la ronde, et chacune de se trémousser... Hé, vas-y
donc!... Et voici comment il faut interpréter les tambours
et les claquements des mains : *Désir... Désirs...* Quelque
part au bord d'un lac, il y a les femmes qui rient et qui
languissent; sur l'autre rive sont les petits enfants qui
ne sont pas encore venus au monde, mais qui pleurent et
crient déjà de misère... « J'en veux un! J'en veux!... »
danse chaque femme en trépignant. Et on se glisse fur-
tivement hors de la ronde, chantant en un murmure :
« Oh! les amours! On peut les dévorer de caresses, mais
on peut également en manger un, tout court!... » L'eau
leur monte à la bouche... Sous l'eau vit le mauvais génie
du lac qui pêche au hasard et qui, n'attrapant rien, fait
passer les désirs d'une rive à l'autre, car c'est un ogre,
et il a faim, et il lui faut des morceaux de viande, d'où
la vie qui se perpétue... *Désir... Désirs...* MIAOU! fait
l'ogre Oloûntoûndantatoûa dans un bâillement qui fait
trembler le monde...

Ce n'est pas un coup de tonnerre. Jean-Jean, dit
Jean de France, *alias* Vérole, bâilla en s'étirant à se
faire craquer la cage thoracique, piqua du nez, fit un
plongeon, entraîna sa chaise, se laissa choir et s'endormit
profondément sur la claie, par terre, parmi les débris de
son verre.

Owen lui sauta dessus et lui porta un terrible coup du
tranchant de la main sur la nuque.

— Pourquoi faites-vous cela? demanda Thérèse.

— Oh! ce n'est pas pour le décapiter, dit Owen.

C'est pour lui couper les réflexes. Comme ça, il se tiendra tranquille. Vous ne le savez peut-être pas, *Ma-dame;* c'est un caïd. La force prime tout.

— Ah, oui! Et toi, qu'es-tu? fit la femme.

— Moi? Rien, fit l'homme. J'étais clairon...

La femme contemplait l'homme avec un certain mépris.

Thérèse ralluma une cigarette.

L'homme lui servit à boire.

Elle but.

Ils trinquèrent.

Ils auraient dû rouler sous la table.

Un tiers de la dame-jeanne y était passé.

Mais ils tenaient le coup, un peu raides, à croire que chacun s'attendait sans sourciller à voir tomber l'autre tout d'une pièce.

Le premier, Owen, cligna des paupières.

— C'est tout de même curieux que tu sois là, fit-il.

— Pourquoi? demanda Thérèse.

— Parce que je n'aime pas la femme, qu'il dit.

— Oh! tu sais, c'est par le plus grand des hasards que je suis là, qu'elle fit. Je ne savais pas du tout où Vérole m'emmenait. Mais maintenant je suis ravie.

— Pourquoi? demanda Owen.

— Parce que tu fais beau môme. Tu as des paupières d'ange, répondit Thérèse.

— Et toi, tu fais une belle vache. Ne te moque pas de moi!...

— Mais je ne me moque pas!...

— Si!

— Non!

— Je sais bien que j'ai une sale gueule. Ah, si tu savais!...

— Quoi?

— Rien.

— Tu te plains maintenant? Je n'aime pas ça. T'es pas un homme. Verse-moi à boire.

— Non!

— Si!

— Tu bois comme un trou.

— Je suis un trou.

— Tu bois comme la femme en rouge...

— La femme en rouge?...

— C'était notre cantinière à Kenifra, une Européenne.

— Pas une Française et elle t'a fait marcher?

— Penses-tu! Une Espagnole qui...

— Mais ces paupières bleues?

— C'était bien avant!

— Tu ne vas pas me faire croire que tu étais amoureux de la Reine ou d'une princesse. Tu n'es ni Raleigh, le favori, ni le capitaine Townsend.

— Je n'ai jamais jamais touché une femme, jamais!...

— Dommage que tu ne m'aies pas connue, fit Thérèse. Les hommes m'ont toujours aimée. Je ne suis pas Vénus à sa proie attachée. C'était une question de peau. Ils n'arrivaient pas à se rassasier. Tous ceux qui ont dormi sur mon épaule sont morts. Ils sont morts trop tôt. Ils en avaient encore envie, tu comprends? A toi, je puis bien le dire. Ils sont morts d'inassouvissement. Tu ne vas pas me faire croire que tu étais compagnon du Prince de Galles, non?...

— Pourquoi est-ce que tu me dis ça? demanda Owen après un moment de silence.

— Mais ces colombes tatouées, fit-elle, ça signifie bien quelque chose. C'est un signe de ralliement dans la noblesse?...

— Tu n'es qu'une conne! fit-il. Tu crois m'avoir deviné...

Et il éclata de rire, de ce rire qui avait tant de mal à passer et lui faisait grincer des dents comme dans un hoquet et se terminait par le cri sauvage d'un oiseau effarouché.

Il n'avait pas l'habitude de rire et il acheva exténué :

— Ah! ce que tu es nature... Assez!... assez!... Il y a de quoi se tordre...

— Je ne vous comprends pas, dit Thérèse suffoquée. Avec Vérole et toi, j'y perds mon latin et je donne ma langue au chat. Mais je crois que le Chat Botté lui-même y perdrait sa finesse native et serait désemparé. Tiens, verse-moi à boire, mais, cette fois, du rhum pur. On ne vous comprend pas.

— Assez!... Vous ne savez donc point, *Ma-dame*, que tous les légionnaires sont des menteurs nés. C'est leur seule raison d'exister et d'aller jusqu'au bout de leur folie. *Marche ou crève* que je leur tatouais jadis sur la plante des pieds. Chacun d'eux se croit unique et l'homme a raison : il est seul au monde. Ce sont des mégalomanes. Vérole en veut à sa mère et la cherche partout pour la jober. Il est persuadé qu'elle est encore vivante. C'est son idée. Et, finalement, s'il a déserté aujourd'hui, c'est en proie à cette idée fixe, tu n'y es pour rien, ma pauvre vieille. Il y a longtemps qu'il en avait envie, bien avant la guerre. Quant à moi, tu m'as deviné. Oui, j'ai voulu rentrer dans la société et tu vois la tête que j'ai. Je ne puis en vouloir à personne, c'est moi qui me la suis faite. Ces rides, ces cicatrices, ces lambeaux de peau arrachés! Je me suis épluché le citron à coups de bistouri et lissé le visage à la pierre ponce. Tout mon corps est réduit comme par une fasciation pour avoir été macéré dans des acides. C'est pourquoi j'ai un frigidaire. J'ai l'air de sortir d'une longue hiber-nation. Il y a cinq ans que cela dure. J'ai effacé tout mon passé. Mais les yeux, ça, je ne peux pas. J'ai toujours ces putains de paupières. Ça ne s'en va pas. L'anonymat est impossible. On me reconnaît...

— Allez, tais-toi. Et donne-moi encore un bon coup de rhum, non, du pur! Tu me fais mal au ventre. Je bée... Et que dirais-je, moi, une pauvre femme, avec mon œil gauche que je me suis fait pocher exprès pour amuser le public? Et Vérole va encore recommencer mille fois de suite jusqu'à la dernière soirée de *Madame l'Arsouille*. Ça promet pour mes jonquilles!... Avoue que c'est un drôle de sentiment de philanthropie et d'altruisme. Faire rire. Faire rire de soi. Mais je ne me plains pas. Je l'ai voulu et c'est ma vie de faire rigoler. A mon âge! Ça n'est pas commode. Mais je ne flanche pas. Qu'est-ce que tu attends? Verse à boire...

Elle vida son verre d'un trait.

Il en fit autant.

— Encore!... fit-elle.

Il versa du rhum par-dessus les bords et trempant son doigt dans la flaque de rhum, il dessina inconsciemment une couronne au dos du plateau, renversant son verre.

— Revenons à la femme en rouge de Kenifra..., dit-il.

Maintenant, il avait du mal à parler.

Et Owen se lança dans une histoire embrouillée qui était le plus long récit qu'il eût encore fait de sa vie et Thérèse qui l'écoutait, d'abord distraite, puis inquiète, enfin avec une certaine impatience parce qu'elle n'avait plus de cigarettes, plus de rouge, qu'elle ne savait quelle contenance prendre, qu'il était temps de partir, elle le sentait bien (il devait être passé midi et de beaucoup; elle avait donné sa montre à la Papayanis et cela l'agaçait; elle devait se rendre à la répétition de l'après-midi et l'occasion était trop belle de filer en douce maintenant que Vérole pionçait une fois de plus ivre-mort et qu'elle croyait pouvoir lui échapper une fois pour toutes, selon son habitude; elle devait également passer chez la Kamarinskaïa pour lui remettre

son sac de bijoux qu'elle serrait entre ses genoux et lui
permettre d'entreprendre et de terminer sa robe), Thérèse était peu à peu intriguée, attachée, surprise, passionnée par les propos qui sortaient de l'horrible bouche
pincée de l'homme à la tête-à-claques évoquant dans
son jargon d'Anglais antipoétique sa propre aventure à
Kenifra, l'instant le plus pathétique de son existence,
l'heure de la vérité où elle avait été à la hauteur des
circonstances, jouant le tout pour le tout, et que se
dessinait, se précisait la silhouette et jaillissait la présence même de la Présidente, l'amour de sa vie, dans le
récit aberrant d'Owen, l'ancien clairon lui révélant à
son insu toute une partie pour elle encore inédite du
sort immédiat de sa bien-aimée au lendemain de la
défenestration et comment Antoinette était devenue
Notre-Dame de la Légion, avait été exhibée, exploitée
dans les foires avant leur nouvelle rencontre à Magic-
City, arrivée au paroxysme de la jouissance et de la
curiosité titillante car toute l'histoire lui rappelait des
choses mais des choses qui l'émoustillaient fort, alors
qu'elle aurait dû se sauver, Thérèse glissa sa main sous
sa jupe et y mit le doigt, laissant s'affaisser la sabretache
d'Oscar dont le contenu s'égailla, rubis, perles, diamants,
bagues, bracelets, colliers, clips, peignes et autres colifichets et bijoux précieux...
   Elle regardait le bagnard avec une tête de jument.
   — ... Une Espagnole qui faisait des sous! Elle dansait et chantait à se demander pour qui elle était là
dans la buvette-épicerie qui accrochait des lampions
le dimanche soir et faisait bal-musette, une des quatre
baraques en bois édifiées aux quatre coins de la place
Européenne, un terrain vague où les petits gars erraient
après la soupe, ne sachant dans lequel des quatre bor-
dels se rendre et affluant finalement dans la buvette-
épicerie à cause de la femme en rouge qui leur foutait

le cafard avec ses romances et dont le bavolet volait
quand elle valsait avec l'un, avec l'autre, se moquant
des conséquences : éventrations, étripages, castrations,
gueules cassées, règlements de comptes qui avaient
lieu sur la petite place, la nuit, sous la lune marocaine,
après l'appel et le contre-appel, bagarres, morts, blessés,
arrestations mouvementées, falot, condamnations, années
de prison, la *camise*, le bagne, S. S. (Sections Spéciales),
Biribi, à la vie et à la mort! C'était il y a trente ans, au
lendemain de l'autre guerre. Kenifra. Moyen Atlas.
Une agglomération d'indigènes. Une médina où l'on ne
se risquait pas seul. Le château, une vieille tour carrée
percée de rares fenêtres, le « ksar » du pacha Moha-
Ou-Hammoun. La garnison, un bataillon de Bat' d'Af'
dans son enceinte d'éribas, des branches mortes de
jujubier, entrelacées et épineuses; deux compagnies de la
Légion derrière un mur de pierres noires hâtivement
entassées, un bordj; les camps séparés par un maigre
oued. Un mirador. On était aux confins de la dissidence.
En plein baroud. Un sale bled. Le désert. Des durs.
Et par une belle soirée d'hiver, c'était la veille de la
Noël, une alerte du tonnerre de Dieu. Non, ce n'était
pas une razzia de Chleuhs descendant de la montagne,
mais signalée avec fatras une caravane de soixante auto-
mobiles Delage arrivant de la côte. C'était le glaouï de
Marrakech venant rendre visite à son cousin le pacha
et lui amenant pour passer la journée de Noël et assister aux fêtes du mariage du vieux tyran, un birbe de
soixante-douze ans, avec sa dernière fiancée, une gamine
de huit ans, mais d'une famille princière, des invités
de Paris, dont une actrice célèbre sur les boulevards, des
officiels, tout le gratin de Casablanca et le colonel Oscar
de Pontmartin, le chef du Bureau aux Affaires indigènes,
l'indispensable trucheman, l'intermédiaire désigné dans
ce genre de manifestations politico-folkloriques franco-

chérifiennes auxquelles le sultan, Moulay-Youssef lui-même, s'intéressait et attachait en ces temps troublés une certaine importance et lui servaient d'alibis. Mais foin de ces considérations. Barka! La troupe à peine en place, que le ksar s'illuminait déjà des feux de Bengale tricolores et que les Delage radinaient les unes après les autres et que les cavaliers d'escorte faisaient la haie, sabre au clair. Il n'y avait pas de clique. Posté au pied de la tour avec mon clairon, je saluais les arrivants de mes sonneries. J'avais à son temps un fameux coup de langue qui me venait d'avoir beaucoup prêché et d'avoir donné du souffle à l'Église dans mes meetings à Hyde-Park, où je m'étais entraîné. Hélas! je ne bande plus et ne suis plus pimpant, tout cela s'est tu, quelle époque, *mektoub!* La Légion entourait le château. Les joyeux entouraient le bourg et les meskines qui sortaient de la médina en foule pour se porter à la rencontre de leurs puissants seigneurs et admirer l'illumination étaient refoulés à coups de crosse. Il n'y avait que les chiens errants de la région qui accouraient en aboyant et faisaient cercle à distance respectueuse. La lune était pleine. Il faisait froid. Je grelottais. Les chevaux étaient entravés. On avait allumé des feux. Les cavaliers assis en rond fumaient silencieusement, se laissant aller au kief, roulés dans leur manteau bleu. La Légion avait formé les faisceaux. Les hommes dormaient étendus par terre ou se racontaient des histoires en se passant des bidons de vin. Il y avait quelques sentinelles de faction, leur visière à la pélican tirée sur les yeux pour se protéger de l'éclat des étoiles. Des petites chouettes venaient se poser à deux pas et s'envolaient chuintantes, poussant leur cri ricaneur, tic qui m'est resté, tellement je les ai imitées cette nuit-là! On entendait du côté des remparts monter des voix d'hommes qui proféraient des menaces et des violentes protestations et des gémissements de

femmes et des imprécations qui se déplaçaient, *you,*
you, you! Probablement que des joyeux avaient dû se
glisser subrepticement dans la médina sachant profiter
de l'occasion inespérée qui leur était offerte cette nuit
de fête et les charognards fouillaient les habitations,
pillant les trous, faisant la nouba. *You, you, you!* Cela
devait être carabiné car les cris s'étendaient. Bubendœrffler, matricule 17191, un Suisse-Allemand, un
vieux de la vieille, du type des légionnaires à longue
barbe qui le faisait ressembler à un sapeur d'autrefois
et qui avait la poitrine couverte de décorations, était de
planton. C'était un homme de confiance, service-service.
Je contemplais la tour. Le ksar était muet, noir. Pas
une lumière, pas un bruit. Le château semblait ensorcelé
et, comme l'antre d'un magicien, avoir absorbé tout son
monde de visiteurs. Pour en faire quoi? Des ombres!
Et les mener où? Elles se glissaient! Que la poésie arabe
est facile et propre au climat! Tout est enchantement.
J'ai dû attraper un coup de lune, c'est fréquent dans le
pays. Et l'on festoyait là-dedans et il y avait plus de
cent femmes, sans rien dire des domestiques, des
eunuques et des gardes qui veillaient dans les ténèbres
ou circulaient comme des fantômes dans l'épaisseur des
murailles et à tous les étages des escaliers. Tapis, pieds
nus, babouches, frôlements, rideaux, voiles, gazes, sou-
pirs, rire brutal. C'est une énigme. Le harem de Moha-
Ou-Hammoun était célèbre. N'avait-il pas payé, à son
pesant d'or, une jeune Hongroise, amenée par des trafiquants mais qui portait le tatouage des natives, soit trois
points en triangle à la pointe du menton et cinq traits
de couleurs en prolongement de la fente palpébrale, à
l'angle extérieur des yeux, des traits horizontaux symbo-
lisant des *Djérid* ou palmes stylisées, signe d'apparte-
nance à la tribu, un monstre sacré, une pucelle sans
jambes, un être, un innocent avec qui Mahomet interdit

d'avoir des relations, mais une merveille unique au monde qui faisait les délices du vieillard, une vierge de quinze ans, avec des seins, avec un dos, un buste vivant d'androgyne, une Blanche, ce qui permettait de faire une entorse à la loi du Coran sur les intouchables, la favorite du maître dont on parlait dans tous les bivouacs et qui faisait délirer les hommes, le mariage que l'on célébrait cette nuit avec une enfant à peine nubile n'était qu'une concession aux usages traditionnels du clan guerrier des Zaïans. Et comme je rêvais à cette beauté fantastique et légendaire que personne de nous n'avait jamais vue et dont tous étaient hantés, la fenêtre la plus haute de la tour s'ouvrit et une femme fut précipitée dans le vide. C'était comme en songe. Le ksar avait trente mètres de haut et avant que j'eusse fait une pirouette sur moi-même pour suivre des yeux dans sa chute ce paquet boutonné dans une gandoura flottante et qui tombait, Bubendœrffler s'était déjà précipité pour recevoir la chose dans ses bras. Il paraît qu'il était un ancien employé de cirque. Il fut renversé par la violence du choc. Mais il se relevait, enfourchait un cheval, piquait la bête avec sa baïonnette, obliquait dans un ravin, quittant la piste, évitant les autos rangées dans un dénivellement en contrebas, prenant de l'avance, disparaissant dans la nature, emportant la femme serrée contre sa poitrine, poursuivi des coups de mousqueton que lui tiraient les cavaliers bleus avant de se lancer un à un ventre à terre à sa poursuite et que les autos démarraient, dévalaient la route en zigzags, donnaient des phares, essayant de rattraper, de barrer le chemin au fugitif, de le coincer dans un tournant. Tout avait l'air d'un coup monté tant cela se déroulait rapidement. Galopades, cris, klaxons et feux de salve du Bat' d'Af' qui tirait à cœur joie dans la confusion, faisant plus de bruit que de mal. La Légion n'avait pas lâché un coup de feu. Je n'avais pas sonné l'alarme. Pourquoi? Tout cela s'était passé trop vite, beaucoup plus vite que dans un film, un Western. J'étais l'unique témoin. Personne n'y comprenait rien. Les légionnaires rigolaient. On ne tira pas sur un copain. Bonne chance! Je me tus, donc. Et je fus cassé et envoyé au bagne. C'est tout. La favorite du pacha avait disparu. Et jamais plus on n'entendit parler du brave Bubendœrffler qui avait piqué en direction du Sud, de la dissidence, de la liberté. Vive la belle! *In'ch Allah!*...

— Il faut que je m'en aille, dit Thérèse.

Et elle se mit à ramasser ses bijoux.

— Bien que je fusse le seul témoin, il y a eu une autre version de l'aventure, reprit le clergyman, légèrement dégrisé. Cette autre version, je l'ai apprise au bagne des années et des années plus tard...

— Il faut que je m'en aille, répéta Thérèse. Aide-moi donc à ramasser tout ça. C'est pour la scène...

Owen s'accroupit sur le sol et se mit à collationner les bijoux avant de les remettre dans le sac.

— Ce sont des belles pierres, fit-il après en avoir trié un lot.

— Tu t'y connais?

— Diable! Cela fait partie de mon métier de fourgue.

— Tu en veux?

— Non.

— Si cela peut te dépanner, prends-en une poignée. Que choisis-tu, des rubis ou des perles?

— Rien. Je ne choisis rien. Je n'ai besoin de rien. Mon trafic me suffit. J'ai pris mes précautions. Moins il y a de monde dans une affaire, mieux cela vaut. Mais Paris est tout de même une ville étonnante pour les voleurs. On n'a pas idée de ça, ni d'habiter mon palace. Mes *partners* sont épatés quand ils viennent me voir.

Ils n'ont pas ça à Londres. Je suis tout de même content
que tu possèdes le tas. C'est pour Jeannot?...

— Peut-être bien que oui, peut-être bien que non.
Mais j'ai plutôt envie de le plaquer, Vérole...

— On verra...

— On verra bien...

— Jamais tu ne réussiras à te débarrasser de lui, tu
ne le connais pas...

— On verra... On verra...

— Et maintenant qu'il est déserteur, il te mettra le
grappin dessus. D'ailleurs, c'est ton homme!...

— Tu penses bien que je me fiche pas mal de l'échange
du sang et de ses autres imbécillités. Ce n'est pas pour
cela que je suis venue. D'ailleurs, je ne savais même pas
que l'on venait se planquer chez toi, le tatoueur, hi, hi, hi!
Mais j'ai un service à te demander. C'est pour le théâtre.
Tu ne voudrais pas me faire une petite inscription dans
le haut de la cuisse? *A Vérole pour la vie!* Ça serait
bath.

— Attends. Je n'aime pas ça. Tu ne sais pas ce que
tu dis. Je n'ai jamais tatoué une femme. Ça sent. Tout
vient à son heure. Écoute-moi d'abord. C'est au bagne
que j'ai appris la suite, il y a des années et des années...

Et Owen de renouer le fil de son récit tout en esti-
mant la valeur des bijoux, clignant de l'œil, l'air ranimé.

— Ne te réjouis pas trop vite, ce sont aussi des bijoux
volés! Tu aurais du mal à t'en défaire. Ils sont arabes,
historiques, fit Thérèse. Il faut que je m'en aille. Je suis
pressée. Dépêchons, dépêchons. C'est l'heure...

— ... En ce temps-là, les armées de Koltchak, de
Dénikine et du baron Wrangel avaient été battues par
les Soviets, tout ce qui restait encore debout de l'immense
empire des tsars avait été dissous et c'est fou le grand
nombre de Russes blancs qui venaient s'engager à la
Légion, apportant à la folie des grandeurs bien connue et

au cafard des légionnaires l'irrésistible désordre russe
et le regain de la mégalomanie et de la mélancolie
torturée des Slaves. Ce fut une époque faste pour la
Légion et l'on reconstitua même une Légion montée,
des escadrons Tcherkesses qui ne manquaient pas de
cocarde. Parmi ces cavaliers, un nommé Mikoïan, un
fin Circassien, fit une fugue sensationnelle à Alger, où
il ouvrit une boîte de nuit et lança *Notre-Dame de la
Légion*. Il fut pris, repris, s'échappa, perçant ou sautant
le mur, se défendit, fut condamné à la *camise*, au bagne,
lima ses fers, s'évada encore, disparut dans l'extrême-
Sud et fut finalement retrouvé assassiné dans une ruelle
de Marseille, aux Petites-Maries. Comment ce jeune
diable passionné avait réussi à remettre la main sur la
favorite du pacha de Kenifra et à la retrouver par la
suite, il ne l'a jamais dit et personne ne le saura jamais,
mais ce hâbleur racontait au début que déguisé en danseuse il avait pu pénétrer une fois et se produire dans le
harem de Moha-Ou-Hammoun, tirer les cartes, lire la
bonne aventure, qu'il s'était soudainement emparé de
la femme-tronc, avait sauté par la fenêtre du haut du
troisième étage, la femme évanouie dans les bras, s'était
laissé tomber en selle sur un étalon attaché au pied
du ksar et s'était enfui avec son rapt. On a beau connaître
la virtuosité des écuyers caucasiens et le camouflage
impeccable des organes génitaux dont on est capable à
la Légion, maquillage qui ferait perdre son latin au
nouveau pape élu et proclamé à la fin d'un conclave, il
n'y a pas un mot de vrai dans ce que racontait le fougueux
cosaque, je suis le seul témoin vivant de la disparition
de la péri, de la fille-fleur, de la Fatima du vieux singe
de Kenifra et j'ai payé assez cher le droit de me taire et
de ne pas emboucher mon clairon en son temps pour
proclamer *urbi et orbi* que Mikoïan est un menteur! Nous
n'avons jamais eu l'occasion de régler cette querelle au

bagne. Je le regrette, c'eût été vite liquidé d'un coup de
surin, selon l'usage, et avec l'un de ces couteaux fabri-
qués avec des moyens de fortune, couvercle de boîtes
de conserves qui font de si vilaines blessures dans le
bas-ventre. Par contre, je reconnais bien volontiers que
c'est lui qui a mis le beau monstre en circulation et qu'il
est l'inventeur de la légende de Notre-Dame de la
Légion. Une idée de génie. La plus sensationnelle des
attractions. Les légionnaires eux-mêmes en sont dupes
au point d'y croire et de jurer qu'elle leur est apparue.
A lui, ça lui a tout de même coûté la vie, comme de
juste. Arrivés à ce point, les gars désertaient par bandes
pour aller lui rendre hommage, les uns par dévotion,
les autres pour l'exploiter car l'idée était bonne, ou pour
se faire assassiner comme Mikoïan, d'abord Grospierre
et Torgoulieff qui étaient associés dans l'affaire, puis
Santinelli, Muller (Jen), une grande gueule de Tchèque
dont j'ai oublié le nom, l'Américain Wilson, l'Allemand
Pfaff, le Hollandais van Mencken, le plus malin de toute
cette flibuste, un noble de je ne sais plus quelle petite
république de Panama, de l'Honduras ou du Guatemala
et qui s'appelait della Vieja ou della Nueva, je confonds,
quoi! en bref, rien que des légionnaires, tous à la quête
de je ne sais quel Graal crapuleux, des batteurs d'es-
trade, des forains, des nomades qui tous ont fait faillite
tour à tour et tour à tour ont trouvé une mort violente
en exhibant le phénomène dans les foires et les marchés,
d'abord à Beaucaire, puis à Lyon, Ambérieux, Aix,
Lons-le-Saunier, en Auvergne, dans le Berry, dans le
Poitou et enfin à Paris, où l'on perd la trace de l'oiseau
phénix à Luna-Park ou à Magic-City, je ne sais
trop...

— Tu as fini? Je m'en vais, déclara soudain Thérèse
serrant son sac. Tu ne veux pas me faire ce que je te
demande?...

— Impossible, répondit Owen. C'est l'heure de la sieste...

— Alors, accompagne-moi au moins jusqu'à la sortie, que je trouve le chemin sans faire le grand tour...

— Viens, dit-il, que je te mène...

Il la conduisit par des couloirs et un long souterrain jusqu'à la station profonde de la Villa de l'Adour, où il subsistait encore un abri antiaérien sale et dégueulasse de la dernière guerre.

— Tu n'as qu'à suivre les planches, dit Owen en éteignant sa lampe de poche. A moins de cent mètres, tu trouveras un escalier à droite, tu sors et tu tournes encore à droite pour tomber dans la rue de Belleville. Fais attention, c'est raide, ça descend dur.

— Tu viens, dis? demanda la femme.

— Je ne vais pas plus loin, dit l'homme. Ça m'est interdit.

— Mince alors!... fit Thérèse en clopinant dans le noir, s'éloignant vers la sortie. Cela ne valait pas le coup...

Owen fit demi-tour, ralluma sa lampe de poche, réintégrant sa prison volontaire.

La piaule n'était pas déserte.

— Je suis un orphelin! murmura nettement Vérole en remuant sa masse énorme pour se retourner sur le côté du cœur, l'écraser et se remettre à pioncer ferme.

Habitué à son tank, qui ne connaissait pas l'obstacle, il appuyait sur le champignon. Au volant d'une grande *Mercédès* noire, il traversait l'Allemagne à fond de train et entrait dans la foule.

— Quel veinard! fit Owen en s'étendant pour faire la sieste. Il dort comme un chérubin...

Cependant, Thérèse avait atteint la sortie du tunnel condamné de la Ceinture et s'engageait prudemment dans la rue.

Ça glissait.

Du verglas.

Des histoires de cosaques du Kouban lui trottinaient par la cervelle, histoires d'enlèvement à dormir debout qu'elle avait dû lire en son temps dans les illustrés.

... Il y a des gars pas mal du tout au *Caveau caucasien* de la rue Victor-Massé, juste en face du *Tabarin* où triomphait le french-cancan, des jeunes qui tournaient sur les pointes à travers des candélabres allumés placés à même le sol et qui jonglaient avec des poignards, l'un, debout sur une table, mince, la taille pincée comme une demoiselle, le sourire aux lèvres découvrant des dents de carnassier. C'est beau la jeunesse...

— Pauvre Toutoune chérie!... fit la très vieille femme en s'appuyant aux murs des maisons et en se laissant aller dans le brouillard parisien. Je suis morte!...

Elle avançait dans la purée de pois, flageolante, transie.

Paris est immense.

Elle trouva enfin un taxi et se fit conduire à sa garçonnière, rue Cognacq-Jay.

Sa sœur de lait n'était pas rentrée.

XI

LE CRIME PARFAIT

Madame l'Arsouille tenait l'affiche depuis des mois. C'était un succès sans précédent. Le théâtre ne désemplissait pas. Et Teresa Espinosa était en train de faire fortune depuis qu'elle avait été sacrée « artiste nationale », « la plus grande interprète de tous les temps », « la Parisienne inimitable », « la Reine des spectacles » et que la viocque avait exigé de son ancien camarade et directeur de voir tripler son cachet et doubler son pourcentage sur la recette, et Juin s'était trouvé contraint de s'exécuter, la mort dans l'âme mais ne pouvant faire autrement car c'était son intérêt immédiat, la vieille fourbe signant des contrats de cinéma, tournant trois films à la fois, paraissant sur tous les écrans, faisant de la radio sans arrêt, accaparant la télévision, les disques où l'on ne voyait et n'entendait qu'elle aux heures creuses, son genre canaille faisant prime jusqu'à Saint-Germain-des-Prés, dont la jeune chanteuse existentialiste Juliette Gréco eût pu être l'arrière-petite-fille.

Contactée de partout, disputée, arrachée, ne lui faisait-on pas des ponts d'or pour partir en tournées en France et à l'étranger, prise, retenue, assurée des années à l'avance, tout le monde étant pressé vu son grand âge, impresarios, agents se l'arrachaient et Juin avait dû céder sur tous les points et faire des concessions

pour la garder sous contrat. N'envisageait-il pas lui-
même d'aller monter le spectacle à Broadway dans deux
ou trois ans et de tourner un grand film, une super-
production, cinérama ou cinémascope en couleurs, à
Hollywood, de lancer une *Madame l'Arsouille* américaine! En vue de quoi il avait contraint la vedette (c'était
aussi une façon de se venger d'elle, Thérèse étant notoi-
rement paresseuse et rétive aux langues étrangères)
d'apprendre l'anglais (à son âge!) et il lui avait fait venir
un professeur d'Harvard, un spécialiste shakespearien.

On ne voyait plus qu'elle à Paris où elle était acclamée
dans la rue, connue et reconnue grâce aux affiches et à
la publicité qui recouvraient les murs et remplissaient
la presse, révélant son physique de vieillarde, son nu à
la Villon, une apothéose abracadabrante qu'elle renou-
velait tous les soirs en scène, un triomphe assourdissant,
cris et bravos soulignant son tour de force mais exprimant
aussi l'admiration réjouie du public que son courage
avait conquis. « Non!... Quel culot!... Regardez-moi
ça!... On n'en a pas idée!... Ça ne s'est jamais vu!... »
Chose curieuse, c'était plutôt les femmes qui applau-
dissaient Thérèse. Peut-être à cause de la robe, une si
belle robe et qui tombait!... Ce nu... Cet œil... Un nu
toc... Un œil irréel, gros comme un œuf... Et cette fente
qui ne disait rien... Thérèse enrageait... Ah! si seulement elle avait pu exhiber son tatouage!... C'est ça qui
aurait été « bœuf »!... En cachette elle avait été relancer
plusieurs fois le bagnard durant les dernières répétitions,
l'ex-clergyman n'avait rien voulu savoir. Il faisait la
sieste. Hélas! Owen n'était pas un homme. Sinon, quel
défi!...

Elle sortait dans une grande Mercédès noire et
nickelée, assise à côté de son chauffeur, un costaud
habillé comme un prince, et se faisait conduire dans
toutes les boîtes de nuit où son chevalier-servant, celui

qui lui foutait des gnons à domicile pour entretenir à vif son œil gauche, l'œil poché, la suivait, entrait avec elle, la faisait danser, mangeait, buvait, trinquait avec elle, vidait des bouteilles de champagne, la faisait redanser jusqu'au petit jour. A l'aube, elle retournait au studio tourner un film, et la journée de trime, de corvées, de rendez-vous, de cocktails, d'interviews recommençait jusqu'au soir, au théâtre, où elle se donnait toute pour triompher en scène et enthousiasmer son public. Une autre aurait succombé, Thérèse appelait ça « se délasser » comme elle appelait la Mercédès noire « l'écrin de la robe à bijoux ». Elle ne voulait pas s'en séparer, à aucun prix et pour rien au monde. A cause de sa valeur intrinsèque? Non. A cause de l'effet que la robe produisait. « C'est bœuf! » avait-elle coutume de dire à son maître et gardien. Elle était heureuse comme une honnête femme est heureuse de se compromettre dans un lieu public pour la première fois avec un amant. Vérole la surveillait quand elle dansait avec un inconnu. Thérèse acceptait volontiers une invitation. Ça l'amusait. Ça la faisait rire. Les gens se pâmaient d'étonnement. « Il y en a pour plusieurs milliards! », disaient-ils. Cet épatement était une merveilleuse publicité. Aux prix qu'avaient atteints les choses les plus usuelles depuis la Libération, les gens devaient avoir raison.

C'était rien que des bijoux anciens, exotiques, lourdement sertis d'or, des pierres taillées à l'orientale, des bracelets drôlement entortillés, et les colliers d'une longueur, et les perles d'une grosseur, d'une grosseur... « Il vaut mieux n'en rien dire... Tiens, de la grosseur de son œil poché! » Il n'y a pas plus gogos que les Parisiens. Thérèse était en passe de devenir très populaire.

Après la Goulue, Mistinguett, Liane de Pougy, Cléo de Mérode, la belle Otero, Lina Cavalieri, Georgette Leblanc, Cécile Sorel, après Gina Palerme, Violetta

Napierska, Pola Negri, Gloria Swanson, Lilian Gish, jeunes femmes admirées, fêtées, célébrées entre les deux guerres pour leur talent ou leur beauté, toutes plus ou moins sophistiquées avec leurs sourcils rasés, leurs lèvres dessinées, leurs yeux charbonnés ou bleutés, leurs cils à rallonges, leurs cheveux coupés, leurs ongles peints, couvertes de chèques et de bijoux, c'était le tour de la génération des autres vieilles femmes de son âge, des survivantes qui avaient connu la gloire et en avaient peut-être fait autant qu'elle à la ville ou sur les planches, disparues et vite oubliées comme Lanthelme, trucidée dans le Rhin, Ève Lavallière, entrée en religion, la grande Réjane, la dernière amie de Marcel Proust, morte de chagrin, la malheureuse Marthe Brandès, vouée aux aveugles, la chère Yvonne de Bray, qui en avait vu de toutes les couleurs, enfouie dans la drogue, sans rien dire de cette pauvre jalouse de Sarah Bernhardt qui ne supportait personne à côté de soi et que Thérèse avait définitivement éclipsée, son aînée, sa rivale, son ennemie, morte depuis peu, amputée d'une jambe, et qui n'a même pas laissé le nom d'un amant célèbre, pouah!

Que de fantoches dans le lot...

A quoi croire et à quoi bon? Il n'y a rien. Ni Dieu ni diable. Rien. Et les hommes sont des salauds. Il faut profiter de la vie quand on est sur terre. On y est pour quelques années. Et après? Après, merde, on verra bien. Faites donc ce que vous voulez, mais...

> *Qui quitte dix pique plus que neuf,*
> *22!*

> *Qui quitte douze pique plus que onze,*
> *22!*

Qui quitte quatorze pique plus que treize,
                    22!

Qui quitte seize pique plus que quinze,
                    22!

Qui quitte dix-huit pique plus que dix-sept,
                    22!

Qui quitte vingt pique plus que dix-neuf,
                    22!

Qui quitte vingt-deux pique plus que vingt et un,
                    22!

Qui quitte vingt-quatre pique plus que vingt-trois,
                    Casse-cou!

Chacun doit connaître sa norme, Vingt Dieux!
Pour échapper à Deibler, c'est le 22!

Ce n'était pas la table des logarithmes de la mal-
chance, dite la Section Noire, donnant les chiffres fati-
diques, les nombres de goudron dont on a du mal à se
dépêtrer. Ce n'était pas non plus une condamnation,
ni une chanson cynique, ni un refrain, ni une rengaine
de bravoure ou de rébellion. C'était tout juste un courant
d'air empoisonné qui vous venait subtilement du bagne
vous transir l'âme. On ne pisse pas contre le vent, ni ne
crache. Connais-toi toi-même, disait l'autre. *Amen.* Ça
suffit. Ne chie pas plus haut que ton nez, ça te retombera
dessus. *Amen.* Que ton nom soit sanctifié. *Amen.* La
Vie. Moi. Et vive la belle! Tant pis ou tant mieux. Je
saute le mur. Vas-y donc. Chiche! On verra bien ce qui

arrivera. C'est moi. Il n'y a rien d'autre. C'est encore moi. Moi. Une vieille rombière. La Thérèse. Je suis insatiable. Maurice me l'a toujours dit. Ainsi que les autres hommes qui sont morts dans mes bras et qui, eux, n'arrivaient pas à se rassasier. Je leur ai donné ce que j'avais de meilleur. Mais qu'y puis-je?...

Victorine faisait trois mois de prison ferme pour injure envers un magistrat. La mère Magne avait été condamnée à la même peine mais avec sursis parce qu'elle était commerçante et payait patente. La séance à la P. J. ne s'était donc pas terminée sans casse. Le Chef, à bout de patience et voyant avancer l'heure, avait envoyé les deux poissardes devant un juge de paix dès l'ouverture du Palais ce matin-là, où les deux femmes, déchaînées comme elles l'étaient et réclamant leur dû à tue-tête, la mère Magne une indemnité pour sa poissonnerie saccagée et dont elle ne savait évaluer le montant, Victorine, l'argent, l'argent de sa prime de dénonciation qu'elle croyait avoir cent fois méritée en accablant sa sœur de lait, accusant Thérèse et la Papayanis d'assassinat, des fadaises, une somme ridicule qui lui paraissait énorme à elle qui n'avait jamais rien possédé en propre, mille francs! cette monnaie qu'elle n'arrivait pas à additionner et se multipliait en piécettes lui faisant tourner la tête, lui donnait le vertige, si bien qu'elle ne savait plus comment maîtriser sa langue qui allait, allait et dégoisait. Les deux femmes avaient été mises à la porte, la mère Magne pour rentrer chez elle honteuse mais récriminant devant ses fourneaux éteints dans son restaurant dévasté, le poisson vaseux, la viande tournée, les coquillages éparpillés, perdus, un tian de bouilla-baisse gâché, et elle se lamentait; Victorine pour être menée séance tenante à la Petite-Roquette purger sa peine dans un état de rage blanche indicible, toutes les deux criant à l'injustice.

C'est ainsi qu'avait débuté l'affaire dont, finalement, ce pauvre Kramer fut la victime et se suicida, au grand étonnement de tous, le jour même de sa libération définitive...

Déjà les journaux de midi s'étaient emparés de ce mince incident de justice de Paix auquel ils consacraient plusieurs colonnes, interviews de la mère Magne, qui ne se retenait plus, anecdotes pittoresques et cocasses sur ce vindicatif personnage d'abrutie qu'était la sœur de lait de la grande Thérèse et dont, en pleine page, on publiait la photographie en première communiante, jointe à des racontars hilarants, à des indiscrétions niaises et à des souvenirs de jeunesse et de famille au square d'Anvers, toutes les concierges avaient jasé, des potins envieux et des méchancetés gratuites qui venaient très heureusement compléter pour lui donner une allure d'histoire vraie l'information sensationnelle passée dès cinq heures du matin par les quotidiens à gros tirage, qui avaient titré sur huit colonnes en première page, en gras et s'étalant : UN CRIME PARFAIT.

Sombre affaire qui passionna Paris dès la première heure, titre prometteur et qui tenait sa promesse d'un scandale sans nom où tout le monde était mis dans le bain : célébrités, vedettes, le théâtre de la Scala, le décorateur, l'auteur, une ex-grande-duchesse russe oubliée parce qu'elle faisait des robes, travaillait de ses mains, une pièce révolutionnaire, les employés, le petit personnel, ouvreuses, habilleuses, machinistes et électriciens, le tenancier d'une cave, tout un quartier de bienheureux pochards innocents accusés d'être ravitaillés et de favoriser le trafic des gangsters américains du marché noir. Dieu sait qui manœuvrant une arme à feu nouvelle inconnue en France, un mort foudroyé et pas de meurtrier!

Mystère.

Affaire compliquée, incompréhensible, qui tournait petit à petit au scandale politique parce qu'on y devinait trop de compromissions sans lesquelles elle était inimaginable et que les journaux surent exploiter jusqu'à la gauche et faire mousser à qui mieux mieux selon leurs amis du jour durant des mois et des mois. Aussi le Chef de la P. J., timoré et abasourdi, ne décolérait-il pas. On n'entendait que lui tonnant comme Jupiter dans la grande maison et tous les services du quai des Orfèvres étaient sur les dents.

Un homme? Une femme?

Règlement de comptes ou drame de la jalousie?

L'enquête de Police n'aboutit jamais et Jean de Haulte-Chambre se vit contraint de donner sa démission. Il avait fini par tomber amoureux de la belle Grecque et s'était mis aussi martel en tête au sujet du sac des bijoux de la Présidente qu'il avait laissé filer sous son nez comme un benêt et dont il détenait maintenant un double de l'inventaire qu'il s'était procuré à la banque de feu le colonel Oscar de Pontmartin, rien que des joyaux authentiques, voire historiques. Il en voulait à Juin de l'avoir trompé. Il ne le lui pardonnait pas. Il avait honte de s'être laissé jouer. Il rageait. Un directeur peut démissionner mais un policier n'abdique pas. Il avait une revanche à prendre. Ah! cette garce de vieille! Il la guettait. Il avait mis des sbires à ses trousses. Pour lui l'affaire n'était pas classée...

Mais si avant d'être classée cette ténébreuse affaire empoisonna durant des mois et des mois la vie de la troupe de la Scala du fait que les gens de la Tour Pointue suspectaient un chacun de crime et d'assassinat et surveillaient leurs faits et gestes de très près, dès le premier jour le scandale vint doubler le volume de la publicité faite autour de *Madame l'Arsouille* et la Papayanis se trouva figurer à son tour en vedette dans les journaux, échos, photos, interrogatoires quai des Orfèvres, interviews, reconstitution du crime que Juin avait obtenue à la veille de la générale, ce qui avait porté la curiosité délirante du public à un engouement fou, et le scandale faisant boule de neige, c'est-à-dire apportant à la jeune femme tout ce qu'il fallait ou tout ce qu'elle pouvait souhaiter pour percer au théâtre, Juin n'avait pu faire autrement pour profiter de l'opportunité et avoir l'air de donner satisfaction au public qui l'imposait que de lui confier un premier rôle à la dernière minute, un rôle de tueuse, un rôle en maillot noir de souris d'hôtel, un rôle à donner le frisson quand l'étrangère maniait en scène un véritable 22 L. R. qui partait tout seul, rôle que Guy de Montauriol lui avait arrangé séance tenante et dans lequel, après une dernière et rapide répétition à l'italienne improvisée au café du *Globe*, la belle poule plastique avait pu débuter le soir même de la première. C'était un coup de chance. Enfin la Papayanis tenait ce qu'elle avait toujours désiré, elle tenait Paris en haleine, on parlait d'elle!...

— Voyez-vous ça? disait Thérèse à qui voulait l'entendre moins de trois mois après cette fameuse première. Ma mignonne! Elle n'a pas pu me souffler mon rôle, mais elle m'a soufflé mon meilleur ami, du moins le plus ancien. Le temps de la présenter à ce vieux Chauveau, qu'il l'épouse... et la voilà reine de Paris! Il y a de quoi se tordre. Ah! les hommes!...

Le Tout-Paris avait été invité à la noce, le monde du théâtre, les membres survivants du Club des vaches, des gens de l'Académie ou académisables et jusqu'au Président du Conseil. LL. AA. royales n'étaient pas venues, mais Horace Loupiot se marrait. On dansait. Guy et Coco paraissaient heureux. Ils s'aimaient et ne se quittaient pas. Toison d'Or courtisait la jeune épousée. Il s'était fait beau. La Papayanis rayonnait au bras de son époux, Max Hyène, qui venait de mourir, lui avait fait une dotation, elle était riche. Thérèse était ravie, elle avait amené son homme qui se tenait raide dans son habit de garçon d'honneur qui cachait de justesse ses tatouages (il avait le pointillé *à Deibler* sur la nuque, derrière son faux col amidonné qui le gênait) et elle présentait Vérole sous le nom de Jean de France. Quelle farce! Elle devait bien s'amuser. En tout cas elle en avait l'air et Félix Juin, qui avait servi de père à la mariée (de père noble, comme au théâtre encore un rôle classique!), lui clignait de l'œil en passant. Et il se frottait les mains. Tout cela n'était-il pas son œuvre? Quel succès! Le triomphe de l'hypocrisie. O Tartuffe! Mais jamais il n'aurait autant de chance en scène. Touche du bois ou dis : « MERDE! »

Qu'il était difficile de nager à contre-courant pour remonter au but aperçu vaguement dans le lointain et jamais il n'aurait pu l'atteindre tout seul. N'avait-il pas dû accepter la commandite et le concours du président d'un consortium des journaux du soir, un requin, un horrible flandrin qui riait de toutes ses dents en éventail, gauche et emprunté dans ses mouvements mais d'une puissance terrifiante, un certain Lyon (Isaac) qui avait flairé la bonne affaire dans cette affaire scandaleuse que le Directeur de théâtre menait tambour battant et sans la collaboration occulte duquel le célèbre metteur en scène n'aurait jamais pu aboutir, retourner l'opinion publique, exercer une pression continue en haut lieu, désorienter le scandale si mal emmanché par l'obstination du Chef, freiner le zèle des policiers, mettre des entraves à la justice? Fichtre, il lui devait une fière chandelle, ainsi que de la reconnaissance à cette fine mouche de Thérèse qui l'avait si bien inspiré sans avoir l'air d'y toucher ni de vouloir lui faire la leçon ou de le conseiller, lui, le grand patron, la grande coquine. Quelle garce! Ah! les femmes!...

Le jour de la reconstitution du crime, après un spectacle pénible où tous les témoignages semblaient se retourner pour accabler Kramer qui n'opposait que la force de l'inertie aux subtiles manœuvres du Chef et des experts de la Police, ne montrant qu'indifférence, les laissant passer, progresser de déduction en déduction, ne répondant pas, ne protestant pas, se prêtant passivement à toutes les singeries qu'on voulait lui faire faire dans la cave et devant la porte du *Radar*, las, revenu de tout, méprisant, son flegme traditionnel s'étant mué en un mutisme volontaire, découragé par tant d'accusations absurdes, vaines, de mauvaise foi, outragé par l'absence de ses amis ou par leur non-intervention (Juin n'était pas là, Coco s'était fait excuser, un certificat médical à l'appui, Thérèse ne disait mot, elle, qui avait la langue si bien pendue!), tournant le dos à Montauriol qu'il voulait ignorer jusqu'au bout, tournant le dos à la Papayanis qu'en somme il ne connaissait pas, tournant le dos au public accouru dans la ruelle et qui commençait à le huer et devenait furieux de ne pas pouvoir apercevoir l'assassin de face, Juin, qui attendait dans le petit bureau du chef de la P. J. le résultat de la confrontation faite sur le vif de Kramer et de ses faux témoins, se remémorait les insinuations que Thérèse avait pu faire au sujet de « son grand frère spirituel », de « P'tite Maman », agitait dans son esprit tout ce que la vieille avait pu dire de son « pote » ou laisser entendre ou suggérer et pesant le pour et le contre et les dangers de la mesure à intervenir, réduisant les risques au minimum, Juin était arrivé à la conclusion qu'il fallait à tout prix se débarrasser de l'homme si l'on voulait passer avant les fêtes de Noël et du Nouvel An, sans toutefois charger Kramer à bloc. C'était trop grave. Le Suisse y risquait sa tête...

— Ouf! s'était écrié le Chef en pénétrant en coup de vent dans son bureau et en en refermant la porte à clé. Imagine-toi qu'il ne veut rien dire. Qu'il ne se défend même pas. Il n'y a rien à faire. C'est une tête carrée...

— C'est parfait, avait répondu Juin. C'est Thérèse qui a admis la première l'idée d'en finir avec lui. Souviens-toi, elle nous a menacés de faire tout ce qu'elle pourrait au monde pour le tirer de là, mais elle nous a également laissé entendre qu'après tout elle s'en lavait les mains, qu'il était trop bête avec ses prétentions calvinistes d'honnêteté transcendantale. C'est sublime...

A l'abri de toute indiscrétion et de tout témoin les deux anciens camarades de Faculté, Ménélas et Toison d'Or, avaient longuement et froidement discuté la chose et mis posément le coup de Jarnac au point.

— Oui, c'est un gêneur, avait fini par reconnaître Toison d'Or. Mais il ne faut pas exagérer, il risque sa tête...

— Dis que c'est un emmerdeur et de première, l'avait interrompu Ménélas. Il faut le faire disparaître...

— D'accord, avait dit Toison d'Or. Il faut le faire oublier. Et ce ne sont pas les moyens qui manquent...

— Bravo! l'avait encore interrompu Ménélas. Tu finis

par comprendre. Tu pourrais le faire embastiller et l'on
n'en parlerait plus...

— D'accord, avait encore dit Toison d'Or. Mais
Thérèse?...

— Ne t'en fais pas pour elle, elle comprendra, lui
avait répondu Ménélas. D'ailleurs cette mesure n'est
que provisoire. Il s'agit de tirer le pantouflard des griffes
de la Justice, c'est urgent. On le relâchera quand l'affaire sera classée...

— Et ses amis?...

— Kramer n'a que des ennemis. Tout le monde sera
enchanté de ne plus rien savoir du Suisse-Allemand.
J'ai entendu dire que vous disposez...

— Et la famille?...

— Il n'a pas de famille...

— Jamais cette affaire ne sera classée et j'y laisserai
mon nom, sinon ma peau, tellement tu me fais faire du
mauvais sang! J'avoue que nous disposons de deux, trois
maisons de santé en proche banlieue...

— Alors, elles sont pleines?...

— Presque, avait rétorqué Toison d'Or après une
dernière hésitation, mais on y trouve toujours une bonne
place. Je vais l'envoyer à la Maison Bleue. Mais c'est
cher...

— Ne t'en fais pas pour ça. Il peut payer. Il est riche...
Et n'oublie pas de le fournir en bouquins, de préférence
des grecs. Il ne pipera mot...

— Le docteur Yentzen ne reçoit que des fils de famille
ou des évaporées. Pour la plupart des intoxiqués. La
maison est plus secrète qu'une prison d'État. Mais
motus...

— Laisse-moi faire. Je vais lui couper d'un seul mot
toute envie de rouspéter ou de vouloir faire du barouf.
Fais-le entrer...

Le Chef avait appuyé sur un bouton.

Il était allé ouvrir la porte.

Il s'était dissimulé derrière le battant.

Kramer, poussé par un garde, était entré dans le bureau. A la vue de Juin, il s'était précipité en avant.

— Merci, merci, cher ami, d'être venu me chercher. Je n'ai jamais douté de toi. Mais que se passe-t-il?...

— Emmenez-le, je ne connais pas cet homme!... avait crié le Directeur de théâtre au Directeur de la Police.

La nuit même, Kramer avait été mené à la Maison Bleue dans une voiture à rideaux. On lui avait passé la camisole de force. On l'avait reclus dans une chambre confortable du deuxième étage d'une somptueuse villa des environs de Saint-Cloud. Il était à la discrétion du docteur Yentzen...

Le succès de *Madame l'Arsouille* était quelque chose d'inimaginable. On avait majoré les prix. On battait tous les records des recettes. Le théâtre débordait. On ajoutait des rangées de chaises. On accrochait la pancarte COMPLET. On bouclait la caisse. On jouait à guichet fermé. Tous les soirs on refusait du monde. La location était prise d'assaut et les places retenues des mois et des mois à l'avance. La troupe jubilait. Félix Juin avait envisagé la possibilité de prendre un théâtre dans le centre, une salle beaucoup plus importante que la salle un peu étroite de la Scala, mais il était impossible de déménager, l'atmosphère ambiguë du quartier Saint-Martin et son ambiance mal famée faisant en quelque sorte partie de la pièce qui, après la chute du rideau, avait sa prolongation dehors, une résonance dans la rue; le public n'aurait pas suivi le mouvement, les gens se répandant après le spectacle dans les cafés avoisinants, les caboulots de mauvaise réputation; tout le quartier en bénéficiait; on voulait s'encanailler, les horreurs, les

ennuis, les restrictions de la dernière guerre poussaient
à se distraire, à oublier, et l'habitude étant née de se
retrouver chez la mère Magne, on allait souper à la
poissonnerie. La taverne ne désemplissait pas. La bonne
femme n'y suffisait plus. Elle avait été dans l'obligation
de prendre un chef et d'engager des extra. Elle avait
aussi amélioré sa cave. C'était plein toute la nuit. La
mère Magne elle aussi était en train de faire fortune. Six
mois s'étaient déjà écoulés...

— Tu vois bien, chochote, que tu as bien fait de
prendre mon parti, hein! Qu'en dis-tu? Ça marche?
Tu es contente? A propos, tu n'as pas de ses nouvelles?
Tu l'as revue?

— Non, madame Thérèse. Aucune nouvelle. Je n'ai
plus revu Victorine depuis sa sortie de prison. Elle a honte.

— C'est bizarre, disait Thérèse. Qu'est-elle devenue?
On m'a même renvoyé les petits mandats que j'ai pu lui
adresser. Je ne comprends pas...

La mère Magne soignait tout particulièrement la
grande comédienne qui avait été la providence du
quartier. Elle lui réservait la meilleure table, le plat du
jour pré-excellent et choisissait pour elle la primeur
affriolante et hors de saison que l'on trouve toujours aux
Halles, des fraises des bois au mois de janvier, du caviar
frais arrivé par avion, des fruits des Indes ou du Brésil,
du café d'Arabie. Mais Thérèse s'en allait avec son
homme et vers les deux, trois heures du matin commençait sa tournée des boîtes de nuit. La boîte qu'elle préfé-
rait était chez Tonton-de-Montmartre, où l'on pouvait
être sûr de la rencontrer et de la voir danser. Des gens
de toutes sortes venaient la relancer là. On disait que
son homme était le roi de la came. C'était fort possible
depuis sa désertion. En tout cas le caïd ne restait pas
oisif et Vérole s'appliquait consciencieusement. L'œil
poché était plus aguichant que jamais. Les oreilles sup-

puraient, peut-être à force de recevoir des coups de
poing quotidiens. Elle avait des douleurs partout et
particulièrement aiguës, des pincements, des élance-
ments et comme des lames de feu dans le bas de la
colonne vertébrale. Thérèse se voûtait visiblement. Elle
se tassait. Ses épaules tombaient en avant. L'âge? Le
surmenage? Il ne restait plus rien de sa beauté. Elle avait
du courage de se montrer ainsi. Mais elle avait toujours sa
langue rapide, à double tranchant, sa langue de tous les
diables. On s'amusait bien à sa table. Elle était drôle.
Les noctambules adorent les excentriques. Et les fêtards,
qui ont de la repartie et de l'invention. On se racontait
des anecdotes impayables. Les bons mots fusaient. On
se lançait des défis. On n'épargnait rien ni personne.
C'était une cascade de fous rires. La nuit était trop courte.
Thérèse partait au petit jour pour arriver à l'heure au
studio. Ah, le cinéma, quel poison! Elle avait acheté un
appartement moderne dans une maison neuve juste
en face la chapelle de Notre-Dame des Champs, rue
Joseph-Bara. Ses fenêtres donnaient sur les jardins de la
conventualité. Mais elle ne pouvait s'y reposer. Les
cloches du couvent et les coups de Vérole l'empêchaient de dormir l'après-midi. Elle n'avait pas le temps
non plus d'aller voir Toutoune, qui logeait à deux pas.
Le temps passait, les semaines, les mois. Il y avait déjà
longtemps qu'on avait célébré la centième. On était
déjà rentré de tournées épuisantes en province. On venait
de faire la Suisse, l'Égypte, le Proche-Orient, Munich,
Hambourg, la Hollande, la Belgique. Le temps marchait
à une vitesse folle. On prenait l'avion. Pauvre Toutoune!...

Maintenant qu'il avait donné sa démission et qu'il
était libre de son temps, Jean de Haulte-Chambre était

toujours fourré au théâtre. Il faisait une cour acharnée
à la Papayanis, il en perdait l'esprit car neuf fois sur dix
la place était prise, soit par Chauveau, qui venait enlever
sa femme à la fin de la représentation, soit par l'auteur,
qui ne bougeait pas de la loge de son interprète, assis-
tait sans vergogne aux déshabillages et aux rhabillages,
la faisait répéter ou se livrait avec elle à des exercices de
culture physique, lui prêtait la main, essayait d'en profiter
pour la serrer de plus près sans souci des importuns
qui venaient présenter leurs hommages à la belle jeune
femme, s'enfermait avec elle durant le deuxième acte,
où la Papayanis ne paraissait pas en scène, essayait le
22 L. R., lui tirait dans les jambes comme dans un
saloon du Far West pour lui faire exécuter la gigue dès
qu'il poussait la porte, se moquait de lui s'il faisait mine
d'entrer, et l'ancien directeur de la police battait en
retraite, dépité.

Ah! celui-là, il ne pouvait pas le voir.

Avec sa voix blanche de soprano ou d'alto, son
bégaiement de Gitan passionné, Guy de Montauriol
lui rappelait la voix de l'homme qui lui avait téléphoné
le jour du drame, son indicateur secret qu'il ne connaissait pas personnellement de vue et à qui il avait fait
tenir tant d'enveloppes gonflées de billets de banque
déposées dans tous les coins de Paris et que le mecton
inconnu finissait par empocher grâce à un système
compliqué de relais et de ristournes. L'Araignée. Certains soirs, il était presque convaincu que c'était bien
lui, Guy, quand sa voix d'adolescent changeait de registre
et d'intonation selon la nuance de son émotion, cette
voix à nulle autre pareille lui cinglait les oreilles, et il
avait peine à y croire à cause de la jeunesse du personnage. La voix de Guy était également un peu plus
détachée, moqueuse, moins âpre ou avide que celle
de l'autre.

Alors l'amoureux transi montait voir Juin à l'entracte, dont la loge directoriale, envahie par des admirateurs et des admiratrices et une nuée de solliciteurs et des folliculaires, regorgeait de monde, ce qui l'empêchait de placer un mot et de se plaindre. Quand il arrivait à voir le patron seul, tout à fait en fin de soirée, quand l'acteur enfilait son pardessus, nouait son foulard, avait signé les derniers papiers et le bulletin de service, le faisait monter et sautait derrière lui dans sa voiture pour aller souper chez la mère Magne ou chez Tonton-de-Montmartre ou boire du whisky dans quelque endroit où l'on pouvait être à peu près sûrs d'être seuls ou noyés parmi des étrangers de passage qui ne prenaient pas garde à vous, des Anglo-Saxons indifférents qui ne connaissaient rien ni personne à Paris en dehors du nom du bar et du nom du barman qu'on leur avait donnés, *Au Trou dans le Mur* près de la Madeleine, au *Mitchel's Bar* à Passy, au *Toc et Toc* rue de la Tour-des-Dames, derrière la Trinité, chez *Harry* de New York, rue Daunou (Félix Juin buvait beaucoup, trop; à force d'avaler des mauvais alcools, il avait rapporté d'Amérique un eczéma sur tout le corps et des démangeaisons insupportables si bien qu'il s'arrachait des lambeaux de peau devenue squameuse, se grattait jusqu'au sang en parlant, particulièrement les mollets, et se mordillait les mains entre la jointure des doigts, ce qui était répugnant et rendait souvent son abord difficile car le prurit intolérable lui flanquait des accès de misanthropie fort déplaisants), au lieu de lui parler de Montauriol et des soupçons tardifs qui lui étaient venus et de se plaindre de l'attitude de la Papayanis et de la froideur qu'elle lui témoignait, Jean de Haulte-Chambre se plaignait de sa femme et de ses enfants (trois grands fils de 18 à 21 ans) qui lui rendaient la vie impossible à la maison et l'empêchaient de se consacrer dans la journée à son dernier dada : l'enquête qu'il était en train de mener pour son compte personnel sur la Présidente et son mari, feu le colonel Oscar de Pontmartin. « Oh! la jambe! encore!... » pensait Félix, qui ne pouvait oublier les ennuis qu'il devait déjà à l'obstination aveugle, à l'entêtement de Toison d'Or, cet imbécile qui avait poussé l'inconscience jusqu'à lui reprocher un jour de l'avoir trompé sur la valeur des bijoux de la robe, un comble!...

— Je vois que tu es mordu. Tu tiens à tes bijoux. Mais tu as mieux à faire, mon vieux. Laisse tomber les femmes, la jeune, la femme-tronc et la viocque. Loin de te nuire, ta démission te pousse dans la carrière. Un grand avenir t'attend. Tu es devenu un personnage consulaire. Peut-être que tu ne t'en rends pas compte. Mais Thérèse a parlé de toi à la Présidence du Conseil et ce sacré furet d'Horace Loupiot n'y voit pas d'inconvénient. De mon côté, j'intrigue pour qu'on te nomme Résident général en Afrique du Nord, en Tunisie ou au Maroc, au choix. Cela te va-t-il? Patiente un peu, c'est promis. Ce n'est plus qu'une question de jours. Tu seras désigné à la première occasion. Tu feras ta pelote, ma parole! Tu vois bien qu'on n'oublie pas les copains...

Bien sûr, Toison d'Or eût préféré le Maroc pour mener son affaire de bijoux à bout, mais l'ex-policier restait réticent. Ménélas l'avait déjà trompé une première fois. C'était un faux frère. Il se méfiait. Et l'enquête qu'il était en train de mener secrètement pour son compte personnel ne progressait pas vite. Il aurait dû changer de méthode et il était victime de sa déformation professionnelle qui faisait qu'il ne pouvait pas avancer d'un pas sans avoir recours à des fiches, à des preuves matérielles fournies par des tiers, à des confron-

tations qu'il ne pouvait obtenir ni reconstituer ni convo-
quer à titre privé, il n'avait pas assez de liberté d'esprit
pour passer outre, ne plus s'encombrer de bertillonnage
pseudo-scientifique, et il avait aussi des habitudes de
brutalité qu'il ne pouvait appliquer dans le cas présent,
malgré son impatience, si bien que certains jours il
pensait sérieusement s'expliquer avec Guy, le mettre
au courant et le prier de bien vouloir collaborer avec lui
dans cette affaire complexe qui réclamait de l'initiative
et le plus entier mépris des règles et des usages. Mais là
non plus il n'osait se confier et en cas d'identité entre
Guy de Montauriol et le Gitan, s'il ne se trompait pas,
l'Araignée eût bien été capable de débrouiller l'affaire
pour son propre compte et de la réaliser à son seul
bénéfice non par une nouvelle manœuvre dolosive mais
en tranchant la question par l'action directe : bris de
clôture, cambriolage, vol, pillage, attaque à main armée,
assommade, strangulation, incendie, meurtre crapuleux,
une morte, défilade rapide, ce dont le grand bourgeois
se sentait bien incapable. Lâcher la proie pour l'ombre?
Il ne tenait pas à quitter Paris à cause de la robe. Thérèse
la portait sur elle et quand elle ne la portait pas, la
robe était enfermée dans la Mercédès, son écrin, et
Jean de France, dit Jean-Jean, *alias* Vérole, veillait sur elle
et sur sa patronne, un gaillard à tête de tueur et dont
il avait à se méfier. Contre ce dernier aussi il amassait
sans en avoir l'air de quoi percer son identité à jour.
Celui-là, il l'aurait. Déjà, il savait que c'était un déserteur...
   A part ça et l'inventaire fourni par la banque américaine du Colonel et la liste détaillée des bijoux de la
collection dont la Présidente (la Présidente de quoi?)
avait hérité à la mort de son mari avec son immense
fortune, bijoux cousus sur la robe ou qui ornaient aujour-
d'hui le cou, le buste, les bras, les poignets, les doigts,
les cheveux, le derrière de cette vieille cochonne d'ac-

trice, liste détaillée dont la simple énumération conges-
tionnait l'ex-policier, qui mourait d'envie de mettre la
main dessus et de se les approprier, les faits avérés étaient
plutôt maigres concernant le passé de la femme-tronc et
censément neutres pour le mari, c'est-à-dire officiels, un
curriculum vitae de sa main, signé *Colonel Oscar de
Pontmartin, chef du Bureau aux Affaires indigènes, comman-
deur de la Légion d'honneur, Rabat, le 18 février 1925*,
accompagné de sa lettre de démission *pour raisons de
famille*, annonçant qu'il allait se marier...

Le bureau de l'état civil de la mairie du VIᵉ arrondis-
sement de Paris avait enregistré le mariage à la date du
9 juillet 1929, indiquant le nom de famille de la femme et
la date et le lieu de naissance : *Bahanie-Paceaura Netotsi
(Marie-Antoinette), née le 11 novembre 1900, à Tizsa,
hameau du district de Hadjduboszormeny (Hongrie)*. Les
témoins de la femme (sans profession) étaient *Teresa
Espinosa* et *Princesse de Sauternes;* ceux du colonel,
Général Blond et *Capitaine Gérard Richard*...

En son temps le colonel de Pontmartin, officier aux
Affaires indigènes, était présent au ksar au moment de
la défenestration de Kenifra. On pouvait même se
demander jusqu'à quel point il n'était pas l'organisateur
de la farce. C'était un morphinomane. Il s'ennuyait. Et
peut-être que comme les hommes de la garnison il
rêvait à la belle favorite du harem et à des étreintes
inédites avec le monstre payé à son poids d'or par le
seigneur Moha-Ou-Hammoun, son vieil ami, un collectionneur de femmes et qui s'y connaissait, la péri
sans jambes, la pièce la plus rare de sa collection, le
joyau le plus précieux de son trésor, un morceau de roi
qui avait fait céder l'avarice du vieux ladre, la Tenta-
trice. *Désir... Désirs...*

Le Colonel, qui était lui-même un collectionneur passionné, c'est-à-dire un vicieux prêt à céder à tous ses caprices et à se prêter à toutes les collusions pour satisfaire une envie et entrer en possession — depuis qu'il était au Maroc n'avait-il pas constitué la plus belle collection de bijoux exotiques anciens à grands coups d'argent, renonçant à bien d'autres lubies, souffrant, une collection inégalable installée dans ses appartements privés de l'*Hôtel Mamounia* à Marrakech, où il passait la période des grandes chaleurs et revenait à tout bout de champ en week-end, tripotant, reclassant, inventoriant sa collection unique au monde, faisant couler ses pierreries d'une main dans l'autre, jouissant, se rafraîchissant à leur contact, se revirilisant, et n'hésitant pas de se mettre dans la gêne par un achat intempestif qui annulait d'un seul coup ses prévisions et l'économie de son train de vie déjà exorbitant à la *Mamounia*, l'immense fortune dont il devait jouir plus tard n'étant pas encore établie, terrains, latifundia au Maroc, spéculations à Casablanca, ses extravagances le ruinaient et il connaissait des périodes d'épargne, de pauvreté, de privations ce qui faisait qu'il était criblé de dettes — le Colonel pouvait compatir aux affres et au désarroi du Pacha. Quoi qu'il en soit et ne fût-ce que pour lui complaire, le Chef du Bureau aux Affaires indigènes avait ouvert une enquête qui devait durer des années avant d'aboutir et il employa les moyens d'autorité et de pleins pouvoirs qui étaient illimités à la Résidence. Et voici les renseignements dont il arriva à disposer en diffusant partout le signalement de la fugitive.

Une femme-tronc, une jeune fille intacte, une vierge, portant les tatouages du clan des Zaïans, mais une Blanche belle comme le jour, d'origine hongroise, Bahanie-Paceaura Netotsi, probablement un monstre fait sur commande et fabriqué dans une tente de la *puszta*,

Bahanie signifiant « Monstre », Paceaura, « Torchon »,
« Netotsi » étant le nom d'une tribu tzigane des plus
cruelles de la Hongrie, certains disant ces gens anthro-
pophages aujourd'hui encore, une enfant volée, devant
porter derrière l'oreille gauche comme une génisse une
marque faite au fer rouge, « un trèfle à quatre feuilles »
selon les confidences de Moha-Ou-Hammoun, une cica-
trice minuscule qui est la marque de fabrique de Carol
Magnus, le fournisseur habituel de Barnum et des autres
cirques et music-halls qui produisent ou baladent des
collections de phénomènes à travers les pays civilisés,
arrivée au Maroc vers l'âge de quinze ans, par la voie de
terre, venant du Sud, vendue par des trafiquants de sa
nation au vieux seigneur de Kenifra, enlevée du ksar
par un légionnaire qui s'était enfui à cheval et avait disparu en direction du Sud, en pleine dissidence, d'où il
n'y avait pas une chance de les voir jamais revenir, vifs
ou morts, ou d'avoir jamais de leurs nouvelles, même
leurs têtes mises à prix.

Près de deux ans s'étaient écoulés.

Les chasseurs d'hommes eux aussi sont arrêtés
par l'impossible et la fatalité. Il n'y avait donc plus
aucune chance d'entendre parler du couple qui s'était
évanoui.

Rien que l'obtention de l'extrait de naissance de la
femme-tronc avait demandé des mois et des mois
d'échange de notes de chancellerie à chancellerie, les
deux ministres des Affaires étrangères avaient dû intervenir à plusieurs reprises et, sans sa situation officielle
et l'appui personnel du maréchal Lyautey, jamais le
Colonel n'aurait pu remuer et faire lever tant de pape-
rasserie! La montagne avait accouché d'une souris. Un
bébé tzigane. Une enfant volée. Généralement cela ne se
déclare pas aux gendarmes à défaut d'une déclaration à
la mairie. Ce n'est pas la coutume. Cela se passe sous

l'Arbre. Un arbre quelconque de la *puszta*. Un grand
solitaire qui abrite la tente des nomades. Et les événements réactionnaires qui bouleversaient la Hongrie
n'étaient pas faits pour faciliter les choses entre les
autorités de l'amiral Horthy et la curiosité d'un Français,
protégé du Maréchal et du Sultan.

C'était tout à fait par hasard, durant un congé passé
en France, que le Colonel avait eu vent de l'apparition
de Notre-Dame de la Légion dans une boîte de nuit
d'Alger et de l'épidémie des désertions qui s'était emparée
des légionnaires qui se ruaient pour aller voir, toucher,
adorer, prendre, ravir, posséder cette réincarnation de
la femme-tronc, la plus belle môme du monde et une
affaire d'or! Parti sur cette nouvelle piste d'une femme-
tronc exhibée une première fois à Alger, puis une
deuxième fois à Marseille dans un dancing du quartier
des Petites-Maries, où l'on devait relever un matin, dans
le local mis sens dessus dessous par une rixe, le cadavre
d'un légionnaire, un poignard planté dans le foie, un
Russe, un loustic, un hâbleur qui avait lancé le phénomène et avait eu l'idée de l'exploiter, et remontant la
longue chaîne des légionnaires assassinés dans toutes
les foires de France et de Navarre, tous ramassés avec
le même poignard planté dans le foie, un poignard fait
des lamelles découpées dans une vieille boîte de conserves,
ce qui est la signature de la *camise* et une marque de
vendetta, le Colonel qui aimait bien payer de sa personne
et qui ne reculait pas devant une aventure, le Colonel
avait retrouvé la femme-tronc exhibée à Magic-City, où
elle était exploitée par un ex-légionnaire, un Arménien,
un nommé Holighan, dit Conio ou le Bavard, à qui il
l'avait achetée séance tenante pour la retirer de la circulation après ses trop nombreux avatars. Cela avait été
le coup de foudre. Le collectionneur avait été absolument emballé. Le morphinomane était subjugué. Le

Colonel avait remis sa démission. Mais avant d'épouser, l'homme luttait avec ses derniers scrupules...

Encore une mythomane! Missia Sert n'a pas tout raconté dans ses *Mémoires* qui ont été retouchés et soigneusement expurgés, on ne sait par qui. Dans une autre version qui circule sous le manteau, elle fait plusieurs fois allusion à une autre femme-tronc qui s'exhibait vers la même époque à Luna-Park et qui, comme la Présidente, avait le don des langues. C'était une femme intelligente et un être séduisant. Elle s'entretenait volontiers avec ses visiteurs. C'était une tartare de Crimée, une nommée Maroussia. Son succès était tel qu'après la fermeture des attractions vers les deux heures du matin, sa baraque était envahie par les privilégiés, les vicieux les plus connus de la capitale, dont beaucoup de gens du monde pervertis qui s'y donnaient rendez-vous pour s'amuser. Maroussia s'exhibait nue... Et l'on regardait... Et l'on touchait... Le mystère exposé était irritant... Comme chez les Chinoises l'organe était enflé, disproportionné. Mais l'atrophie des pieds chez les Chinoises n'était qu'une mesure érotique, un truc artificiel destiné à augmenter la volupté du mâle perdu comme dans le cloaque d'une oie dans une masse graisseuse refoulée vers le haut des cuisses et l'arrière-train, tandis que dans le cas de tératologie le phocomèle est une manifestation rétrograde de la nature qui frappe l'organe féminin de gigantisme. Les curieux attirés par le phénomène y portaient la main, faisaient tourner le coussinet de peluche verte en forme de pèse-bébé ou se reculaient, effrayés. Maroussia souriait, se laissant palper. Cette femme a fait fortune avant la guerre et s'est retirée à Florence avec son impresario, un Italien dalmate, un

très bel homme, sain, mais un peu borné. Il paraît qu'ils
sont heureux...

La tache de Taza était réduite. Le Rif, en bonne voie
d'apaisement. La pacification suivait son train-train
routinier. Le Protectorat s'étendait. Le Colonel avait
rédigé sa lettre de démission et n'attendait qu'une occasion honorable pour quitter le Maroc, où son intelli-
gence et sa finesse durant la conquête l'avaient fait
distinguer par le Maréchal et les notables. En proie à
l'incertitude et à une agitation morale à la veille de
retourner pour la dernière fois sur le front de la dissidence, Oscar de Pontmartin attendait Thérèse au *Chalet
du Lac*, parc Montsouris, sa vieille amie n'ayant rien à
lui refuser et, par ailleurs, Thérèse n'avait-elle pas été
témoin de l'enlèvement de Kenifra? A l'époque, les
mauvaises langues avaient même chuchoté qu'ils s'étaient
mis d'accord tous deux pour leurrer et dépouiller le
Pacha, calomnie que le Colonel, trompé pour la première
fois de sa vie par une femme, s'était donné beaucoup de
mal à extirper pour ne pas rester sur une réputation
fâcheuse, la première enquête sans résultat le laissant
insatisfait et bredouille, exposé à la malice de ses subor-
donnés.

Tout en déjeunant dans ce décor mélancolique du
parc Montsouris en automne, le vent balayant les feuilles
mortes et les cris des oiseaux aquatiques accompagnant
d'une façon discordante les confidences de l'officier,
Oscar de Pontmartin avait ouvert son cœur à la comédienne, lui parlant en toute sincérité de ses sentiments,
des dispositions qu'il avait prises en vue du mariage,
du grand appartement qu'il avait acheté et fait luxueuse-
ment installer en face le jardin du Luxembourg, priant
Thérèse de bien vouloir s'occuper de sa fiancée durant

son absence qui pouvait durer encore deux, trois ans, d'aller souvent la voir, de la protéger, de la faire parler, de lui remonter le moral, de la rendre digne, d'être sa marraine, sans savoir, sans pouvoir deviner, le malheureux, qu'en plaidant sa cause, il allait tomber de Charybde en Scylla et sceller sa honte en faisant baptiser le phénomène Marie-Antoinette par un missionnaire des Pères blancs...

Pour Thérèse, la longue absence du Colonel qui accomplissait son devoir de soldat et dont on ne voyait pas la fin, fut l'époque la plus heureuse de sa vie. Aussitôt reconnues, les deux femmes s'étaient éprises l'une pour l'autre d'une passion infinie et sans cesse renouvelée (c'était bien avant l'intronisation de Sam dans le ménage) et pour fêter cette époque heureuse, bénie, exclusivement faite de joie et de bonheur, Thérèse avait surnommé la femme de son amour la *Présidente*, en souvenir d'une autre grande époque de sa vie, quand l'homme qui l'avait faite et à qui elle devait tout, sa carrière et son inspiration, et qu'elle était alors la muse des poètes de la génération nouvelle, Maurice Strauss lui avait mis la voix sur les lèvres et lui faisait réciter dans les cénacles le poème de Baudelaire : *A celle qui est trop gaie...*

. . . .

> Ta tête, ton geste, ton air
> Sont beaux comme un beau paysage;
> Le rire joue en ton visage
> Comme un vent frais dans un ciel clair.

> Le passant chagrin que tu frôles
> Est ébloui par la santé
> Qui jaillit comme une clarté
> De tes bras et de tes épaules.

Les retentissantes couleurs
Dont tu parsèmes tes toilettes
Jettent dans l'esprit des poëtes
L'image d'un ballet de fleurs.

Ces robes folles sont l'emblème
De ton esprit bariolé;
Folle dont je suis affolé,
Je te hais autant que je t'aime!

Quelquefois dans un beau jardin
Où je traînais mon atonie,
J'ai senti, comme une ironie,
Le soleil déchirer mon sein;

Et le printemps et la verdure
Ont tant humilié mon cœur,
Que j'ai puni sur une fleur
L'insolence de la Nature.

Ainsi je voudrais, une nuit,
Quand l'heure des voluptés sonne,
Vers les trésors de ta personne,
Comme un lâche, ramper sans bruit,

Pour châtier ta chair joyeuse,
Pour meurtrir ton sein pardonné,
Et faire à ton flanc étonné
Une blessure large et creuse,

Et, vertigineuse douceur!
A travers ces lèvres nouvelles,
Plus éclatantes et plus belles,
T'infuser mon venin, ma sœur!...

. . . .

Un qui se foutait pas mal de tout était Guy de Montauriol. On venait de célébrer la 1000ᵉ, la 1500ᵉ et l'on marchait allégrement vers la 2000ᵉ. *Madame l'Arsouille* battait son plein. Le fric radinait. C'était bon à prendre. Bien. Mais Guy s'en foutait. Contrairement à un Cocteau qui en avait fait une maladie et qui boudait Paris pour avoir connu un four noir avec *Bacchus* au Théâtre Marigny et qui avait retiré sa pièce pour aller la monter en Allemagne, où elle avait connu un triomphe qui ne faisait envie à personne (et même pas à ce guignard de Mauriac que les photographes de presse avaient réussi à saisir fuyant le théâtre comme un spectre un tombeau blanchi), Guy n'avait rien de néronien. Il s'en foutait et s'amusait. Pas une semaine ne s'écoulait sans qu'il ne remaniât une scène, ajoutât un tableau ou deux, en retranchât trois ou quatre, au grand scandale des acteurs qui ne s'y retrouvaient plus, habitués qu'ils étaient à leur ronron professionnel (déjà ils n'aimaient pas Guy suspecté de les avoir donnés à la police, le soir du drame), mais au plus grand amusement de Thérèse, qui pétillait et en jetait, de la Papayanis, qui voyait son rôle prendre de plus en plus d'envergure, de Coco, que chaque remaniement, que chaque improvisation nouvelle enchantaient, et malgré tous les soins méticuleux que Félix Juin avait apportés à la mise en scène pour en faire un spectacle prestigieux, nouveau, rapide, frénétique, mordant, insolent, enlevé, comique et malgré les dépenses supplémentaires que tout cela entraînait, Félix Juin laissait faire, coupures et rallonges, impromptus et cascades, contre-petteries et jeux de mots entretenant le fou rire et faisant rentrer l'argent. Ça n'était pas toujours très distingué et jamais, jamais esthétique, mais cela coulait de source inépuisablement, quoiqu'un peu gros et trop salé. Sacré gamin, va! Il était bien de

sa génération. Zazou, gavroche du pavé de Paris, maquisard, franc-tireur. Moquerie. Lazzi. Terreur. La pièce
semblait avoir été écrite à coups de mitraillette. On n'y
respectait rien. Foutre, larmes et sang. Gouaille. Beaucoup
plus de rigolade tragique que de revendication sociale.
Mépris de l'humanité. J'm'en-foutisme. Jeu. Et un
brillant et un éclat et un précipité atomiques. On ne
pouvait faire mieux. Emploi exclusif de nouvelles matières
plastiques dans la construction des décors. Couleurs
pures. Déformation de la perspective. Échelle cubistique.
Le tout baigné dans une lumière stupéfiante, irréelle.
Coco aussi s'était distingué.

Depuis qu'ils vivaient ensemble Coco et Guy semblaient heureux et comme hors du monde. Il est vrai
que l'on trouvait la came à gogo et qu'ils en usaient
et abusaient. Jamais les intoxiqués parisiens ne connurent
une si belle époque de liberté et d'abondance. Il paraît
qu'un type inouï avait mis la main sur les surplus de
l'aviation allemande et que toutes les réserves de drogue
enfouies dans les caches des Buttes-Chaumont, et desti-
nées à intoxiquer l'Angleterre et les États-Unis en cas
d'invasion, étaient mises sur le marché par la bande au
type des surplus, à des prix imbattables et avec une
merveilleuse audace. Coco était rayonnant. Il soignait
sa barbe et sa pilosité en auréole autour de son sourire.
Il ressemblait à Dieu le Père mais en bon enfant. Il
devenait ventripotent. M. Pouf était mort mais sans
tarir la veine du peintre qui travaillait comme quatre
et qui venait de fournir un effort considérable d'invention en équipant la pièce de la Scala, ce qui ne l'avait
nullement épuisé, au contraire, la présence de Guy lui
portant bonheur; quant à Guy, le simple fait de manger
tous les jours l'avait requinqué. Il avait perdu ses joues
creuses d'adolescent tourmenté et si ses yeux étaient
toujours cernés, ce n'était plus la fièvre qui le consumait

ni la consomption mais le travail, l'exemple du peintre, une rivalité de création qui l'exaltait et le portait à vouloir battre son ami. Ses improvisations, ses impromptus au théâtre, de même que le travail perpétuel de mise au point, d'essais, d'invention, d'expérience du grand décorateur ne le satisfaisaient pas cependant, car il ne croyait pas au génie et avait même horreur de ça. Le génie, il s'en foutait comme du reste. Dans la création, il n'y a que le travail qui compte et le travail est une malédiction. Il s'habillait maintenant à Londres avec des frusques, vestons, pantalons, cravates, chaussures de daim qui auraient soufflé un dandy. Il ne paradait pas, il flânait. Ses chapeaux étaient inimitables d'arrogance et de familiarité. Il portait aussi monocle, ce qui avait le don de dérouter ses anciens copains de la Résistance. Cela le portait au comble de la joie. Trahir. Il aurait voulu trouver un joint semblable, quelque chose de primaire, un truc élémentaire et terriblement terre à terre pour troubler les hautes spéculations de son ami et son culte de l'art. L'art, le dernier jonchet du xxᵉ siècle, une belle occasion de discussions sans fin, du bla-bla-bla comme une oraison et, aujourd'hui, les bourgeois, les prolétaires s'en mêlent, on se demande pourquoi, et les attachés culturels qui veulent sauver l'art en l'exportant dans le nouveau monde et les démocraties, voire chez les primitifs et les sauvages comme un produit de l'industrie moderne. La ferme! A la longue, la présence constante de Coco lui pesait. Il avait l'impression d'être dépouillé. Sous le fallacieux prétexte de faire des dollars et de préparer la saison de New York, Coco le vidait d'un million d'idées que, sans lui, il n'aurait jamais eues et savait profiter des situations inextricables et des quiproquos naturels et quotidiens qui lui passaient par la tête, mais qu'on n'avait jamais vus au théâtre, qui va toujours chercher midi à quatorze heures. Alors, c'est ça l'esthé-

tique? De la merde en bâton. C'est pourquoi il allait
de plus en plus souvent embêter la Papayanis dans sa
loge. Il en voulait faire quoi? Rien. Tourmenter la fille?
Même pas. Il s'en foutait. S'il n'avait pas été sûr d'y
rencontrer l'ex-grand manitou de la P. J. et de le faire
râler, il n'y serait probablement pas retourné, tout au
moins pas si souvent. La toquade que Thérèse avait
pour lui l'amusait bien davantage. Jusqu'à présent, il
avait été le seul à avoir été reçu à bord de la fameuse
Mercédès noire. La vieille charpie était impayable avec
son œil borgne qu'elle lustrait, et les oreillons, et une
furonculose dans le cou, et des abcès au bas des reins
et sous les bras, et son bonhomme de drôle qui vous
refilait gratis des bouteillons de came de la grosseur
d'un quart Perrier. Il avait le génie du mal. Non, pas le
génie. Le génie c'est encore du toc et de la frime. Il
était l'enfant du malheur né sous une mauvaise étoile.
L'enfant. C'est ça. Peut-être un sale gosse, je ne vous
le cache pas. Voilà ce dont je dois convaincre Coco
et le rendre responsable. Un gosse. Je ne serai jamais
plus rien pour lui. J'en ai marre. J'm'en fous! C'est
l'époque d'aujourd'hui. Rien, rien, rien, rien, rien, rien,
rien. Je suis tellement abruti que je prends demain pour
hier. Vive la came! Nous vaincrons ou c'est la fin du
monde. Les Allemands n'en voulaient pas tant. Rien
ne tient plus debout. Tout fout le camp. J'embarque.
Faire du dollar. Des nèfles, oui! Je fume ma dernière
cigarette et je jette par la portière son enveloppe en
cellophane et je tire dessus. C'est le vide. On part en
avion. Un trou dans un paquet vide. On n'y échappe
pas. Rien à faire. Trop c'est trop...

On préparait le départ pour New York. Félix Juin
s'était déjà envolé. Guy de Montauriol n'avait pas voulu
l'accompagner.

— Qu'est-ce qui te prend, petit, tu es malade? lui

avait demandé le patron en arrivant à Orly. Allons
prendre un verre...

— J'aime pas les Amerloques, je ne les aime pas à
Panam, lui avait répondu le gamin. Alors, qu'est-ce
que j'irais faire chez eux? Je n'ai pas de chaise électrique à leur vendre...

— Peut-être bien que si! lui avait répondu le patron
en se tapotant les poches. Et ça?...

Il s'envolait les poches bourrées d'idées, de notes,
de suggestions pour sa mise en scène à Broadway.
La plupart étaient de Guy. Tout se multipliait. Cent
reines de la rue comme Thérèse, vingt-cinq souris
d'hôtel comme la Papayanis, des rangées de chorus-girls
croqueuses de diamants, des flopées de répliques à
l'échelle des gratte-ciel, des cohortes de projecteurs
basculant dans les couleurs du drapeau national et le
charivari des haut-parleurs aux ondes électriques, le
corps des pompiers cybernétiques et l'armée des robots
de l'avenir, un spectacle tohu-bohu en série, un décou-
page monstre, du film, travelling et panoramique, un
bisnesse, un bordel de bombe atomique, l'apothéose
de la femme américaine, la première à planter un trépied
de Kodak dans la lune, Miss Univers, une championne
de natation ou de boxe, la reine des dactylos, Diane
chasseresse, la Barbara à Rubirosa ou l'Amazone de
Rémy de Gourmont. Et si la viocque venait à mourir
là-bas, on n'aurait que l'embarras du choix en Amérique,
de la vamp d'Hollywood à la cover-girl de Manhattan,
à la Présidente du trust des divorcées à Réno, à la milliardaire qui collectionne les descendants des têtes
couronnées à Miami, rien que des jeunes crevés mais
des nobles, la fleur des pois de la vieille Europe, à la
femme-gangster, à la femme-détective à Chicago, aux
sœurs jumelles, Dora et Bianca agents de change à Wall
Street, recommandées par le vieux commodore Van-

derbilt et qui lui servaient de rabatteuses, d'entraî-
neuses à la banque, à la dernière née des call-girls qui
n'a pas quinze ans, disent les journaux, une petite rou-
quine, à la Négresse blanche emplumée qui est l'impératrice du jazz; elles sont toutes dans la tradition du pays
depuis Jenny Lind qui fonda le premier théâtre de San
Francisco, Virginie, la romantique fiancée de l'amiral-
pirate John-Paul Jones, qu'Alexandre Dumas a célébré,
et qui lui broda le premier pavillon de la Révolution,
un serpent à sonnette, avec la devise *Do'nt treate on me,
Ne me marche pas dessus*, jusqu'à Juny Wax, la maîtresse
du déshabillage musical, qui enlève toutes les primes
au strip-tease et qui pèse dans les cent cinquante kilos,
un tonneau de bière décoré. Une « Mme l'Arsouille »
américaine est donc facile à trouver. Voyez Mae West.
Mais ce serait dommage d'avoir à remplacer notre
vieille Parigote dont l'accent français, inimitable à
Broadway, porte tout le poids de la pièce, fait son succès
et les fait mourir de rire. Une grenouille! « C'est bœuf,
hein? » Mais les bœufs sont dans la salle. Hé, oui, ma
chère, la grenouille et les bisons. C'est pas un avenir.
Il vaut mieux crever. Etc.

— Pour qui tu me prends? lui avait rétorqué Guy.
Je ne suis pas Thérèse. Je n'ai pas pris des leçons d'anglais. Je ne sais pas le slang. Je ne parle pas du nez. Si
j'étais un enfant volé, je serais peut-être Gitan; mais
je ne suis qu'un enfant trouvé, ramassé dans une poubelle, un rejeton revomi par un bidet, son fils. J'm'en
fous!...

Et le Constellation avait décollé...

Le jeune auteur suivait des yeux l'engin tout neuf qui
fonçait comme une rafale dans le ciel vide. Un 22 L. R.
faisait bosse dans la poche intérieure de son veston de
chez le bon faiseur de Bond Street...

— ... Je ne suis pas en usine, pensait-il. C'est très

beau de gagner de l'argent. Mais je veux vivre. Ah, zut!
Ça n'est pas commode... Il faut savoir nager...

   Coco était assis dans son fauteuil d'orchestre, quatrième rangée, côté cour, d'où il avait l'habitude d'estimer la plantation de ses décors, de jauger ses éclairages
et d'apprécier le lever et la chute du rideau. Ses décors
étaient au poil. Dans son idée, il les avait conçus comme
un hommage à Thérèse en s'inspirant de l'innocente
manie qu'elle avait et dont elle se vantait de casser les
vitres, et l'emploi exclusif dans leur construction de la
cellophane, du plexiglas, une pellicule cellulosique
transparente pouvant se teindre et s'imprimer, une résine
synthétique ayant la transparence et l'éclat du cristal,
et de leurs dérivés en matières nouvelles, pouvant s'éclairer de tous les côtés, et par-devant, et par-derrière, sans
ombre portée, sans trompe-l'œil, sans perspective, les
plastifiants apportant à la plantation, dont ils assuraient
ce *new look* qui avait enlevé tous les suffrages dès la
soirée de la première, un horizon singulièrement inédit
et agrandi, concentré et approfondi, du proscenium au
cintre, sans jamais sortir du cadre très strict imposé
au théâtre, la transparence garantissant à elle seule le
transfert du jeu des acteurs de la réalité de la rue à l'irréalité de la scène. A l'ouverture, sur une séquence
désespérée d'une trompette de jazz, le rideau de cellophane qui voilait la scène d'une légère opacité se fendait
de bas en haut, volait en éclats comme une vitre et
découvrait ce nouveau monde fulgurant et de matière
abstraite, la transparence, une surprise, mieux qu'une
surprise, une révélation. Coco pouvait être fier de lui,
il était l'auteur d'une révolution scénique qui allait
s'étendre à tous les théâtres du monde. Mais il n'était pas
satisfait. Il pouvait faire mieux techniquement et il se

devait de le faire pour épater Broadway. Le *new look*
était en somme au niveau des théâtres de New York
et il était curieux que personne n'eût eu cette idée avant
lui, invention à laquelle l'avait mené un hommage sentimental à une très vieille comédienne. Assis dans son
fauteuil, il se tapotait la barbe, souriant, l'époussetant.

Sa nouvelle idée était très simple, mais son application au théâtre et son emploi pratique en scène se
trouvaient être hérissés de difficultés. Depuis huit mois,
c'est-à-dire depuis que la date de la première à New
York de *Madame l'Arsouille* était fixée, Coco travaillait
d'arrache-pied. Dans la journée, il courait les ateliers
des mécaniciens de précision et des monteurs électriciens pour l'adaptation des appareils existants déjà aux
besoins de la nouvelle mise en scène. Il consultait des
ocularistes, des opticiens, des physiciens, des ingénieurs.
Il s'était mis en rapport avec les spécialistes de la publicité lumineuse ultra-moderne, Paz & Silva, Jaccopozzi,
Georges Claude, le président de l'Air liquide, l'inventeur
du néon, Debrey, le constructeur de quantités de petits
appareils d'optique quasi automatiques et merveilleux.
Il avait tout essayé, tubulures et diffuseurs tamisés, projecteurs indirects, boîtes à lumière, réflecteurs, jeux de
miroirs, boules d'eau. Depuis huit mois, nuit après nuit,
assis de coin dans son fauteuil, fumant, riant, flambant,
trépidant, il houspillait ses hommes après la représentation, offrait des cigares à son électricien-chef et à son
chef machiniste, esquintait leurs équipes. C'était un
bourreau de travail mettant tout le monde sur le flanc.
Cette nuit, tout le monde était crevé, mais Coco tenait
son idée après des mois de tâtonnements et croyait
avoir réussi. Encore un dernier essai général avant le
décrochage, l'emballage des appareils et l'envoi de tout
le fourbi à New York. Il avait gagné. La date était
échue.

Il leur avait payé un bon casse-croûte de chez la mère Magne et tandis que les deux équipes marquaient la pause, se restaurant, buvant du beaujolais, du café bouillant, du calva vénérable, une vieille fine de derrière les fagots, tapant dans un caisson de demi-londrès qu'il leur avait également offert pour célébrer l'événement, assis seul dans son coin, Coco songeait au mal qu'il s'était donné et à toutes les difficultés qu'il avait eues à surmonter pour réaliser une idée aussi simple, et il n'en revenait pas. De quoi s'agissait-il? De supprimer les ombres au théâtre. Personne n'y avait jamais pensé. C'était simple comme bonjour. L'invention existait déjà et fonctionnait dans tous les hôpitaux. Seuls les chirurgiens s'en servaient dans les salles d'opération, où l'emploi des lampes scialytiques, des lampes qui ne projettent pas d'ombres, était quotidien depuis des années. L'adaptation de ces lampes chirurgicales aux besoins d'une mise en scène nouvelle n'était pas plus compliquée que l'adaptation d'un appareil photographique ou cinématographique à la lunette d'un télescope. C'était une question de focalité et de concordance. Une courbe ou une surface qui joue, par rapport à un lieu géométrique de l'espace, un rôle analogue à celui des foyers par rapport aux courbes planes. Il n'y avait pas de problème à résoudre. C'était réalisé depuis longtemps. Dans deux ou trois interviews il s'était laissé aller à parler du Soleil Noir, son ancien dada, pour mieux tromper ses rivaux sur la portée de ses recherches et leur orientation. C'était enfantin. Il avait trouvé. Il avait trouvé, il avait trouvé la lumière, la lumière après laquelle il avait couru pendant tant d'années au théâtre, l'éclairage spécifique de la scène, pas le Soleil Noir, non, mais la *Lumière d'outre-tombe*. Il allait déposer le nom. C'était son secret. Il y avait des années et des années qu'il était à son insu à la recherche de ça, empruntant des voies empiriques,

tournant autour aveuglément avec des moyens de fortune. La *Lumière d'outre-tombe*, un dépaysement complet.
Le THÉÂTRE...

— Patron, on est paré, on donne le jus? cria soudain
le chef électricien...

— Lumière! lumière partout! cria Coco debout, les
mains en porte-voix...

Et la lumière fut...

Au bout d'un long moment, se rendant compte que
le peintre ne réagissait pas et ne disait rien, l'électricien-
chef et le chef machiniste se précipitèrent, bientôt suivis
de leurs équipiers.

Coco était retombé dans son fauteuil. Il était mort sans
faire ouf...

D'une vulgaire crise cardiaque ou d'émotion esthétique?...

Peut-être aussi de surmenage ou d'abus de la drogue?...

Le cœur avait flanché.

L'Aimé ne s'est jamais prononcé.

Le soir même Guy avait téléphoné à son ami :

— Je ne rentre pas non plus cette nuit. Tu m'ennuies.
Je sors avec la Papayanis. On va danser. Jean Chauveau
est en voyage...

Les obsèques furent solennelles.

C'était une très grande perte pour le théâtre.

Il avait cinquante-trois ans.

Dans sa poche, cette boîte de Pandore des morts au
fond de laquelle il ne reste que l'espérance, le mal des
maux, on avait trouvé une feuille de papier méticuleusement plissée en éventail et bizarrement couverte de
taches d'encre qui avaient toutes tendance à la verticale
mais qui se rompaient toutes vers le milieu. C'était la

réponse de la célèbre diseuse de bonne aventure d'Arras
que Coco avait consultée et qui lui renvoyait son papier
avec une note griffonnée en rouge. La voyante disait :
*Prends garde à ton cœur, il t'emporte! Prix 400 francs par
mandat-poste. Merci. (Signé)* JENNY.

XII

AU BOUT DU MONDE

Félix Juin était rentré dare-dare de New York. Il avait le vertige. Thérèse était morte. La tête lui tournait. Le sol se dérobait sous ses pas en descendant d'avion. Comme quand on reprend terre après une trop longue croisière en mer, roulis et tangage, et que l'on affirme machinalement ses pieds et que l'on écarte les jambes en marchant en ville. Comme le paysage, la nature, le ciel tournent et montent au niveau de la portière et s'inclinent et dansent jusqu'aux bouts des horizons dans le sillage d'un train lancé à toute vapeur à travers l'Europe. Comme le décor rationnel des bornes Michelin vous saute dessus, vous roue de coups et que le ruban rectiligne de la route s'emmêle et vous étrangle en se défilant dans un virage brusque, ponceaux, barrières, cassis, panonceaux, dos d'âne, croisements à gauche et à droite, dépassement, doublage, et, la nuit, signaux rouges, ces mêmes feux qui clignent, qui se répètent à l'infini ou se reflètent dans la lumière orangée des phares ou éblouissante, et la multiplication des avertissements sonores et les leurres optiques, sans rien dire des flaques de cambouis sur l'autostrade dans lesquelles on dérape, des arbres blanchis, de la publicité *ne varietur* qui s'inscrit nuit et jour dans votre rétine, à vous rendre dingue, à vous donner un tournis cérébral. Danger.

Danger. Danger. Tout va trop vite. La vie vous emporte,
fonce et s'enfonce. La mort. On est bredouille. Le vide.
C'est du vertige.

Le directeur de théâtre se faisait conduire à toute
vitesse d'Orly au Père-Lachaise. C'était urgent. C'était
l'heure. Il devait faire un discours. Le micro attendait.
L'antenne de la voiture-radio se dressait oscillante. Les
câbles se déroulaient dans tous les sens. Un tissu de
mensonges. Les haut-parleurs étaient braqués. D'autres
officiels attendaient leur tour pour parler. Les opérateurs
des Actualités faisaient ronronner leurs appareils enre-
gistreurs. Les flashes des reporters crépitaient. On sté-
nographiait les discours. Il y avait foule. On se serait cru
un jour de manifestation au Mur des Fédérés. Trente
mille, quarante mille personnes piétinaient devant le
four. Le Tout-Paris, bien sûr, et des gens de théâtre,
mais pas tant des gens du monde et des cochons de
payants que le grand public, la foule anonyme des ciné-
mas et tous les habitants de Ménilmuche. Comme il n'y
avait pas de service d'ordre, on se serait cru dans une
cour d'usine un jour de grève sur le tas.

On était fin juin. Il faisait une chaleur atroce. Les
hommes étaient en manche de chemise, les femmes en
cheveux, le caraco déboutonné. Par sa présence le populaire tenait à rendre hommage à la grande actrice qui les
avait tant fait rire de son vivant. Les moutards du quartier
quémandaient des autographes aux célébrités et les
filles s'approchaient des vedettes pour les toucher
comme des porte-bonheur, chaque môme sachant qu'elle
concourrait un jour dans un quotidien pour un prix de
beauté, Miss France, et qu'elle aurait peut-être la chance
de faire ses débuts au cinéma ou de gagner tout au moins
le billet d'un séjour gratis, une bonne semaine sur la
Côte d'Azur! Les jeunes filles riaient. On se bousculait.
Le désordre atteignait son comble. C'était la vie. La vie

de Thérèse. Et, néanmoins, les orateurs qui se succé-
daient dégoisaient à qui mieux-mieux, faisant fi du
cinéma.

On eût dit que ces beaux messieurs s'étaient donné le
mot pour partager la carrière théâtrale de Thérèse en
deux et tracer un parallèle entre ses débuts ingrats,
sages et vertueux, mais où on l'avait tout de même étouf-
fée durant une bonne douzaine d'années sur les grandes
scènes parisiennes, la maintenant dans des rôles obscurs
de deuxième plan, sans jamais lui donner une chance de
percer, ou alors la cabale s'était déchaînée comme elle
avait sévi à la Comédie-Française, dont Thérèse avait
finalement claqué la porte, comme au théâtre Sarah-
Bernhardt, où la patronne elle-même, folle de jalousie,
organisait la mise en boîte, si bien que Thérèse avait
tout plaqué un beau jour pour aller apprendre le métier
en province et faire les bouis-bouis d'Espagne et de
l'Amérique du Sud, et son apothéose au théâtre de la
Scala, digne d'une meilleure cause que celle du cinéma
qui l'avait lancée et dans une pièce loufoque, absurde,
également fortement influencée par le ciné, cet art
nouveau, la télévision, le spectacle hybride de l'avenir
qu'une vieille, la doyenne des comédiennes de Paris,
venait de faire triompher. Ces encroûtés avaient tendance
à tout officialiser et s'il leur arrivait de mentionner les
années de misère et de lutte sordide c'était pour citer
un exemple de ce qu'il ne fallait pas faire. Au théâtre,
rien n'est définitivement gagné ni tout à fait perdu.
Avec un peu de patience et de bonne volonté, on arrive.
Rien ne sert de jeter le manche après la cognée ou de
mettre la charrue devant les bœufs. Tout vient à point
à qui sait attendre. Bref, ils prônaient tout ce que Thérèse
avait eu le bonheur d'éviter : les rôles du répertoire, les
scènes subventionnées, la routine, les douzièmes, les
feux, la pension, la retraite, l'honorariat. La tradition.

Le classicisme. Les trois unités (ô, la jambe!) de lieu, de temps, d'action; le théâtre bourgeois du boulevard, le mari, la femme et l'amant, comme si la modernité n'avait pas tout remis en question. Notre époque d'aujourd'hui, avec ses besoins de précision, de vitesse, d'énergie, de fragmentation de temps, de diffusion dans l'espace, bouleverse non seulement l'aspect du paysage contemporain, le site de l'homme et son habitat, mais encore, en exigeant de l'individu de la volonté, de la virtuosité, de la technique, elle bouleverse aussi sa sensibilité, son émotion, sa façon d'être, de penser, d'agir, tout son langage, bref, la vie. Cette transformation profonde de l'homme d'aujourd'hui, de son travail, de ses loisirs, ne peut pas s'accomplir sans un ébranlement général de la conscience et un détraquement intime du cœur et des sens : autant de causes, de réactions, de réflexes qui sont le drame, la joie, le désespoir, la passion, la tragédie de notre génération écorchée et comme à vif. Si Guy de Montauriol, qui n'avait pas de cœur et s'en foutait éperdument, n'était pas venu assister à la manifestation en masse au Père-Lachaise, ce n'est pas qu'il méprisait la vieille comme il crachait sur les bonzes qui devaient prendre la parole au cimetière, tout au contraire, maintenant qu'il la connaissait mieux, il l'estimait. Mais voilà, il avait loué une chambre dans un petit hôtel aux Batignolles, rue du Mont-Dore, dont la fenêtre donnait sur un jardinet coupé par une centrale électrique dont la dynamo tournait jour et nuit dans un vertigineux mélisme empêchant le quartier de s'endormir, et il était justement en train d'écrire une nouvelle pièce, *Les Enfants de Jean-Jacques*, qui était la tragédie, la comédie, le drame des enfants de Jean-Jacques Rousseau déposés par leur illustre père, le philosophe réformateur de la Grande Révolution, dans le tour placé à l'entrée de l'Hospice des Enfants-Trouvés et du destin effarant

qui les avait poursuivis dans la vie, préfiguration de la
jeunesse abandonnée d'aujourd'hui, autant dire vouée
à la mort violente et sur une échelle universelle. Quelle
duperie, mais aussi quel rire! Tout le monde doit mourir
et personne n'est jamais prêt depuis le temps. A quoi
riment ces oraisons funèbres? Rien n'est aussi démodé
que Bossuet. A quoi bon ces pompes? Il y a de quoi se
tordre. Ah, le patho! Du vent.

Comme il n'y avait pas de cérémonie civile ou religieuse, la ruée des curieux ayant eu lieu à la surprise
générale, l'auditorium était fermé à clé. Le micro était
placé devant la porte close, sur le perron, au pied de la
cheminée du four crématoire. Et les gens s'ennuyaient,
n'écoutant pas les orateurs, ne les suivant pas, ne les
comprenant pas. Cela ne valait tout de même pas un
beau jeu d'orgues, malgré les coups de gueule, les effets
de voix, les trémolos dont Félix Juin avait donné le
branle, l'hypocrite, voulant faire passer ses excès d'élo-
quence funèbre pour de l'émotion pure alors qu'il était
en proie à une crise d'asthme particulièrement aiguë
ce matin-là, due à la fatigue du voyage, aux changements
d'altitude de l'avion, de climat, de pression, d'hygrosco-
pie, de température qui lui irritaient la gorge et faus-
saient la note et la portée de ses cordes vocales (le plus
drôle, c'est qu'il était réellement ému, l'enroué chronique, mais qu'en parfait cabotin il tirait des effets
pathétiques de ses suffocations pour jouer sa partie) et
beaucoup de gens à la larme facile s'y laissaient prendre.
Mais la majorité bayait aux corneilles. Tous les yeux
guignaient le sommet de la cheminée monumentale
qui devait vomir, marquant la fin de l'opération et le
dislocament de l'assemblée, des volutes de fumée ou
un tourbillon de suie, à défaut de l'idole elle-même
consumée, espoir et résurrection! Fernand Crommelynck,
le génial auteur du *Cocu magnifique*, qui était venu à

l'enterrement, allait de groupe en groupe, habillé de
noir, sérieux comme un pion, et il disait sans avoir l'air
de rien : « On en grille une ? », offrant des sigbiches à la
ronde, et l'on rigolait. Mais on guettait aussi avec malice
si l'on ne découvrait pas dans la foule Jeanne Moreau,
qui prenait déjà la succession de Thérèse dans le cœur
et la dévotion du populo. Ah ! la jolie gouape, dans le
sens espagnol du mot, elle perçait pleine de talent, de
vénusté, de fastes, pas bégueule pour un sou et bien
farce. La joie, la joie de vivre !

Pour une comédienne célèbre, le bout du monde
c'est le Père-Lachaise et pour celles qui, comme Teresa
Espinosa, ex-Mme Maurice Strauss, sa veuve, ont eu un
époux assez prévoyant pour prendre les dispositions
dernières très longtemps à l'avance afin de leur éviter la
fosse commune ou les scrupules et les remords du conseil
réuni de la belle-famille qui accepte, qui refuse, qui
discutaille, qui admet, qui se ressaisit, qui rejette l'idée
de leur aménager un coin honteux dans le somptueux
tombeau bourgeois, dit concession perpétuelle, et souvent monumental, le Père-Lachaise est le four crématoire
d'où l'on peut les voir se perdre dans le ciel sale de
Paris sous forme d'une bouffée de fumée bleue, prendre
leur essor, au lieu de se morfondre et de pourrir en
quarantaine au ban du cimetière, comme au xviie siècle
les sœurs Béjart, Madeleine et Armande, la maîtresse
et l'épouse de Molière, et Molière lui-même, le comédien,
le protégé, le favori du Roi, Adrienne Lecouvreur,
Mme Favart, la Clairon au xviiie siècle et Mlle Mars,
la dernière en date (1847?). Néanmoins, cette cérémonie
sans cérémonial dans le décor d'une usine à gaz en
chômage porte bien la marque du stupide xixe siècle
et des esprits forts qui l'instituèrent, aujourd'hui expé-
diée en vitesse et sans aucun mystère par des fonction-
naires municipaux en salopette de chauffe. Pas de boni-

ment. Tout est tarifié. Les croque-morts à jeun savent
très bien qu'il ne faut compter sur aucun pourboire.
Rien n'est plus odieux que le sentimentalisme qui se
camoufle jusqu'à prendre l'aspect de l'indifférence. Le
columbarium désert ressemble aux casiers de la poste-
restante où jamais personne ne viendrait retirer son
courrier, faute de revenants *post mortem*. Tout est neuf
et déjà fatigué dans cet oubli total, récent et qui sent sa
camelote et son faux luxe démocratique. Le chauffeur-
chef cherchait la famille pour lui remettre une brique,
on ne peut pas dire l'urne contenant les cendres de la
défunte, un truc rectangulaire pas plus volumineux
qu'un paquet de biscuits Lu.

La sœur de lait de Thérèse était au premier rang des
curieux devant le micro. Victorine donnait le bras à
Eugène, le garçon de nuit de l'hôtel de passe. Le couple
s'était mis en ménage. Un troisième personnage, un
ami, petit, sec, pommadé, astiqué comme une olive
noire, les godasses passées au cirage, ayant mis des
gants et enfilé une redingote empruntée pour la cir-
constance, se tenait derrière le couple ahuri. C'était le
balayeur des Halles à qui Thérèse avait fait tenir un
billet le soir de la première et pour qui il professait une
admiration reconnaissante. Il tendit la main. Il possédait
déjà des reliques de *Madame l'Arsouille*, des photos,
des placards de publicité, des articles découpés dans les
journaux, au grand complet l'affaire du CRIME PARFAIT,
une affiche de la Scala. C'est donc à lui que l'on remit
la boîte contenant la chose sans nom. Il fourra la brique
creuse sous le bras et le trio sortit pour aller manger une
choucroute dans une brasserie, non pas *A la vue du
cimetière* comme au temps de Baudelaire, mais un
établissement nouveau, *Chez Dupont (Tout est Bon!)*,
avec des tubes au néon, un tourne-disque automatique
et la terrasse regorgeant de monde qui prenait l'apé-

ritif. C'était la dislocation. La Papayanis sortait en larmes du cimetière et comme le coupé qui l'emportait tournait le rond-point du boulevard pour descendre en ville par Ménilmontant, le trot des gris pommelés fringants sur le macadam lui fit penser à la joie que Thérèse gamine aurait eue de courir derrière le dernier équipage de Paris et de se jucher dans les ressorts de la voiture haut suspendue, se balançant comme un berceau, les roues caoutchoutées amortissant le moindre cahot. Alors la Grecque se mit à se lamenter à la mode de son pays. Assise sur les genoux de son mari qui, à lui seul, tellement il était gros, remplissait l'élégant petit coupé de ville de chez Binder et carrossé en peau d'ange, qui les ramenait chez eux, avenue Foch, elle vociférait :

— J'ai perdu mon amie, ma meilleure amie, ma protectrice! La seule femme qui m'ait voulu du bien à Paris, la seule femme qui ait fait quelque chose pour moi au théâtre! O, ma douce, je lui dois tout! Elle m'aimait... Misère, ô ma Mère, ma carrière est terminée!... Je suis finie...

— Ne crie pas, chérie! On est à Paris. Tout le monde t'entend. Les gens se retournent sur le trottoir. On doit croire que je t'assassine. Et que doit penser le cocher? Ne crie pas! Est-ce que j'ai crié, moi, quand je t'ai surprise l'autre jour dans les bras de Guy? Si tu veux, je puis t'acheter la plus belle propriété à vendre à Villefranche ou à Beaulieu. Nous pouvons aussi aller vivre à l'étranger et je liquiderai l'affaire de ce pauvre Max. Ne crie donc pas, ce n'est pas décent. Tiens, regarde ce que je me suis procuré pour toi tout à l'heure au cimetière. Je tiens cette photographie d'un jeune admirateur de Thérèse qui me l'a cédée pour un paquet de billets de banque. Je ne sais pas d'où il tenait ça. Mais qu'elle est belle! Notre pauvre amie a été calomniée. C'était une sainte...

Disant cela, Jean Chauveau fixait la photo à l'aide de son épingle de cravate, une perle noire, qu'il enfonçait dans la carrosserie en peau d'ange.

— ... Regarde comme elle est belle, n'est-ce pas? Elle n'a pas vingt ans. C'est une cajoleuse... Ne crie pas, je t'en supplie! On n'est pas dans ton île... C'est une jeune Parisienne capable de tout obtenir par la câlinerie... C'était une adolescente androgyne... Quelle séduction!... Je l'aimais... Nos actions sont au bout de nos doigts...

La Papayanis se laissa glisser sur les genoux, et se mit en prières dans le dos du cocher, en extase, les yeux fixés sur l'image d'autrefois d'une belle jeune femme qu'elle n'avait pas connue, en prières, comme devant l'iconostase de son village d'origine.

Les rues défilaient, du Père-Lachaise à la porte Dauphine, tout Paris, le Paris que Thérèse avait tant aimé.

Jean le contemplait distraitement par la portière. Il était songeur. Des larmes brûlantes lui montaient aux yeux. Il les refoulait plutôt qu'il ne les tamponnait avec son mouchoir de batiste imbibé de Knize Ten.

Des flâneurs s'arrêtaient pour regarder passer avec surprise cet équipage d'antan, unique et ultime, se frayer un chemin suprême dans la cohue des véhicules motorisés.

Le cocher avait la main ferme et les chevaux ne bronchaient pas, écumants.

Le fouet était d'une couleur jaune, la mèche blanche teintée de feu.

Les gourmettes cliquetaient.

Les sabots ardents des trotteurs battaient la mesure.

C'était bien la fin de toute une époque...

Huit jours auparavant, Thérèse et Vérole avaient été terminer la nuit chez Carrère, à Montfort-l'Amaury.

Au retour, la Mercédès roulant à petite allure entre chien et loup dans le crépuscule de l'aube par le chemin du Cheval-Mort pour aller rejoindre la route de Paris, Thérèse fut soudainement prise d'une envie folle de manger des cerises.

— Stop! cria-t-elle. Regarde ces beaux arbres chargés de fruits. J'en veux...

Vérole rangea la voiture sur le bas-côté et hissa Thérèse dans un cerisier. Lui-même se mit à califourchon sur une grosse branche. Thérèse grimpait le plus haut possible.

Ils picoraient des cerises comme des oiseaux. La journée s'annonçait merveilleuse. Le soleil avait fait un bond.

Tout à coup Thérèse poussa un hurlement sauvage.

— Qu'est-ce qui te prend là-haut? cria Vérole. Attends, je viens te chercher. Ne lâche pas prise...

Mais déjà la vieille femme dégringolait de branche en branche. Vérole sauta dans l'herbe.

Thérèse avait la patte cassée, mais elle se plaignait d'une douleur à la lèvre.

— Aïe, aïe, aïe! hurlait-elle. C'est insupportable. C'est pis qu'une brûlure au fer chaud. Je deviens maboule. Regarde, j'ai été piquée par une sale bête!...

— Ce n'est rien, dit Vérole. Viens! On va s'arrêter chez un pharmacien...

Il ramassa la pauvre loque hurlante, gémissante, l'installa dans la voiture bien contre lui et roula jusqu'à Paris à tombeau ouvert.

Vu l'heure, les pharmacies étaient encore fermées.

Il mena la blessée directement à la clinique de la rue Spontini...

Déjà Thérèse ne pouvait plus parler, sa bouche était enflée comme une aubergine et l'enflure gagnait le front, les tempes, et la boursouflure envenimée oblitérait les yeux. Thérèse n'y voyait plus.

— Fracture du fémur, dit le médecin de service. Ce n'est rien. C'est classique chez une vieille femme. Ligotée étroitement sur une planche, elle en a pour vingt jours, et souvent la soudure des os est telle que la jambe est plus solide qu'avant. Mais ce qui m'inquiète, c'est cette plaie de la lèvre supérieure. Vous dites que c'est une simple piqûre de guêpe ou de frelon, ou une morsure d'araignée? Ce bobo prend une bien vilaine tournure. Et il est mal placé...

En moins de deux fois quarante-huit heures un anthrax envahissant lui avait paralysé le cerveau sous le bistouri.

De toutes façons la vieille devait suffoquer. On lui avait administré tant de milliards d'unités de pénicilline pour lutter contre l'infection qu'en moins de deux fois quarante-huit heures sa langue était devenue pileuse. C'est un cas rare, mais pas impossible et rien ne doit paraître extraordinaire de la part de ce vieux singe de Thérèse.

Vérole avait disparu.

C'est pourquoi Toison d'Or, qui était toujours aux trousses de Jean de France, *alias* Jean-Jean, ne l'avait pas vu à l'enterrement. Mais il eut vite fait de découvrir que le compte en banque de Mme l'Arsouille avait été ratissé par un faux chèque.

La robe de diamants, elle aussi, avait disparu.

XIII

TOUT EST CONSOMMÉ

Les légionnaires casernés à Sidi-bel-Abbès avaient reçu une invitation mystérieuse de venir le soir même, après l'appel et le contre-appel, assister à une nuitée d'amour, donnée à *La Nouvelle Patrie*, la grande brasserie moderne sise en face les grilles de la caserne de la Légion, réservée aux officiers.

A l'entrée, chaque arrivant recevait une liasse de cent mille francs en billets de banque à charge par lui de les dépenser séance tenante en l'honneur et pour commémorer la grande nouba de la Légion.

Il est impossible d'entrer dans les détails de cette folle nuit. Tout le monde était soûl. Les bouchons de champagne partaient tout seul. On s'aspergeait d'écume. Les refrains les plus dégueulasses étaient repris en chœur. Des types se déshabillaient pour exhiber leurs tatouages. On se déguisait et des sections entières de légionnaires exécutaient des danses du ventre. Toute la salle claquait des mains pour accompagner les rythmes et des cris et des ululements partaient de tous les coins. Les bouteilles volaient. Sur le podium, le boute-en-train de la fête, une espèce de colosse, les bas de soie de la Madone de Badajoz saupoudrés de brillants noués autour du cou comme un chèche d'un nœud coulant, nu dans une grande robe de parade constellée de dia-

mants, des bijoux à tous les doigts, même aux doigts de
pied, une tiare sur la tête, des boucles aux oreilles, des
colliers de perles énormes qui lui bringuebalaient sur
le ventre, congestionné, hilarant, immonde, l'infatigable
braillait d'une voix de stentor :

> *Trabadja, la moukhère,*
> *Trabadja, bono,*
> *Trempe ton cul dans la soupière,*
> *Tu m'diras si c'est chaud...*

C'est au plus fort de cette orgie que la garde armée
entra. Il y eut bagarre, rixe, des morts et des blessés.
Écrasé par le nombre, le caïd finit par se rendre. On
emmena l'homme à la caserne et l'on boucla le déserteur
dans le trou.

> *Paris.*
> *Saint-Second.*
> *Paris.*
> *Le château de La Marche.*
> *Paris.*
> *Le château d'Ouchy.*
> *Paris.*

> *1948-1955.*

DU MÊME AUTEUR

Cet ouvrage a été achevé d'imprimer.
par la Société Nouvelle Firmin-Didot.
le 24 février 1997.
Dépôt légal : février 1997.
1er dépôt légal dans la collection : décembre 1971.
Numéro d'imprimeur : 37765.

ISBN 2-07-036015-6/Imprimé en France.
Précédemment publié par les éditions Denoël.
ISBN 2-207-20303-4.